Leyendas

Letras Hispánicas

Gustavo Adolfo Bécquer

Leyendas

Edición de Pascual Izquierdo

PRIMERA EDICION
MEXICO, 1988

rei méxico

Letras Hispánicas

Ilustración de cubierta: Paco Conesa

Primera edición
México, 1988

ISBN: 84-376-0598-9 (Ediciones Cátedra)
ISBN: 968-456-059-1 (REI-MEXICO)

Impreso en México
Printed in Mexico

Índice

Introducción

Bécquer (grabado de M. Luque)

Apuntes para una biografía

El periodo vital becqueriano (1836-1870) se extiende desde poco después del comienzo de la regencia de María Cristina hasta mediados del Sexenio revolucionario. Treinta y cuatro años en los que, como transfondo del respirar diario, hay siempre resonando un intenso rumor de sables que agitan recintos militares y un estruendoso vocerío de gargantas que recorren las calles abriendo pórticos a la historia y epitafios al aire; hay siempre oscilando un balanceo pendular que se mueve entre libertad y orden, entre moderación acentuadamente conservadora y progresismo utópicamente revolucionario. Periodo vital por el que desfilan regencias, gobiernos moderadamente inmoderados, constituciones sucediéndose como gastados cangilones de noria, conspiraciones en voz baja, revueltas populares, revoluciones anunciadas, progresismos exaltados y pronunciamientos de espuelas y de espadas, mientras se descompone como estatua resquebrajada una monarquía y, ya en los últimos compases, se produce el advenimiento de un rey que tres años después de su llegada abandonaría la corona, poco más tarde restaurada.

En Bécquer[1] existen dos paisajes principales, dos ámbitos

[1] Sobre bibliografía biográfica de Bécquer, cfr. Ramón Rodríguez Correa, prólogo a la edición de *Obras*, Madrid, Imprenta Fortanet, 1871. Narciso Campillo, «Gustavo Bécquer», artículo necrológico aparecido en *La Ilustración de Madrid*, núm. 25, 12 de enero de 1871. Julio Nombela, *Impresiones y recuerdos*, 4 vols., Madrid, La última moda, 1909-1912. Julia Bécquer, «La verdad sobre los hermanos Bécquer. Memorias de Julia Bécquer», en *Revista de la Biblioteca, Archivo y Museo del Ayuntamiento de Madrid*, IX, núm. XXXIII, enero de 1932, páginas 79-91.
Entre las recientes, son imprescindibles Rica Brown, *Bécquer*, Barcelona,

significativos en la construcción de su delicado microcosmo de pulsaciones: Sevilla y Madrid. Toledo, Veruela, Soria y los alrededores del Moncayo son paisajes secundarios, aunque deben mencionarse por tener especial relieve en alguna página de su vida u obra. En Sevilla tendrán lugar los primeros arabescos de la biografía, las primeras lecturas, el despertar de los asombros y el temblor de los primerizos balbuceos literarios. Luego será lugar de nostalgias y evocaciones. Madrid, ya entonces desembocadura de siglos y ambiciones, será centro del instante y ámbito ciudadano donde se cumplirán los dos últimos términos de la humildísima confesión de Bécquer, que se puede interpretar como síntesis biográfico-intelectual: «Yo nada sé, nada he estudiado: he leído un poco, he sentido bastante y he pensado mucho»[2].

Gustavo Adolfo Bécquer recibió su primer beso de luz en Sevilla, el 17 de febrero de 1836. Hijo de Joaquina Bastida Vargas y de José Domínguez Insausti, pintor sevillano más conocido como José Bécquer, o José Domínguez Bécquer, apellido este último procedente de unos antepasados flamencos establecidos en Andalucía a finales del siglo XVI, quedó Gustavo Adolfo huérfano de padre cuanto tenía cinco años. Tras cursar los primeros estudios en el colegio de San Antonio Abad, ingresó a los diez años en el de San Telmo, institución donde se recogían los huérfanos pobres pertenecientes a familias de noble extirpe. Quizá lo más destacable de su estancia en San Telmo sea que allí conoció a Narciso Campillo[3], íntimo amigo suyo, el cual, tras la muerte del poeta, habría de contribuir a rescatar del olvido la producción literaria becqueriana y al conocimiento de algunos aspectos de su biografía, particularmente los centrados en los años juveniles y en el nacimiento de la vocación literaria[4]. En 1847, fallecida su madre en febre-

Aedos, 1963. José Pedro Díaz, *Gustavo Adolfo Bécquer. Vida y poesía*, Madrid, Gredos, 1971. Rafael Montesinos, *Bécquer. Biografía e imagen*, Barcelona, 1977.

[2] *Cartas literarias a una mujer*, I, *Obras completas*, Madrid, Aguilar, 1981, página 619. Para todas las citas de textos no contenidos en nuestra edición, nos referiremos siempre a sus *Obras completas (O. C.)*.

[3] Sobre este amigo de Bécquer, cfr. Fuensanta Guerrero, «Vida y obras de Narciso Campillo», en *Revista de Literatura*, XXV, 1964, págs, 69 y ss.

[4] Sobre estos y otros aspectos de la biografía de Bécquer, Campillo publicó,

ro y cerrado en julio el colegio de San Telmo, fue a vivir con su madrina, Manuela Monnehay. Ávidas lecturas descubridoras de las tendencias literarias europeas fueron iniciadas en su nuevo hogar, surtido de obras de Chateaubriand, Madame de Staël, Balzac, Byron, Musset, Lamartine, Víctor Hugo, Espronceda y los cuentos de Hoffmann. En 1852, tras pasar por el taller de pintura de Antonio Cabral Bejarano, comenzó estudios pictóricos en el de su tío Joaquín Domínguez Bécquer, donde ya su hermano Valeriano[5] se abría paso entre el color, la luz y la forma, pero su mayor inclinación hacia la literatura —y los consejos de su tío, quien costeó los estudios de latinidad— le indujo a proseguir por el camino de las humanidades, en el que la influencia de Alberto Lista le descubriría el clasicismo renacentista, tan arraigado en la tradición poética sevillana[6].

«Yo no sé si por mi buena o mala ventura me dediqué muy joven a las letras, pero sí que lo hice por necesidad. Comencé por donde comienzan casi todos: por escribir una tragedia clásica y algunas poesías líricas»[7], afirmará en noviembre de 1860 en las páginas de *La Iberia*. Ciertamente, muy tempranas son las manifestaciones de sus inquietudes literarias. La más precoz es un drama, compuesto a los diez años juntamente con su amigo Campillo, titulado *Los conjurados*, balbuceo juvenil que se representó en el colegio de San Telmo. De 1848, cuando el poeta contaba doce años, data su *Oda a la muerte de don Alberto Lista*, que muestra claramente, junto a la capacidad de mímesis

con el título de «Gustavo Bécquer», un artículo necrológico en *La Ilustración de Madrid* (cit.) Ha sido reproducido por Martín Alonso en *Segundo estilo de Bécquer*, Madrid, Guadarrama, 1972, págs. 423-432.

[5] Sobre Valeriano Bécquer, el hermano que tanta importancia tuvo para Bécquer, cfr. Santos Torroella, *Valeriano Bécquer*, Barcelona, 1948.

[6] La influencia de Lista le llegó a Bécquer de manera indirecta y por dos vías: procedente de su hermano Valeriano, que asistía a las clases que el reconocido poeta impartía en el colegio de San Diego, y a través de Francisco Rodríguez Zapata, discípulo de Lista, profesor primero en San Telmo y luego catedrático de Retórica y Poética en el Instituto de Segunda Enseñanza de Sevilla, donde se matriculó Campillo. Sobre Rodríguez Zapata y Bécquer, cfr. Manuel Ruiz Lagos, «El Maestro Rodríguez Zapata en sus afinidades becquerianas. Apuntes sobre su magisterio estético en Gustavo Adolfo Bécquer», en *Revista de Filología Española*, LII, 1969, págs. 425-475.

[7] *Carta abierta, O. C.*, 1981, pág. 1182.

del entonces incipiente poeta, la influencia de la tradición poética representada por su destinatario. Algunos años más tarde, en 1852, iniciado ya el temblor adolescente, escribió el primer poema amoroso que se conserva: *Oda a la señorita Lenona, en su partida*. Poco después logró que el periódico local *La Aurora* publicara sus primeros tanteos literarios. Son tiempos de recitación nocturna y aquelarre poético. Se reunían Campillo, Julio Nombela[8] —a quien Gustavo Adolfo había conocido mediante la presentación del director de *La Aurora*— y Bécquer para leer sus composiciones y guardar en una arqueta de madera las que unánimemente eran juzgadas como dignas de ser rescatadas del olvido. Son tiempos en los que empieza a bullir el afán de gloria literaria, la anhelada efervescencia de la fama, años de exploraciones, de febril ensoñación. Años de iniciación en el desbrozo de los caminos que llevan a entrever o desvelar el misterio de los relojes de luna. En sus *Cartas desde mi celda*, III, están reflejadas estas inquietudes:

> Cuando yo tenía catorce o quince años y mi alma estaba henchida de deseos sin nombre, de pensamientos puros y de esa esperanza sin límites que es la más preciada joya de la juventud; cuando yo me juzgaba poeta, cuando mi imaginación estaba llena de esas risueñas fábulas del mundo clásico (...), ¡cuántos días, absorto en la contemplación de mis sueños de niño (...), daba rienda suelta a mis pensamientos y forjaba una de esas historias imposibles, en las que hasta el esqueleto de la muerte se vestía a mis ojos con galas fascinadoras y espléndidas[9].

Con el único equipaje de su juventud y ansia de gloria —la arqueta, mágico talismán de versos, llegaría más tarde, de la mano de Campillo— y los consabidos treinta duros que su tío

[8] Julio Nombela y Tabares (1836-1919) fue uno de los mejores amigos de Bécquer. A él debemos muy estimables noticias sobre la vida del poeta, contenidas en su obra *Impresiones y recuerdos* (cit.) Fue colaborador, director y fundador de periódicos, y prolífico novelista por entregas. La citada obra no sólo contiene noticias de Bécquer, sino que es una amplia mirada sobre la historia política y literaria de la segunda mitad del siglo XIX y puede ser considerada, según Azorín, como «el complemento obligado de las comedias de Bretón y los cuadros de Mesonero» (*Los valores literarios*, Madrid, Renacimiento, 1913, pág. 47).

[9] *Cartas desde mi celda*, III, *O. C.*, 1981, págs. 532-533.

Joaquín le proporcionó, Bécquer llegó a Madrid en otoño de 1854[10]. Le habían precedido Nombela y dos poemas publicados en la revista madrileña *El Trono* y *La Nobleza:* un *Soneto* (diciembre de 1853) y el romance *La plegaria y la corona* (mayo de 1854). Estaba en el poder el general Espartero inaugurando el bienio progresista. Atrás quedaba la revolución de julio de 1854, en la que se habían levantado barricadas en las calles, se habían saqueado casas y palacios de personajes cercanos a las esferas del poder y la realeza, y se había vitoreado la República.

Madrid es escenario vivencial del poeta, paisaje donde transcurre una parte importante de su biografía interior y exterior. Biografía del amor y del dolor[11], del presente y la melancolía, de la emoción lírica y de la dura lucha contra la asfixia circular de lo cotidiano. En Madrid fue Bécquer imperfecto desconocido, pobre sin solemnidad, aspirante a poeta, mendigador de caridades literarias y prosaicas. En Madrid fue periodista, adaptador de obras teatrales, escritor de rimas, leyendas y relatos, cronista de diversas celebraciones, censor de novelas, gacetillero de bailes, salones y reuniones de sociedad, director de periódico, reseñador de discursos políticos, prosista y poeta celebrado poco más allá del círculo de sus amigos y conocidos, muerto sin resonancias tipográficas[12]. En Madrid fue salteador de visillos y ventanas, amante no correspondido, suspirador

[10] Rafael de Balbín Lucas, en su trabajo «Sobre la llegada de Gustavo Adolfo Bécquer a Madrid», precisa que el poeta llegó exactamente el 1 de noviembre. (*Revista de Literatura*, V, 1954, págs. 301-308).

[11] «Poeta del amor y del dolor». Así es llamado Bécquer en la placa conmemorativa situada en la fachada de la casa donde murió (actual núm. 25 de la madrileña calle de Claudio Coello).

[12] Sabido es que el fallecimiento del poeta pasó prácticamente desapercibido. De los periódicos madrileños, sólo *La opinión Nacional* y *La Época* se hicieron brevísimo eco, incluyendo tres o cuatro líneas relativas a la noticia de su muerte. *Gil Blas* se extendía un poco más, recordando que en el plazo de tres meses habían muerto ambos hermanos, Valeriano y Gustavo, uno gloria de las artes y otro de las letras. *La Ilustración de Madrid* anunció el día 27 de diciembre la muerte de su director, publicando en el primer número de enero un retrato en el lecho de muerte, obra de Casado del Alisal, y una extensa biografía escrita por Campillo (cfr. Robert Pageard, «La mort de Gustavo Adolfo Bécquer dans la presse du temps. 1870-1871», en *Bulletin Hispanique*, LIX, 1957, páginas 396-403).

15

desde la distancia y el silencio, enamorado de una pupila azul llena de latidos, fecundo tejedor de las melancolías. Fue silencioso galán, pretendiente, esposo, padre, desavenido conyugal[13]. Y sobre todo, Bécquer en Madrid fue poeta. Poeta lleno de sensibilidad y asombros, buscador del ideal estético y la belleza como esencia. Persiguió el secreto que en forma de pasión o aroma se esconde tras un labio o una flor, y encontró un lenguaje interiorizado, hecho música o perfume, fórmula de esencialización.

A los ojos soñadores del poeta, Madrid se presenta como tierra de conquista y promisión[14]. Sin embargo, la impresión que le produce la Corte se sitúa muy distante de la altura de su sueño. Mas el autor de las *Rimas* se sobrepone a la realidad de un Madrid «sucio, negro y feo como un esqueleto descarnado tiritando bajo su inmenso sudario de nieve»[15], apoyándose sobre la fe que tenía en su vocación poética y en las vivencias de su mundo interior. El ansia de gloria literaria mantenía vivas las esperanzas becquerianas, a pesar del desaliento inicial, las dificultades, decepciones y carencias, y los fracasos sufridos en las tentativas periodísticas: escritura durante tres meses, juntamente con Nombela y García Luna[16], de biografías de diputados, pagadas a un cuarto la línea; redacción de un editorial para el semanario *El Mundo,* del que sólo apareció un número; ingreso, nada más fundarse, en el periódico *El Porvenir,* perci-

[13] Algunos biógrafos becquerianos han insistido en acentuar sobre Bécquer los caracteres legendarios propios de la aureola tejida alrededor de los poetas románticos (melancolía, infelicidad, enfermedad, muerte prematura, etc.). Sobre la gestación de esta leyenda y para una interpretación equilibrada de los hechos vitales del poeta, cfr. Rica Brown, «The Bécquer Legend», en *Bulletin of Spanish Studies,* XVIII, Liverpool, abril de 1941, págs. 4-18.

[14] Para estudiar el paso de Bécquer por la capital de España, cfr. Fernando Castán Palomar, «El Madrid de Bécquer. Evocación de las calles por las que paseó su melancolía el poeta», en *Blanco y negro,* Madrid, febrero 1936. Rafael de Balbín Lucas, *Bécquer y Madrid,* Madrid, Artes Gráficas Municipales, 1963. Carmen de la Torre Vivero, *Evocación de Gustavo Adolfo Bécquer en Madrid,* Madrid, 1980.

[15] Prólogo a *La Soledad, O. C.,* 1981, pág. 1185.

[16] Luis García Luna, periodista y autor dramático. Redactor de los periódicos madrileños *El Eco del País* y *Las Noticias* y fundador de una asociación de literatos, escribió, entre otras obras teatrales, *La estrella de Nazareth* y *Una virgen y un demente.* Murió en Madrid el mismo año que Bécquer.

biendo, como el resto de los redactores, la mitad de lo convenido, con el consiguiente abandono del diario al finalizar el primer mes. Los primeros años son de peregrinación por diversas casas de huéspedes[17], de iniciación en las colaboraciones periodísticas y de realización de esfuerzos para introducirse en la vida literaria de la urbe, donde la llegada de su hermano Valeriano a finales de 1855 le sirvió de ayuda y estímulo.

Un poco antes, en abril de 1855, había publicado en *La España Musical y Literaria*, con motivo de la coronación de Quintana, un poema titulado *A Quintana. Corona de oro (Fantasía)*. En septiembre, el poema *Anacreóntica* en el *Álbum de Señoritas y Correo de la Moda*, periódico que había comentado elogiosamente la composición anterior. Pero el gran proyecto de este tiempo, proyecto con el que esperaba colmar sus sueños de gloria y fortuna, es la preparación de una ambiciosa obra en fascículos sobre los templos españoles. Con ella pretendía «hacer un grandioso poema en que la fe cristiana, sencilla y humilde, ofreciese el inconmensurable y espléndido cuadro de las bellezas del catolicismo. Cada catedral, cada basílica, cada monasterio, sería un canto del poema»[18]. En 1857 se publica la primera entrega de la *Historia de los Templos de España*, con una introducción de Bécquer. El 5 de enero de 1858 se publica la quinta y última, que incluye parte del estudio que nuestro autor realizó sobre San Juan de los Reyes, trabajo en el que, si bien no escasea la retórica y la altisonancia, ya es posible descubrir atisbos expresivos que delatan la existencia de una nueva sensibilidad, verdaderas anticipaciones de la plenitud plástica y sensorial que alcanzará su prosa[19].

Años de concesiones literarias para la supervivencia. En la primavera de 1856 lleva a cabo la adaptación teatral, junta-

[17] Desde la casa de huéspedes de la calle Hortaleza, primera donde se alojó, hasta la casa de Claudio Coello, número 7 (hoy 25), donde murió, pasando por la de la calle de la Paz —donde fue socorrido durante algún tiempo por la dueña, doña Soledad, paisana del poeta— y por el domicilio de algún amigo durante breve paréntesis temporal, Bécquer conoció a lo largo de su estancia en Madrid numerosos establecimientos de hospedaje.

[18] Julio Nombela, *Impresiones y recuerdos*, tomo II, págs. 137-138.

[19] Sobre los valores literarios de la *Historia de los Templos de España*, cfr. Rubén Benítez, *Bécquer tradicionalista*, Madrid, Gredos, 1971, págs. 71-91.

mente con Nombela y García Luna, de la novela de Víctor Hugo *Nuestra Señora de París,* con el título de *Esmeralda,* pero no se representó. También en 1856 escribió, en colaboración con García Luna y bajo el seudónimo de «Adolfo García», la comedia en un acto y en verso *La novia y el pantalón,* que sí pudo estrenarse en noviembre. Un año después y en las mismas condiciones de coautoría y seudónimo, la zarzuela *La venta encantada,* que se publicó en la colección *El Teatro,* y el estreno del sainete *Las distracciones* [20].

Años de privaciones, que culminarían en una grave enfermedad padecida en los primeros meses de 1858, durante la que fue solícitamente atendido por sus amigos, quienes encontraron entre los papeles del poeta la leyenda *El caudillo de las manos rojas,* publicada los meses de mayo y junio en *La Crónica* para conseguir dinero con que afrontar los gastos de la enfermedad.

Tiempo de convalecencia. Recorriendo las calles madrileñas, tropiezan sus ojos un día de otoño con una silueta femenina, dulcemente apoyada en el balcón de la mañana. Se llama Julia Espín y es hija de músico. Sabe de pentagramas y de arpas. Según escribe Julio Nombela, «había visto en ella la encarnación de la Ofelia y la Julieta de Shakespeare, la Carlota de Goethe y sobre todo la mujer ideal de las leyendas que bullían en su mente» [21]. Está acompañada en el balcón por su hermana Josefina, que tiene la pupila azul y rostro de virgen soñadora y romántica. Ambas, pero sobre todo la primera, serán inspiradoras de músicas del corazón e inductoras de delicadas rimas [22]. El conocimiento de la relación que Bécquer mantuvo con las dos hermanas es una de las zonas oscuras de su biografía [23]. De acuerdo con el testimonio de Nombela, Bécquer no

[20] Estas obras teatrales y otras que coescribió Bécquer a lo largo de su vida han sido publicadas por Juan Antonio Tamayo, *Teatro de Gustavo Adolfo Bécquer.* Edición, estudio preliminar, notas y apéndices. Anejo XLII de la Revista de Filología Española, Madrid, 1949.

[21] Julio Nombela, *op. cit.,* t. II, pág. 428.

[22] No todos los especialistas becquerianos coinciden con esta afirmación. Cfr. M. García-Viñó, «El gran enigma de la biografía de Bécquer: la mujer que le inspiró las rimas», en *Nuestra Ciudad,* núm. 6, Sevilla, octubre de 1969. Del mismo autor, *Vida y obra de Bécquer,* Madrid, Publicaciones Españolas, 1969.

[23] Para la importancia de las hermanas Espín en la vida y obra de Bécquer y,

quiso conocer personalmente a Julia, pues, como buen romántico, prefería el ideal a la realidad[24]. Sin embargo, el poeta fue introducido por Rodríguez Correa[25] en las tertulias musicales y literarias que se celebraban en casa de don Joaquín Espín, padre de las musas, profesor del Conservatorio y autor de obras musicales de cierto éxito. Se sabe que los hermanos Bécquer asistieron a las tertulias. Además, Gustavo Adolfo regaló a Julia dos álbumes de dibujo con dedicatorias amistosas, dibujos de carácter burlesco y un autorretrato, y a Josefina un álbum —en el que estaba escrita la rima XXVII— con dos dibujos[26]. Todo esto prueba que de la idealidad inicial se pasó a algún tipo de relación amistosa o amorosa, cuyos pormenores se desconocen, de la que presumiblemente nacieron los latidos que cristalizaron en rima.

Tras la fugaz estancia de Bécquer en la Administración, concretamente en la Dirección de Bienes Nacionales, en calidad de escribiente fuera de plantilla, clausurada por la expulsión del poeta al haber sido sorprendido por el director dibujando sobre su expediente, en torno a 1860 adquiere cierta estabilidad profesional la situación de Gustavo Adolfo con la dedicación constante a la labor periodística, ejercida sobre todo en *El Contemporáneo*. Esta dedicación había sido ya iniciada en *La Época*, donde en 1859 publicó los artículos *Crítica literaria* y *El maestro Herold*, y proseguida en *La Crónica de ambos Mundos*, donde en 1860 publicó la leyenda *La cruz del diablo*. En el primer número de *El Contemporáneo*, aparecido en diciembre de 1860, publicó la primera de sus *Cartas literarias a una mujer*. Una vez nombrado redactor de este último periódico, trabajó

en general, para la biografía amorosa del poeta, cfr. Rafael Montesinos, *op. cit.*, páginas 15-58.

[24] Julio Nombela, *op. cit.*, t. II, pág. 429.

[25] Ramón Rodríguez Correa (1835-1894), periodista, escritor y gran amigo de los hermanos Bécquer. Fue colaborador de *La Crónica*, *El Occidente* y *El Contemporáneo* y fundador de la revista literaria *El Mediodía* y del periódico *Las Noticias*. También publicó algunas novelas.

[26] Los álbumes regalados a Julia han sido descritos detalladamente por el profesor Everet Ward Olmsted en el prólogo a su edición *Legends, Tales and Poems of Gustavo Adolfo Bécquer*, Boston, 1907, y el regalado a Josefina, por Montesinos (*op. cit.*, págs. 34-39).

en él hasta 1865 y en él publicó algunos de sus trabajos literarios más importantes, además de una gran cantidad de artículos de diversa índole. A partir de ahora va a ser el periodismo la principal actividad que absorberá sus afanes y su tiempo, con paréntesis debidos a enfermedad o al desempeño de otras ocupaciones (censor de novelas)[27]. Aunque desde la descansada placidez de Veruela rememora con un ápice de nostalgia los afanes de la dedicación periodística[28], ese trabajo es calificado por el propio Bécquer como «agobiante lucha diaria» o «lucha diaria y agotadora». Para un espíritu tan sensible y soñador, proclive a deambular por las regiones de la altura y la imaginación, a perderse en un «mundo de evocaciones y de sombras», las urgencias de lo cotidiano tuvieron que ser especialmente demoledoras y, entre ellas, el trabajo periodístico. Bécquer, como todo artista, siente la dualidad desgarradora de los dos planos vitales: el de la realidad y el de la idealidad. Por un lado, el poeta, extraviado en un microcosmos recóndito y sólo para él accesible, siente deseos de sublimidad y evanescencia; por otro lado, el periodista se halla atrapado por la circularidad de lo contingente y secundario. ¿Cómo resuelve Bécquer este dilema? Con renuncias y amputaciones, buscando un hueco de soledad en las constelaciones para sentir la afloración de los lirismos contenidos y los sueños, mientras se cuestiona el descender desde la sublimidad interrumpida a «este linaje de trabajos», como él mismo califica una revista de salones[29]. La oposición entre realidad e idealidad se resuelve mediante la fuga hacia la creación literaria como recurso de evasión frente a la realidad doméstica, laboral y cotidiana; mediante la inclusión de la fantasía y la ensoñación en su obra como reminiscencia evocadora del pasado, y mediante el suspiro por lo inalcanzable.

Por este tiempo va asomándose a las letras de molde con di-

[27] Sobre la actividad periodística de Bécquer, cfr. H. Phillips Cummings, «Gustavo A. Bécquer as a Journalist...», en *Hispania*, 1937, 20, págs. 31-36. Gregorio Marañón Moya, *Bécquer, periodista en el siglo XIX*, Madrid, Asociación «Amigos de Bécquer», 1952.

[28] *Cartas desde mi celda*, II, *O. C.*, 1981, pág. 520.

[29] *Revista de salones*, *O. C.*, 1981, pág. 1102.

versas producciones: publica en 1859 la primera rima, «Tu pupila es azul», en la revista *El Nene*, mientras entre 1858 y 1861 ven la luz siete leyendas. En 1861 aparece la reseña a *La Soledad*, obra de Augusto Ferrán[30], donde Bécquer expone su concepción de la poesía. Poco antes, en 1860, habían sido publicadas en *El Contemporáneo* las *Cartas literarias a una mujer*, que con la reseña citada, algunas rimas y la *Introducción sinfónica* constituyen las bases del tratado de poética becqueriana[31]. Es en torno a 1860 cuando, desatadas quizá por plenitudes amorosas y desengaños del corazón, están amasándose muchas de sus rimas. No hay duda de que en el transfondo de los versos late un nombre de mujer —plasmado en una o varias formulaciones concretas— dando vida al aleteo de la razón y el sentimiento, hay unos labios modelando un lenguaje. Llámese este perfil femenino Julia o Josefina Espín, «dama de rumbo» vallisoletana[32], o muchacha toledana[33] es punto no aclarado de la biografía becqueriana, aunque la apócrifa Elisa Guillén parece que sólo existió en el dominio de ciertas fantasías[34], una vez desvanecido el brumoso halo de su imagen como consecuencia del esclarecedor empeño de Rafael Montesinos[35].

En 1860 Bécquer trabó relación con Casta Esteban, a quien

[30] Sobre este poeta y amigo de Bécquer, cfr. Manuela Cubero Sanz, *Vida y obra de Augusto Ferrán*, Madrid, C. S. I. C., 1965. José Pedro Díaz, introducción a su edición de *Augusto Ferrán. Obras Completas*, Madrid, Espasa-Calpe, col. Clásicos Castellanos, 1969.

[31] Sobre la teoría poética de Bécquer, cfr., Francisco López Estrada, *Poética para un poeta. Las «Cartas literarias a una mujer» de Bécquer*, Madrid, Gredos, 1972. Rafael de Balbín, *Poética becqueriana*, Madrid, Prensa Española, 1969.

[32] Según los testimonios recogidos por Gerardo Diego, procedentes de familiares sorianos de Casta Esteban, esposa de Bécquer, éste mantuvo relaciones amorosas antes de su casamiento con quien Gerardo Diego llama «una dama de rumbo de Valladolid» (Gerardo Diego, «Los amores de Bécquer», en *La nación*, Buenos Aires, 19 de julio de 1942).

[33] Rafael Montesinos, *op. cit.*, págs. 45-51.

[34] Concretamente, en la de Fernando Iglesias Figueroa, autor de las falsas cartas becquerianas en las que se inventaba una historia de amor supuestamente vivida por el poeta con una dama cuyo nombre, también inventado, era el de Elisa Guillén. (Las cartas fueron publicadas en el periódico *La Voz*, de Madrid, en enero de 1926.)

[35] Rafael Montesinos, «Adiós a Elisa Guillén», en *Ínsula*, núm. 289, diciembre de 1970, págs. 1, 10, 11 y 12..

había conocido en la consulta madrileña del doctor soriano Francisco Esteban, padre de Casta. Con ella contrajo matrimonio a mediados de mayo del año siguiente. Según los testimonios aducidos y los hechos documentados, no fue un enlace feliz, ya que Casta no era la esposa más adecuada para un hombre de la sensibilidad de Bécquer, y el matrimonio por parte del poeta se llevó a cabo con precipitación e impulsado por el despecho, consecuencia del fracaso de una relación amorosa anterior. Tuvieron tres hijos, pero en 1868, tras agria discusión y siete años y medio de matrimonio, se separaron. Sólo volvieron a unirse, en reconciliación aparentemente no consolidada, dos meses antes de la muerte del poeta. Salvo una rima convencional, titulada *A Casta,* ésta no fue capaz de arrancar otro latido de las fibras amorosas y poéticas del corazón becqueriano[36].

A finales del año 1863 y por motivo de enfermedad, se instala con su familia durante varios meses en el monasterio de Veruela[37], donde como forma de colaboración con su periódico escribió las *Cartas desde mi celda,* publicadas en 1864 en *El Contemporáneo.* Bécquer en Veruela escucha los infinitos latidos que para un espíritu sensible tiene la soledad. ¡Cómo palpita el paisaje! ¡Cómo se llena la trayectoria del día de aroma y cromatismo! ¡Cómo queda el paisaje interior teñido de melancolía! Es precisamente este año de 1864 cuando, deshojados ya los juveniles e inflamados pétalos de gloria y grandeza histórica, resquebrajado ya el espejismo de los sueños y ambiciones a causa de la prosa de lo cotidiano, el poeta manifiesta su resignación a ser sólo «comparsa en la inmensa comedia de la humanidad»[38], sólo bulto fugaz, para desaparecer más tarde por

[36] Sobre Casta Esteban y sus relaciones con Bécquer, cfr. Santiago Montoto, «La mujer de Bécquer», en *Bibliografía Hispánica,* núm. 6, 1944, págs. 470-478. Gerardo Diego, «Casta y Gustavo. Cartas inéditas», en *La Nación,* Buenos Aires, 14 de junio de 1948. Heliodoro Carpintero, *Bécquer de par en par,* Madrid, Ínsula, 1957. Rafael Montesinos, *Bécquer. Biografía e imagen,* cit., págs. 51-58.

[37] Una extensa descripción de este monasterio puede encontrarse en Antonio Canto, «El Monasterio de Veruela y Gustavo Adolfo Bécquer, en el centenario de las *Cartas desde mi celda* (1864-1964)», en *Medicamenta,* 1965, XLIII, páginas 104-108.

[38] *Cartas desde mi celda,* III, *O. C.,* 1981, pág. 538.

oscuras trastiendas, sin un *flash* de celulosa ni un íntimo estallido de corazones o gargantas.

Además de sus tareas periodísticas, Bécquer siguió en estos años adaptando piezas teatrales. Así, en colaboración esta vez con Rodríguez Correa y bajo el seudónimo de «Adolfo Rodríguez», estrenó en 1862, en el Teatro de la Zarzuela, *El nuevo Fígaro*, opereta bufa en tres actos, y en 1863 y en el mismo teatro la zarzuela en dos actos *Clara de Rosemberg*, que alcanzó cierto éxito.

En diciembre de 1864, cuando hacía poco más de un mes que había sido nombrado director de *El Contemporáneo*[39], el ministro González Bravo, amigo de Bécquer, le consiguió el puesto de censor de novelas, puesto y remuneración que estabilizaron su situación económica durante el tiempo que fue desempeñado, pues conviene subrayar que el cargo estuvo sometido a los vaivenes políticos sufridos por el ministro conservador[40]. La censura novelística fue ejercida desde la acotación temporal citada hasta el 21 de junio (fecha en que González Bravo, al caer el gobierno de Narváez, fue sustituido en el Ministerio de la Gobernación por Posada Herrera, de la Unión Liberal) y desde julio del 66, cuando Narváez vuelve al poder, hasta la revolución de septiembre del 68.

En el verano de este mismo año, cuando la familia Bécquer estaba en Noviercas (Soria), se produjo la ruptura del poeta con su esposa, el regreso a Madrid y, tras la *Gloriosa*, la instalación del escritor en Toledo, acompañado de su hermano y sus dos hijos (el tercero, sobre el que es dudosa la paternidad becqueriana, todavía no había nacido). Es en la imperial ciudad donde recompone de memoria sus rimas y las incorpora al *Libro de los gorriones*, obra que había comenzado el 17 de junio y que, escrita sobre un cuaderno comercial de papel rayado, pretendía ser una «colección de proyectos, argumentos, ideas y

[39] Este puesto fue abandonado por Bécquer el 16 de febrero de 1865 por desacuerdo frente a la postura política del periódico, contraria a González Bravo y Narváez.

[40] Sobre la actividad becqueriana de censura novelística, cfr. Rafael de Balbín Lucas, «Bécquer, fiscal de novelas», en *Revista de Bibliografía Nacional*, III, 1942, págs. 133-165.

planes de cosas diferentes que se concluirán o no según sople el viento»[41] y que finalmente concluyó con la *Introducción sinfónica* y con el trabajo inacabado *La mujer de piedra,* además de las *Rimas.* Sabido es que el manuscrito original de las rimas, entregado por Bécquer al ministro de Isabel II para que lo prologara y publicara a sus expensas, desapareció en el saqueo de la casa de González Bravo que tuvo lugar en el estallido revolucionario del 68.

Al perder el empleo de censor, el periódico fue una vez más su principal ocupación: colaboraciones en *El Museo Universal,* y, tras el regreso a la capital de España en diciembre de 1869, en *La Ilustración de Madrid,* revista fundada por Eduardo Gasset y Artime, donde Bécquer ocupó el puesto de director literario. A comienzos de diciembre de 1870 es nombrado director de *El Entreacto,* periódico cómico-teatral, en cuyo primer número apareció la primera parte de *Una tragedia y un ángel (Historia de una zarzuela y una mujer),* narración que habría de quedar inconclusa. Pues, situado ya el poeta «al borde de un camino por donde siempre vuelven menos de los que van»[42], estaba acercándose «la indecisa luz del crepúsculo»[43]. Había ya arcángeles de la noche velando con sus espadas encendidas. Primero fue su hermano Valeriano, quien murió a finales de septiembre de 1870. Tres meses más tarde, el día 22 de diciembre, en invierno de extremado rigor, a los treinta y cuatro años de edad, moría Bécquer. Dos días antes había quemado, en presencia de Augusto Ferrán y a la luz de una bujía, toda su correspondencia amorosa, «porque sería mi deshonra», desapareciendo con ella la posibilidad de reconstruir su biografía íntima. Su eclipse de vida se adelantó en media hora al eclipse total de sol que fue registrado en los observatorios astronómicos.

[41] Este texto figura en la tercera página del manuscrito autógrafo 13216 de la Biblioteca Nacional. Existe edición facsímil a cargo de Guillermo Guastavino Gallent, Rafael de Balbín y Antonio Roldán, Madrid, Ministerio de Educación y Ciencia, 1971.

[42] *Las hojas secas, O. C.,* 1981, pág. 642.

[43] «Las sombras de los montes bajan a la carrera y se extienden por la llanura; la luna comienza a dibujarse en el Oriente como un círculo de cristal que transparenta el cielo, y la alameda se envuelve en la indecisa luz del crepúsculo.» *Cartas desde mi celda,* II, *O. C.,* 1981, págs. 521-522.

«Una claridad violada y fría»[44] ponía fin a una vida que fue soñada un día «independiente y dichosa, semejante a la del pájaro»[45].

Varios amigos suyos, reunidos el día después del entierro en casa del pintor Casado del Alisal, acordaron recopilar, ordenar y publicar mediante suscripción pública toda su obra. Con prólogo de Rodríguez Correa y título *Obras* aparecieron los dos tomos de la primera edición, preparada por el prologuista, Ferrán y Campillo (Madrid, Imprenta Fortanet, 1871).

Las *Leyendas*

SUPERACIÓN DEL CUENTO LEGENDARIO Y NACIMIENTO DE LA LEYENDA LÍRICA

«Laúd de una sola cuerda» ha sido recientemente llamado Bécquer por Camilo José Cela[46], opinión que recoge y sintetiza la consideración generalizada de Gustavo Adolfo sólo como poeta, aunque poseedor de cuerda llena de íntima, emocionada y esencializada sonoridad. Casi siempre las rimas han sido el punto central y preferente de la atención prestada por lectores y estudiosos, mientras las leyendas quedaban en un discretísimo —más discreto para críticos que para lectores— segundo plano y el resto de la prosa de Bécquer se perdía en los desvanes de la ignorancia o el olvido. En el primer temblor de adolescencia, cuando la caricia es todavía larga y temerosa exploración de los umbrales, es al poeta y no al prosista a quien se lee con delectación, asombro y ensimismamiento. En cualquier periodo vital casi todos retenemos en la memoria un puñado de rimas y algo del eco de su música, mientras que de las leyendas tan sólo recordamos algún título aislado o algún jirón de niebla. Respecto a la crítica, es suficientemente indicativo de las preferencias de los especialistas el señalar que, en 1961 y

[44] *Cartas desde mi celda*, II, *O. C.*, 1981, pág. 522.
[45] «Yo soñaba entonces una vida independiente y dichosa, semejante a la del pájaro», *Cartas desde mi celda*, III *O. C.*, 1981, pág. 533.
[46] *El País*, 27 de febrero de 1984.

en el *Ensayo de bibliografía razonada,* de Rubén Benítez, de un total de cerca de trescientos estudios, tan sólo una cantidad cercana a la veintena se halla dedicada a las leyendas[47], aunque también es preciso subrayar que la situación de acusado desequilibrio entre la atención crítica prestada a la prosa y al verso ha iniciado en los últimos años un proceso de lenta corrección. Pues tanto interés como su poesía tiene la segunda cuerda de las leyendas, dotada de lírica sonoridad[48]. Las *Leyendas,* como las *Rimas,* son manifestaciones concretas de una misma necesidad expresiva, astros de un mismo microcosmos estético, sólo que en las segundas el discurso se ha hecho esencia, la música se ha hecho intimidad e intensidad, mientras en las primeras resuena en el transfondo narrativo todo un rasgueo completo de mágicos laúdes o guitarras. Rimas y leyendas forman parte del mismo «mundo de la idea»[49] con evidentes puntos de contacto entre sí, tanto temáticos como estilísticos[50], y con formulaciones expresivas que sólo se diferencian en la intensidad. Bécquer, prosista o poeta, es siempre artista completo e intemporal[51], cuyo mensaje estético es válido para cualquier instante

[47] Rubén Benítez, *Ensayo de bibliografía razonada de Gustavo Adolfo Bécquer,* Buenos Aires, Facultad de Filosofía y Letras, 1961, págs. 107-115.

[48] Algunos estudiosos, como Arturo Berenguer Carisomo, se han esforzado en demostrar que, aunque ello pudiera oler a herejía, «lo mejor de Bécquer es la prosa» *(La prosa de Bécquer,* Publicaciones de la Universidad de Sevilla, 1974, página 2). Para Valbuena Prat, «Bécquer ha logrado crear, en prosa, una forma más viva y cadenciosa que en el mismo verso —si se exceptúan casos aislados—» (Angel Valbuena Prat, *Historia de la literatura española,* 8.ª ed., Barcelona, Gustavo Gili, 1974, t. III, pág. 250).

[49] «Pero, ¡ay!, que entre el mundo de la idea y el de la forma existe un abismo que sólo puede salvar la palabra; (...)», *O. C.,* 1981, pág. 39.

[50] Sobre los puntos de contacto entre rimas y leyendas, cfr. Edmund Ludwing King, *Gustavo Adolfo Bécquer: From Painter to Poet, together with a Concordance of the Rimas,* cap. VIII, *Light: From Prose to Poetry,* Méjico, Porrúa, 1953. Robert Pageard, *Rimas de Gustavo Bécquer,* Madrid, C. S. I. C., 1972.

[51] Creemos que no ha sido suficientemente subrayada la condición de Bécquer como artista total: poeta, dibujante y músico (o, al menos, gran aficionado a la música). Como es sabido, las manifestaciones artísticas de Gustavo Adolfo están centradas, salvo algunos dibujos, en la primera faceta. De lo último se sabe, según sus biógrafos, que improvisaba melodías o canciones al piano. Sobre la capacidad artística de Bécquer puede ser conveniente citar el testimonio de Rodríguez Correa, recogido por Antonio Escobar: «Correa opina que Bécquer tenía una de las más extraordinarias organizaciones artísticas que ha pro-

o periodo vital, para la vivencia y la nostalgia, para cualquier sensibilidad, ya sea captadora de latidos o estruendos, para exquisitas minorías y amplísimas mayorías, perfectamente adecuado y aconsejable en esta época de confusa posmodernidad y, sin duda, inolvidable durante los siglos venideros[52].

Sabido es que el romanticismo, con el gusto por la imaginación, la fantasía y lo maravilloso, el énfasis en la recreación del medioevo y el acercamiento a lo popular y pintoresco —incluido el rescate de los viejos relatos tradicionales—, trajo consigo un retorno al cultivo de los géneros propiamente narrativos: cuento, novela, leyenda, cuento legendario, artículo de costumbres, etc. En el romanticismo español, dentro de un marco narrativo dominado por la novela histórica, la novela social y el cuadro de costumbres, el cuento legendario inicia en una primera fase su nacimiento y andadura de la mano de traducciones e imitaciones —escritas en prosa poética— de las baladas germánicas. Un segundo estadio queda definido por la aparición de las leyendas que utilizan el vehículo expresivo del romance tradicional, «tomando el lugar de los antiguos romances y siendo la verdadera épica castellana del siglo XIX», como afirma Cejador[53]. En este apartado deben incluirse las leyendas en verso del Duque de Rivas —así llamadas por la intervención de lo sobrenatural y maravilloso— y la poesía narrativa de Zorrilla (leyendas de asunto histórico, de asunto tradicional y fantásticas). Las leyendas en prosa o cuentos legendarios que desarrollan asuntos populares o tradicionales, o recrean motivos históricos, constituyen un tercer apartado narrativo dentro del panorama literario del romanticismo español. Estas leyendas en prosa, publicadas mayoritariamente en el *Semanario Pintoresco Español*, en el *Museo Universal* y en la *Revista Española de*

ducido este siglo» (Antonio Escobar, «Bécquer y Correa», en *El Fígaro*, La Habana, 14 de diciembre de 1890. Citamos por Rafael Montesinos, *op. cit.*, página 159). Según la opinión de Campillo, «en música y pintura hubiera sido más que en poesía» (Artículo necrológico cit.)

[52] Para la influencia, actualidad y permanencia de la obra de Bécquer, cfr. Vicente Gaos, «Vigencia de Bécquer (1870-1970)», en *Claves de literatura española*, I, Madrid, 1971, págs. 443-451.

[53] Julio Cejador, *Historia de la lengua y de la literatura castellana*, t. VI, Madrid, Tipografía de la Revista de Archivos, Bibliotecas y Museos, 1917, pág. 422.

Ambos Mundos, tienen un periodo de aceptación y vigencia de aproximadamente veinticinco años, desde 1830 hasta 1855. Las primeras leyendas sobre tradiciones españolas fueron escritas en inglés y publicadas en Londres, en 1830, por Joaquín Telesforo de Trueba y Cossío, con el título *The romance of history of Spain.* En 1860, como señala Baquero Goyanes[54], se consideraba el cuento legendario como género en decadencia, pues había surgido ya el relato de Fernán Caballero, que superaba lo puramente costumbrista y se adelantaba en una nueva concepción de lo narrativo, acercándose a la realidad geográfica y social sin refugiarse en el pasado y sus tradiciones.

En este contexto, la aparición de las leyendas de Bécquer[55], cuyos valores literarios —tanto en lo que se refiere a los aspectos narrativos como a la calidad del lenguaje empleado— son notablemente superiores a los de las leyendas predecesoras y coetáneas, supone la culminación, superación y aniquilamiento de un género. Así lo subraya Baquero Goyanes:

> Las leyendas becquerianas representan el triunfo del relato en prosa, ya que los que hasta ahora hemos estudiado de este tipo son muy inferiores a los relatos legendarios en verso del Duque de Rivas o de Zorrilla. Bécquer consigue el milagro de una prosa poética —pero prosa auténtica, con valores narrativos— sirviendo a unos asuntos que en emoción, misterio y belleza nada tienen que envidiar a los mejores de los autores citados.
>
> Las leyendas de Bécquer suponen el logro de un género antes mediocre y topiqueramente romántico, y a la vez significan casi su fin, ya que de puro perfectas ningún otro relato de esta clase, posterior, podrá igualarse a los del escritor sevillano. El género decae sensiblemente y todas las manifestaciones subsiguientes parecerán torpes remedos de la obra de Gustavo Adolfo[56].

[54] Mariano Baquero Goyanes, *El cuento español en el siglo XIX,* Madrid, C. S. I. C., 1949, pág. 211.

[55] Aplicaremos a la leyenda becqueriana la mejor definición que conocemos, debida precisamente a Milá y Fontanals: «narración poética de tradiciones populares, a menudo de carácter maravilloso». *(Teoría literaria,* págs. 209. Citamos por Rubén Benítez, *Bécquer tradicionalista,* cit., pág. 12.)

[56] Baquero Goyanes, *op. cit.,* pág. 221

A este triunfo del relato becqueriano en prosa contribuyen tanto la originalidad en el tratamiento de los ingredientes literarios como las características de su prosa narrativa y su sentido de anticipación. ¿Cuál es el punto de partida de Bécquer en sus leyendas? Ya en la *Historia de los templos de España*, además de la descripción arquitectónica del edificio religioso, Bécquer incorpora el relato de las tradiciones legendarias relacionadas con el propio templo o sus imágenes. Desde esa obra juvenil, las tradiciones populares estarán ligadas en Bécquer a la concepción de las leyendas como género artístico, siendo determinante el peso de la tradición en la gestación y orientación de su obra narrativa. Fundamentalmente, lo que lleva a cabo Bécquer en sus relatos legendarios es elaborar literariamente asuntos o motivos recogidos de la tradición popular. Como precisa Rubén Benítez: «En algunas leyendas, Bécquer recoge asuntos de la tradición; en otras, sólo motivos aislados. Pero aun cuando crea libremente, procura imitar los relatos populares que aseguran a sus narraciones un tono lengendario»[57]. Basándose en la presencia de la tradición y en el grado de elaboración literaria de la misma, el citado crítico distingue tres tipos de leyendas:

> La simple tradición transmitida en forma oral o escrita y presumiblemente no elaborada sino en detalles secundarios; el relato ficticio sobre temas o motivos de la tradición popular elaborados literariamente, o sea la *leyenda tradicional;* la *leyenda ideal*, con remota base en la tradición, pero llena de rasgos maravillosos y de recursos de tipo poético similares a las manifestaciones de la fantasía popular[58].

Además de la tradición, otros ingredientes literarios intervienen como elementos constituyentes de las leyendas: la influencia de la narrativa romántica a lo Walter Scott, de las narraciones fantásticas germánicas de Tieck y Hoffmann[59] o de

[57] Rubén Benítez, *Bécquer tradicionalista, op. cit.,* 1971, pág. 11.
[58] *Ibíd.,* pág. 106.
[59] Sobre el influjo germánico en las leyendas, cfr. Henry Charles Turk, *German Romanticism in Gustavo Adolfo Bécquer's Short Stories,* Kansas, Lawrence, 1957. Robert Pageard, «Le germanisme de Bécquer», en *Bulletin Hispanique,* LVI, 1954, págs. 83-103.

los relatos de Allan Poe[60], del cuento folklórico tal como lo cultivaron los imitadores de Fernán Caballero y de las leyendas fantásticas del Duque de Rivas y Zorrilla. También es perceptible la influencia de Espronceda en el tratamiento de los ambientes misteriosos o sobrecogedores.

Todos estos ingredientes iniciales, toda esta materia prima literaria, es elaborada por Bécquer de acuerdo con sus propios parámetros estéticos, imprimiendo al resultado final el sello de su microcosmos personal y la impronta identificadora de su lenguaje específico. Así, las leyendas se tiñen de ensoñaciones e idealidades, de misterio y lirismo, de narración y evanescencia, y su lenguaje se convierte en «deleite cuidadoso de una mano acariciadora y sensible»[61]. La prosa becqueriana constituye, según Berenguer Carisomo, «uno de los intentos españoles más curiosos de prosa poética, nuevo o casi nuevo en el medio literario de su tiempo y su patria»[62]. Esta novedad y sentido de la anticipación es también señalada por Cernuda, para el que «es Gustavo Adolfo Bécquer quien adivina en España la necesidad de la poesía en prosa y quien responde a ella y le da forma en sus *Leyendas*»[63]. Una vez asimilada la influencia de la literatura romántica alemana, aprendidos los recursos expresivos de los cuentos floklóricos y populares y suficientemente distanciado de los modelos lírico-narrativos de las leyendas zorrillescas, lo que hace Bécquer es acabar con un género en decadencia mezclando determinados elementos literarios pertenecientes a la tradición popular y legendaria con fantasías de la imaginación poética personal. Alcanza así la perfección en la nueva formulación literaria ensayada, que podemos llamar, con Rubén Benítez, *leyenda lírica*[64], perfección lograda por la capacidad y modernidad narrativa de su prosa y por la

[60] Sobre la influencia de Edgard Allan Poe en las leyendas, cfr. John E. Englekirk, *Edgard Allan Poe in Hispanic Literature*, Nueva york, Instituto de las Españas, 1934, págs. 126-134.

[61] Arturo Berenguer Carisomo, *op. cit.*, pág. 5.

[62] *Ibíd.*, pág. 3.

[63] Luis Cernuda, *Poesía y literatura*, t. II, Barcelona, Seix Barral, 1964, página 63.

[64] Prólogo a su ed. de *Leyendas, apólogos y otros relatos*, Barcelona, Lábor, 1974, pág. 42.

armoniosa combinación entre la atmósfera de irrealidad y el lenguaje poético empleado.

<center>Análisis general de las Leyendas</center>

Presencia de lo maravilloso y atmosférico

Rasgo distintivo fundamental de las leyendas becquerianas es, además del lirismo, su atmósfera de irrealidad. No hay duda de que en ellas se cumple la afirmación de Novalis: «estamos más estrechamente ligados a lo invisible que a lo visible»[65]. Refiriéndose específicamente a Bécquer, García-Viñó lo expresa acertadamente: «En el fondo, si nos fijamos bien, lo que priva en las leyendas es una atmósfera ideal y de misterio. Bécquer suspira continuamente por lo inalcanzable»[66]. Existe un plano mágico y maravilloso donde se incluye lo sobrenatural y tienen lugar las transformaciones, todo lo que se aparta de la verosimilitud narrativa. Definiremos lo maravilloso, de acuerdo con Todorov[67], como la oscilación entre lo real y lo sobrenatural, capaz de provocar incertidumbre perceptiva en el lector, vacilación respecto a lo conocido, explicable, inmediato y real. El otro plano, el de la realidad, está tácitamente supuesto y actúa como soporte para trazar desde él y sobre él las volutas de la imaginación, pues la fantasía, mariposa invisible, lleva siempre en sus alas el polvillo dorado de la realidad. Sobre el soporte de la realidad, el aleteo de la mariposa puede describir fugaces garabatos, diseñar imaginarios mundos o dibujar ensoñaciones. En Bécquer, delirios de fantasía —o, como llama el poeta a las lucubraciones de sus sueños, «absurdas sinfonías de la imaginación»—[68] van sembrando de hechos fantásticos o sobrenaturales los desarrollos narrativos, construyendo episo-

[65] Citado por Jorge Guillén, «Lenguaje insuficiente. Bécquer o lo inefable soñado», en *Lenguaje y poesía,* Madrid, Revista de Occidente, 1962, pág. 114.

[66] M. García-Viñó, *Mundo y transmundo de las leyendas de Bécquer,* Madrid, Gredos, 1970, pág. 48.

[67] T. Todorov, *Introduction à la littérature fantastique,* París, Seuil, 1970.

[68] *Tres fechas, O. C.,* 1981, pág. 350.

dios o mundos mágicos y atmósferas visionarias, pues, como afirma José Luis Varela, «Bécquer tiene ansia "de lo sobrenatural", de lo mediato, de la realidad intangible y última; estaba, como el protagonista de *La corza blanca*, dispuesto a ver en cuanto le rodeaba algo sobrenatural y maravilloso»[69]. Siguiendo a Antonio Risco, podemos establecer la siguiente clasificación de lo sobrenatural o maravilloso en las leyendas becquerianas: lo maravilloso puro, donde se da un cosmos regido por leyes diferentes al nuestro, como en *El caudillo de las manos rojas*, leyenda en la que tienen lugar intervenciones sobrenaturales en un medio exótico, o como en *La Creación*, donde el ultramundo a que hace referencia está demasiado alejado de la experiencia nuestra; el contraste de dos ámbitos diferenciados (uno real, otro maravilloso) y opuestos en su leyes, como en *Los ojos verdes, La corza blanca, El monte de las ánimas, El Miserere, Creed en Dios, El gnomo* y *La ajorca de oro;* y la irrupción de lo maravilloso en un mundo supuestamente real, siendo lo maravilloso exterior al hombre *(Maese Pérez el organista, La promesa, El beso, La cueva de la mora, El Cristo de la calavera, La cruz del diablo, La rosa de Pasión)*[70]. Si el plano real abarca desde los escenarios estáticos hasta los personajes que no sufren metamorfosis, desde las ruinas hasta los borceguíes, desde las estatuas hasta los órganos, el plano de lo maravilloso comprende un amplio catálogo de acciones: las manos de un caudillo se manchan de sangre que no puede borrarse; habitan espíritus diabólicos una vieja armadura vacía, a la que son finalmente encadenados cuando se convierte en cruz; en el descuido de un dios, surge maravillosamente el mundo deforme que habitamos; un robo sacrílego despierta de su sueño de piedra una corte de saurios y figuras fantasmales; resuena el galope de fosforescentes caballeros en pos de una figura de mujer que gira eternamente alrededor de la noche; los ojos del ideal soñado encierran espejismos mortales; a pesar de la ausencia de su dueño y maese, un órgano respetuoso regala música de arcángeles; la luna falsifica en sus rayos el eterno lenguaje del sueño; tras ca-

[69] José Luis Varela, «Mundo onírico y transfiguración en la prosa de Bécquer», en *Revista de Filología Española*, LII, 1969, pág. 305.

[70] Antonio Risco, *Literatura y fantasía*, Madrid, Taurus, 1982, págs. 35-54.

balgata mágica, pasan cien años mientras dura un suspiro; la medianoche reconstruye arquitecturas y salmos penitenciales; una voz apaga luces y emborrona sombras para que no se derrame inútilmente la sangre cortesana; emiten sus mensajes la tierra y el aire, mientras diosecillos menores habitan recónditas catedrales; vaga por las inmediaciones un espíritu de mora enamorada; una mano solícita y doliente acusa y acaricia, interpela y defiende, para después en primavera ser cauce de árboles y flores; al conjuro de la luna y la noche se transforman las corzas en mujeres desnudas; ante besos sacrílegos se llenan de dignidad y vida las estatuas; y, finalmente, el martirio dibuja rosas insólitas y signos de crucifixiones. No sólo el clima de irrealidad o la intervención de lo maravilloso actúan como rasgos definidores de las leyendas, sino que la presencia o ausencia de lo sobrenatural afecta a la calidad del discurso narrativo[71]. Existe una evidente interrelación entre atmósfera y lenguaje. Es fácil comprobar que, cuando el elemento maravilloso es de escasa densidad o se halla leve o insuficientemente desarrollado, la leyenda acusa una atenuación de la presencia del lenguaje poético, pierde emoción y belleza, se despuebla de niebla, ánima y aleteo.

Aspectos importantes de las leyendas son su lenguaje poético, su modernidad narrativa y sus atmósferas. Si en las rimas Bécquer alcanza la culminación del intimismo y la esencia, en las leyendas consigue los más altos valores de sensorialidad, plasticidad, armonía musical y suntuosidad estética. Las leyendas tienen cumbres de gran calidad poética e instantes de intenso lirismo. El alma del poeta está detrás de las acciones, como una sustancia misteriosa que impregna los intersticios del discurso narrativo, como un telón de niebla interpuesto entre sucesos y palabras. A veces, una leyenda está formada por una serie de pequeños poemas, una serie de atmósferas y una serie de eslabones de prosa funcional que sirven para hilvanar los anteriores apartados.

La modernidad narrativa de las leyendas no ha sido puesta

[71] Para la influencia de lo real y lo imaginado en el estilo becqueriano, cfr. A. D. Inglis, «The real and the imagined in Bécquer's *Leyendas*», en *Bulletin of Hispanic Studies*, t. XLIII, enero de 1966, págs. 25-31.

en duda por ningún estudioso de la prosa de Bécquer. Nuestro autor ensaya en ocasiones un sentido cinematográfico del ritmo, seleccionando cuidadosamente las escenas, eligiendo los encuadres, deteniéndose morosamente para captar los ámbitos sonoros o los perfumes del aire. Siempre con un mínimo de elementos, con verdadera economía de lenguaje, consigue exponer una acción narrativa completa o recrear un mundo imaginado, sin detenerse en aspectos secundarios como pueden ser digresiones, prosopografías, complejidades sicológicas o detalles accesorios del escenario. En numerosas leyendas van sucediéndose las escenas, mostradas secuencialmente como fotogramas de un discurso cinematográfico: abundan los fotogramas llenos de ritmo y dinamismo, vistosidad y colorido, intensidad y brillantez, y en algunos es magistral el movimiento de masas o la captación de la presencia de la muchedumbre.

Indudablemente relacionada con la técnica narrativa se halla la capacidad del narrador para crear o recrear atmósferas. Como afirma Valbuena Prat:

> el interés dentro del motivo poético se concentra más que en la acción en el ambiente, en la atmósfera, a diferencia de las leyendas en verso de Zorrilla. Estas eran leyendas de un dramaturgo; las en prosa de Bécquer lo son de un íntimo y delicado lírico. No son los personajes, sino el perfume de la leyenda, el ambiente de misterio, el encanto de un honda melancolía lo que da un valor de interés primordial, junto a una flexible y agradable forma, a estas leyendas[72].

Estas atmósferas —ambientes sensorializados— abarcan diversos ámbitos: cromático, auditivo, sicológico, mágico, amoroso, costumbrista, etc. Tienen la función no sólo de configurar el ambiente propicio para que se desarrolle o produzca un hecho narrativo, sino de enriquecerlo e intensificar sus contenidos plásticos o sensoriales para que preferentemente, junto al discurso de la acción, nazca un brote de lirismo o florezca lo maravilloso. Entre las atmósferas sonoras destacaríamos la que se produce en el epígrafe III de *El monte de las ánimas* y el clima de música y ruido que se genera en *Maese Pérez el organista*.

[72] Ángel Valbuena Prat, *op. cit.*, pág. 250.

Ejemplos de atmósfera pictórica hay en *El Cristo de la calavera*. Poseemos en *La promesa* dos preciosas manifestaciones de ambiente totalizador: cuando Bécquer describe la salida de las huestes del conde de Gómara o cuando la cámara becqueriana recorre el campamento cristiano situado a orillas del Guadalquivir.

Espacios y tiempos

Bécquer, evocador de los aromas y las campanillas azules de las calles sevillanas; deambulador por el ámbito toledano a la búsqueda de tintineo de espuelas o diálogo de espadas; recorredor de la geografía del Madrid isabelino con un verso en el labio, un temblor en la pupila y un sueño inflamado; itinerante del espacio soriano, lleno en su tiempo de iglesias románicas y palacios platerescos; atisbador de ventanas y visillos; poblador y reanimador ocasional de claustros góticos; evocador de un medioevo pasado y literariamente mejor, incorpora el espacio vivido, el ámbito geográfico o el paisaje idealizado a su obra narrativa como ejes de un universo donde se conjuga la fantasía, la realidad y el recuerdo. Variados y múltiples son los espacios que sirven parcial o totalmente como escenario donde se desarrolla la acción de las leyendas: Toledo, Soria, Fitero, Aragón, la India, Sevilla y Cataluña. Aparte del orientalismo exótico, libresco y primerizo de *El caudillo de las manos rojas*, predomina el escenario castellano. Toledo, ciudad descubierta en agosto de 1857 con motivo de la búsqueda de material para la *Historia de los templos de España*, ciudad de rincón y laberinto, ámbito perfecto para deambulaciones, es el escenario elegido para *La ajorca de oro*, *El Cristo de la calavera*, *El beso*, y *La rosa de Pasión*[73]. En la ciudad de Soria y sus inmediaciones se desarrolla la acción de *El rayo de luna* y *El monte de las ánimas*[74]. Cerca

[73] Para conocer el Toledo que Bécquer amó e incorporó a las leyendas, cfr. Vidal Benito Revuelta, *Bécquer y Toledo*, Madrid, Publicaciones del Instituto Provincial de Investigaciones y Estudios Toledanos, 1971.

[74] Sobre la importancia de Soria en la biografía becqueriana y en su obra literaria, cfr. *Bécquer y Soria* (varios autores), Madrid, C.S.I.C., Centro de Estudios Sorianos, 1970. Heliodoro Carpintero, «La España de Bécquer», en *Clavileño*,

de la ciudad castellana y teniendo como circuncentro al Moncayo, *Los ojos verdes, El gnomo* y *La corza blanca*[75]. En las cercanías de Fitero, *El Miserere* y *La cueva de la mora*[76]. En Sevilla, *Maese Pérez el organista,* y en sus proximidades, alguna escena de *La promesa,* leyenda que mayor número de escenarios hispanos posee[77]. Por ser trayectoria de peregrinación, *El caudillo de las manos rojas* describe un amplio periplo por ciudades y parajes de la India. En ámbito catalán transcurre *La cruz del diablo* (comarca del Urgellet) y *Creed en Dios* (valle de Montagut).

Si diversos son los escenarios, variados son los tiempos: medioevo (concretamente, final del periodo de la Reconquista), siglo XVI, guerra de la Independencia. En los siglos finales de la Reconquista están situadas, entre otras, *La cueva de la mora, La promesa, La corza blanca* (leyenda en la que aparece explícitamente citado el siglo: siglo XIV), *El Cristo de la calavera,* etc. Es fácil comprobar que Bécquer sitúa un porcentaje elevado de las leyendas en el medioevo, siguiendo la moda de la escuela romántica; pero es un medioevo con presagios de renacimiento. Más que los arcos ojivales o las vidrieras góticas, casi se adivina el fulgor de los palacios platerescos y se vislumbra la decadencia de las catedrales. Algunas leyendas no tienen una precisa localización temporal, quedando situadas en el genérico —y propio de los cuentos populares— «hace muchos años» *(La ajorca de oro, El gnomo),* mientras en otras Bécquer se esmera en acentuar la concreción del tiempo: *El beso* (guerra de la Independencia), *Maese Pérez el organista* (reinado de Felipe II).

núm 6, 1950, págs. 55-62. A pesar de la teórica amplitud del título, el trabajo se refiere exclusivamente a Soria, por lo que no sería descabellado retitularlo «La Soria de Bécquer».

[75] Sobre el Moncayo y Bécquer, cfr. Alberto de Segovia, «Gustavo Adolfo Bécquer y el Moncayo misterioso», en *La Revista Quincenal,* IV, Madrid, 1918, págs. 518-522. Federico Bordejé, «Gustavo Adolfo Bécquer y el Somontano del Moncayo», en *Bécquer y Soria,* págs. 55-72. Vicente González Hernández, *Ruta de Bécquer por el Somontano del Moncayo,* Zaragoza, Institución Fernando el Católico, 1975.

[76] Cfr. Faustino Corella Estella, *Bécquer y Navarra,* Pamplona, Diputación Foral, 1978.

[77] Sobre Sevilla y la obra literaria de Bécquer, cfr. Rogelio Reyes Cano, introducción y notas a *Sevilla en la obra de Bécquer,* Sevilla, Servicio de Publicaciones del Ayuntamiento, 1980.

Como puntualiza García-Viñó[78], Bécquer, aunque cronológicamente posromántico, utiliza elementos estéticos propios del romanticismo, pero más bien como términos de un determinado estilo de decoración del escenario: abundan las ruinas, el misterio, la melancolía, la soledad y las nocturnidades, mas la sensibilidad del poeta, aunque también participa del espíritu romántico, es otra; otras son las técnicas narrativas, otras son las necesidades expresivas y otros los resultados literarios. El romántico pretende recrear e idealizar el pasado a partir de sus vestigios históricos, para que la nostalgia tiña de belleza lo que un día fue historia y hoy sólo es olvido. Bécquer acude al pasado atraído por su lejanía y misterio. Este pasado es utilizado en las leyendas como transfondo escenográfico, como elemento de ambientación y, en términos de Rubén Benítez, como atmósfera moral[79]. Del medioevo, Bécquer toma personajes (condes, caballeros, pajes, monteros, etc.), espacios (palacios, alcázares, castillos, catedrales, monasterios, etc.), usos (caza, sarao, guerra), vestuario (calzas, brocados, borceguíes) y valores morales (religiosidad), pero el arte del poeta no se limita a recrear un mundo pasado, sino que trasciende su mera superficialidad de decorado seudohistórico y lo impregna de las características y tonalidades propias de su microcosmos poético.

Estructuras y temas

Tres son las estructuras narrativas principales: estructura que sigue el esquema tentación-pecado-castigo; estructura de anticipaciones; estructura de actualización de contenidos en función de los distintos valores de la abscisa temporal. En el primer esquema, la tentación está personificada siempre en la mujer, Eva corpuscular y actualizada, que implícitamente ofrece su amor como recompensa por la satisfacción de un capricho o veleidad. El pecado o transgresión está simbolizado por la consecución del objeto satisfactor, o por el propio objeto

[78] M. García-Viñó, «Los escenarios de las leyendas becquerianas», en *Revista de Filología Española*, LII, 1969, págs. 335-346.

[79] Rubén Benítez, prólogo a su edición de *G. A. Bécquer...*, cit., pág. 24.

(ajorca, banda, guante, corza). El castigo presenta diversas formulaciones: locura, vergüenza, muerte. Pertenecen a este esquema, entre otras, *La ajorca de oro* y *El Cristo de la calavera*.

El esquema estructural de anticipaciones radica en el hecho de que, mediante el relato de una tercera persona, la alusión por el narrador a un asunto legendario al inicio del relato, la exposición de una tradición que contiene elementos maravillosos, o cualquier otro recurso técnico, Bécquer preanuncia sintéticamente el tema narrativo principal, anticipa las claves del contenido que posteriormente, en un segundo ciclo, será totalmente amplificado o desarrollado. Responden a este esquema, entre otras, *Los ojos verdes*, *La corza blanca*, *El gnomo* y *El Miserere*.

A cada valor de la abscisa temporal corresponde un contenido distinto, según la función genérica que podemos establecer para el tercer esquema estructural. La progresión de la acción narrativa viene marcada por las diversas actualizaciones de contenidos. Los intervalos temporales de cada valor del eje de abscisas son variables para cada relato, según la técnica y necesidades narrativas. Obviamente, el tiempo y su decurso es en estas leyendas singular protagonista y el eje vertebrador del discurso. *Maese Pérez el organista* es la que mejor se ajusta a este esquema.

En numerosas leyendas aparece el tema del amor, aunque con distintas matizaciones significacionales: «fuerza motriz del universo», como lo define María del Pilar Palomo[80], móvil de la acción y desencadenante de sus desenlaces, y fuerza cósmica. La fuerza subyugadora del amor impulsa a los protagonistas a sufrir un desenlace trágico *(El monte de las ánimas, La ajorca de oro)* o cómico-grotesco *(El Cristo de la calavera)*, o bien actúa como elemento protector frente al peligro exterior *(La promesa)*. Cuando el amor se mezcla con la religión cristiana, tiene capacidad regeneradora y redencional *(La cueva de la mora, La rosa de Pasión)*. Como fuerza cósmica, posee un implícito sentido trágico y destructor *(El caudillo de las manos rojas)*. La muerte o la locura serán los castigos de las transgresiones

[80] María del Pilar Palomo, prólogo a su edición *Rimas. Leyendas. Cartas desde mi celda*, Barcelona, Planeta, 1982, pág. XX.

impulsadas por el amor. También en *El caudillo de las manos rojas*, aunque la muerte del protagonista obedece a la última transgresión cometida por su curiosidad irrefrenable, la raíz de sus transgresiones anteriores es esencialmente amorosa.

Junto al amor, la búsqueda del ideal es uno de los principales temas de las leyendas. Búsqueda de la belleza inaprehensible, de la formulación poética intuida, de la forma anhelada. «Incorpórea, fugaz y transparente»[81] son los adjetivos becquerianos de la belleza inasible, de lo ideal, de la poesía. Sílfide del sueño, realidad sin cuerpo, es musa que habita las altas regiones. La ensoñación febril idealiza y crea una figuración inexistente. Luego, la realidad despojará de galas la imaginación: el idealismo desaforado muere, como Alberto Albert, entre las barricadas de la realidad y el presente. Esta búsqueda del ideal se vincula externamente con la belleza femenina, bajo cuya figura subyace una implicación de índole estética *(Los ojos verdes, El beso, El rayo de luna)*. A veces, el ideal como logro estético está plenamente conseguido *(Maese Pérez el organista)*, pero en otras queda patente la imposibilidad de plasmar en lenguaje concreto una idea artística *(El miserere, El rayo de luna)*.

Identificada en numerosas ocasiones con el ideal estético o vital del poeta, la mujer aparece con frecuencia en las leyendas como referente de belleza, como símbolo soñado de la perfección artística[82]. La mujer como reducto de sueños y recreaciones, como móvil y ansia, como sustancia y anhelo, como algo incorpóreo y perfecto que sólo puede rozarse con las alas del sueño[83]. En las leyendas becquerianas la mujer es o Eva tentadora o ideal evanescente, o diabólico pétalo de pasión o aroma indefinible. Cuando simboliza lo demoniaco aparece caracterizada con rasgos negativos: frivolidad, capricho, coquetería. In-

[81] «Yo vivo en el fondo de estas aguas, incorpórea como ellas, fugaz y transparente: hablo con sus rumores y ondulo con sus pliegues» *(Los ojos verdes)*.

[82] Para ver el significado de la mujer en las leyendas becquerianas, cfr. Manuela Cubero Sanz, «La mujer en las leyendas de Bécquer», en *Revista de Filología Española*, LII, 1969, págs. 347-369.

[83] Cfr. Wallace Woolsey, «La mujer inalcanzable como tema en ciertas leyendas de Bécquer», en *Hispania*, XLVII, 1964, págs. 277-281. J. M. Díez Taboada, *La mujer ideal. Aspectos y fuentes de las rimas de G. A. Bécquer*, Madrid, C. S. I. C., 1965.

ductora, en suma, de transgresiones. Pero, aunque posee hermosura por ser símbolo o sueño, no tiene rasgos concretos, a excepción de Constanza, cuya caracterización física preanuncia su futura metamorfosis en corza.

Si el misterio o el trasmundo están presentes en numerosas leyendas como niebla de espesura variable, el miedo, cuyo tratamiento literario fue iniciado por Hoffmann y continuado en intensidad —hasta alcanzar las fronteras de lo terrorífico— y maestría por Allan Poe, está perceptiblemente acentuado en *La cruz del diablo* y *El monte de las ánimas,* pero la sensibilidad del poeta sabe detenerse, no obstante, «en el momento en que la medrosa inquietud puede transformarse en truculencia espesa»[84]. En la primera leyenda citada, el miedo se proyecta como consecuencia de la actuación de lo sobrenatural y como pugna entre religión y fuerzas diabólicas. En la segunda, la repetición de ciertos elementos acústicos va configurando un clima gradualmente dominado por el temor.

Técnica narrativa, lenguaje y estilo

Abundan los prólogos de ficción recolectora, en los que Bécquer manifiesta que actúa como simple retransmisor de informaciones orales, simple cronista de historias escuchadas. Estos prólogos tienen la función de desatar los mecanismos de atención en el lector, o, como dice García-Viñó, «de situarnos en el corro de oyentes junto al fuego»[85] , y de acentuar el carácter de verosimilitud legendaria en el relato.

Es muy dado nuestro autor a incluir en diversas leyendas un apéndice final que tiende a atar algunos cabos pretendidamente sueltos y a explicar contenidos periféricos del relato. Generalmente estos apéndices constituyen un añadido, si no enojoso, sí innecesario, que no hace más que rebajar la calidad estructural y narrativa de la leyenda y enturbiar la modernidad de su discurso.

[84] Arturo Berenguer Carisomo, *op. cit.,* pág. 42.
[85] M. García-Viñó, *Mundo y transmundo...,* cit., pág. 151.

40

Abundan las puestas en escena rebosantes de eficacia narrativa, encuadradas con pupila de cámara cinematográfica, ligereza de ritmo y brillantez de lenguaje y colorido. Rara es la escena narrativa o descriptiva que no esté perfectamente referida a una concreta temporalidad abarcable a toda la completa trayectoria del día y de la noche, con preferente localización en la medianoche y, sobre todo, en el crepúsculo.

Otro aspecto destacable es la teatralidad de algunas escenas localizables en las siguientes leyendas: monodiálogo con valor de acción y decoración verbal en *Maese Pérez el organista;* tratamiento teatral en *El beso,* sobre todo en el diálogo escenificado de Zocodover y en el crecimiento de la tensión dramática de la última escena; dinámica teatral en la última escena de *La rosa de Pasión,* cuando Sara sube al ruinoso escenario a inmolarse por su nueva fe, síntesis de amor y religión, así como algunos fragmentos del diálogo que mantiene Daniel en su taller con el desdeñado pretendiente de Sara; indudable valor como escenario teatral poseen las torres de Kattak, que tienen prendida «una diadema de antorchas» para rivalizar con el cielo enjoyado de estrellas.

Es notable la captación de los matices cromáticos y pictóricos en albas y atardeceres, y la definición de la medianoche como despertadora de lo mágico. Es obsesiva en Bécquer la fijación de la acotación temporal en la trayectoria del día. Rara es la escena donde no queda puntualizado en qué parte del día o de la noche suceden los acontecimientos: alba, mañana, mediodía, tarde, mediatarde, crepúsculo, noche, medianoche. Pero es la medianoche y, sobre todo, el ocaso, el escenario temporal preferido. Bécquer es un enamorado del crepúsculo. Un crepúsculo que recorre toda una trayectoria completa, desde el momento que se apagan los ruidos de la tarde *(El gnomo,* III) hasta el instante en que se asoma la luna desatadora de transformaciones. *(La corza blanca,* II). A veces, dentro de un mismo fragmento narrativo *(El caudillo de las manos rojas,* V) la acción comienza en la aurora —minuciosamente descrita—, prosigue en el anochecer y acaba en una noche repleta de fábulas. Por lo general, la noche está llena de densidades y lenguajes, de signos y admoniciones *(El monte de las ánimas, La corza blanca).* O, como precisa Rubén Benítez, «la noche correspon-

de simbólicamente al dominio del mal; el alba y el atardecer, en cambio, favorecen las transformaciones maravillosas»[86].

Son continuas en la prosa becqueriana las muestras de sensorialidad estética, precursora de las páginas de Gabriel Miró, e innumerables las manifestaciones de plasticidad y cromatismo[87]. En algunos párrafos de prosa musical y luminosa está preanunciado el lenguaje exquisito y decadente de las sonatas valleinclanescas: «Los rumores del campo se apagaban; el viento de la tarde dormía y las sombras comenzaban a envolver los espesos árboles del soto»[88]. Prosa preimpresionista, pictórica, donde al color y a la luz de las imágenes se une la musicalidad. Bécquer, perito en descripciones, escribe una prosa desnuda de retórica y precursora del modernismo.

Como en las rimas, en las leyendas alcanza una culminación estética respecto a la prosa precedente y de su tiempo por la intención y conciencia artística que en su elaboración subyace. Como señala Berenguer Carisomo:

> La fantasía de las imágenes, el riesgo brillante de las comparaciones, la coherencia de los tropos a veces prolongada y atrevidamente desenvuelta, la trabazón y encadenamiento de las sensaciones buscadas para el empleo de la metáfora hacen de Bécquer un particular problema estilístico: el primer estilo «artista» que se presenta en la prosa de la España del siglo XIX, si ponemos aparte el caso muy relativo de *El señor de Bembibre*, o el más problemático aún de la prosa de Pastor Díaz[89].

Intención artística que se plasma y concreta en un lenguaje esencialmente plástico y musical, lenguaje de poeta que, además de evidentes valores narrativos, ofrece anticipaciones de una nueva sensibilidad literaria.

[86] Rubén Benítez, prólogo a ed. cit., pág. 39.

[87] E. L. King ha estudiado la técnica descriptiva de Bécquer relacionándola con las técnicas pictóricas de Rembrandt, Murillo y Claudio de Lorena (cfr. *From Painter to Poet*, ya citado). Por su parte, Enrique Rull Fernández compara el colorido y exotismo de alguna leyenda *(El caudillo de las manos rojas)* con la pintura romántica orientalista de Delacroix o Fortuny (cfr. prólogo a su edición de *Rimas y leyendas*, Barcelona, Plaza & Janés, 1984, pág. 70).

[88] *La promesa*, pág. 313.

[89] Arturo Berenguer Carisomo, *op. cit.*, pág. 63.

El estilo becqueriano, «a veces recamado de plasticidad, a veces ondulado de melodías interiores»[90], teje una prosa que se desgrana con sencillez y hermosura, con densidad pictórica y aleteo de ave, que modula ritmos y cadencias y que finalmente se convierte en depurado manantial de ensoñaciones. Como en todo poeta verdadero, en Bécquer predomina el lenguaje tropológico con rasgos específicos y personales. Además de la abundancia de la prosopopeya, las leyendas están sembradas de símiles, imágenes y, sobre todo, de hermosísimas metáforas. Sería interesante verificar de cuántas maneras se refiere Bécquer al alba y al ocaso: infinitas formas y variantes, exponentes de una exuberante riqueza de lenguaje. Infinitas son en Bécquer las formas verbales de la noche y el día, con sus pórticos y terminaciones.

A título de ejemplo, de entre las muchas que podríamos haber seleccionado, destacaremos por su belleza un par de aliteraciones con valor onomatopéyico: «cuyas ondas besa la brisa de la tarde» *(El caudillo de las manos rojas);* «entre el estruendo de las armas y el insólito clamor de una trompa de guerra» *(El rayo de luna).*

<center>ESTUDIO UNITARIO</center>

El caudillo de las manos rojas

Ordenadas mediante una sucesión de escenas narrativas rebosantes de valores plásticos y poéticos, como si fueran fotogramas de alto contenido estético donde se condensa la acción, sus escenarios y atmósferas, dos son las subhistorias que Bécquer narra en su primera leyenda: el relato del crimen cometido por Pulo-Dheli, su arrepentimiento y expiación; y, dentro del marco de ésta, el relato de la erección del templo de Jaganata. Tras el crimen, aparece un estigma acusador: el color rojo de las manos. Tras el remordimiento, un largo proceso de expiación: viaje de Pulo-Dheli y su esposa Siannah hacia las fuentes de la divinidad o hacia la inocencia perdida. Este pro-

[90] Rubén Benítez, *Bécquer tradicionalista,* cit., pág. 85.

ceso expiatorio está ordenado en dos ciclos. El primero, que debería cerrarse con la llegada de los protagonistas a las fuentes del Ganges, no llega a culminarse por la aparición de la pasión transgresora, del acto amoroso prohibido. El estigma acusador de este segundo pecado es ahora una ausencia, la de Siannah, símbolo de la belleza. La transgresión amorosa abre un segundo ciclo expiatorio —dentro del que Bécquer relata la erección del templo de Jaganata— que no puede culminarse felizmente por la irrefrenable curiosidad de Pulo. Si la primera tentación fue la del deseo carnal, la segunda es la de la impaciencia.

Pugna entre amor y destrucción, entre el dios del bien y los arcángeles caídos en el terraplén borroso de la noche. Largo itinerario para lavar las manos rojas de culpa y fratricidio, y para recuperar las caricias de la esposa enamorada. Primero la voluptuosidad de su presencia, en el instante de oleaje subterráneo que precede al estallido de los besos, en el instante en que hasta el aire enciende las palpitaciones. Luego, el intento de desvelar el misterio y entreabrir las rendijas del alba. Pulo, arquetipo del caudillo, queda finalmente en manos del dios de la expiación y el remordimiento, condenado a peregrinar por las ignotas regiones de las que no se vuelve. La victoria del dios de la destrucción se enmarca dentro del inicial pesimismo becqueriano, reflejado también en *La Creación* y en *Apólogo*. Si el hombre es «un abismo de grandeza y pequeñez»[91], creado tal vez, al igual que el mundo que habita, en un descuido de los dioses, no es extraño que en *El caudillo de las manos rojas* Pulo-Dheli acabe siendo un juguete de las primigenias fuerzas morales configuradoras de la humanidad y víctima de sus enfrentamientos.

Paseo hustoniano por el amor, la expiación y la muerte, en un escenario exótico (exotismo de las vegetaciones, vestimentas, dioses, grafías, pájaros, formas de medir el tiempo por relojes de luna) y un tiempo poblado de crepúsculos y albores. Es visible el protagonismo escenográfico que poseen los espacios donde está presente la naturaleza: montes, bosques, ríos, océanos, torrentes, árboles, cordilleras, espesuras diversas.

[91] *La Creación*, pág. 177.

Nunca como en esta leyenda presenta Bécquer, enamorado de la luz en todos los puntos de su trayectoria, un repertorio tan delicado y completo de albas y puestas de sol. Hay como una mágica ruleta de auroras y ocasos, siempre encendidos los dioses de la noche y siempre palpitantes las estrellas del día. Pero no sólo albas y crepúsculos, sino también estadios intermedios de la trayectoria del día y la noche. Notable es, además, la surtida variedad de formulaciones expresivas —que demuestran la amplitud de registros del lenguaje poético becqueriano— con que quedan anotadas estas acotaciones temporales. Está sorprendido el temblor del último rayo de sol, la vacilación de la penumbra, el principio de la noche, la noche ya rotundamente apoderada del celaje, densa y opaca, redonda y completa, noche con astros y sin astros, noche de calificaciones. El alba aparece siempre asomándose o disolviendo la memoria de la luna. El día, erguido como un adolescente.

El caudillo de las manos rojas puede ser entendido como un largo poema en prosa compuesto de innumerables pequeños poemas que como hontanares brotan incontenibles y llenos de lirismo. El contenido narrativo de esta leyenda es mínimo[92] y está articulado a base de encuadres cinematográficos de sorprendente modernidad. Bécquer no se detiene en los elementos accesorios que pudieran distraer la atención nuclear de su relato (como pudiera ser la descripción del combate entre los dos hermanos o el acabado retrato de los protagonistas), sino que articula el contenido narrativo casi como excusa para desplegar las galas de su poesía y mostrar el inimitable arte para pintar ambientes y escenarios, que se convierten en verdaderas acotaciones escénicas donde la prosa becqueriana se impregna de sonoridad, plasticidad y cromatismo. Es evidente que Bécquer se recrea en las ambientaciones escenográficas, en las atmósferas y los escenarios. Habitualmente, antes de cada subepisodio narrativo define en clave poética el escenario y la ambientación, en la que se incluye la localización temporal. Donde es más evidente esta técnica de ambientaciones es en la escena amorosa entre Pulo y Siannah. Como preludio y preparación del «océano de voluptuosidad indefinible» se suceden,

[92] Cfr. E. L. King, *op. cit.*, pág. 66.

progresivamente intensificadas, las notas de sensorialidad esce-
nográfica: aura fresca, situación de descanso, canto de pájaros,
miríadas de insectos. La repetición de los mismos elementos
del marco ambiental acentúa la intensificación sensorial: repo-
so de los caminantes, frescura del agua, calma profunda, mur-
mullo de aguas y hojas, canto de pájaros, zumbido de insectos.
El estallido de los besos es simple consecuencia y culminación
de una atmósfera repleta de sensualidad. Asimismo, al comien-
zo de la leyenda, el poeta también despliega un rico preludio
de ambientación sensorial antes de abordar el inicio del conte-
nido narrativo. Bécquer estudia los efectos luminosos del cre-
púsculo (luces borrosas, sombras, atenuación de las formas por
el avance de la noche) y los aspectos líricos del sonido, en va-
riada gama de manifestaciones auditivas (confusos rumores de
la ciudad, suspiros de la noche, cantos de aves, murmullo del
agua, mil misteriosos ruidos).

Ha sido unánimemente resaltada la calidad poética de esta
primera leyenda de Bécquer[93]. Aunque todavía acoge en su
seno algunas fórmulas de retórica convencional, sorprende la
originalidad y riqueza del lenguaje tropológico, concretado
predominantemente en símiles, imágenes y metáforas. Su pro-
sa sensorial incluye percepciones visuales, olfativas, táctiles,
visionarias y oníricas. Las interrogaciones retóricas y la abun-
dancia de la prosopopeya se revelan como rasgos estilísticos,
así como la conceptualización —de índole plástico-sensorial—
de las antítesis, no verbalizadas en fórmulas antinómicas
simples.

La cruz del diablo

Como el incompleto *Miserere* hallado en la abadía de Fitero,
una cruz maldita es el símbolo visible que sirve para desenca-
denar la explicación retrospectiva de tan llamativa antítesis. El

[93] Cfr. Rica Brown, *op. cit.*, pág. 94. García-Viñó, *op. cit.*, págs. 262-267.
Rubén Benítez, *Bécquer tradicionalista*, cit., págs. 135-136. Berenguer Carisomo,
op. cit., págs. 63-70.

narrador en primera persona cede el protagonismo al guía de la expedición, quien, tras las fórmulas iniciales propias de un relato tradicional («Hace mucho tiempo», «pues es el caso»), va desgranando en primera persona su discurso narrativo, introduciendo —frecuentemente al principio y más raramente a medida que progresa el relato, pues Bécquer va olvidando las distancias narrativas artificialmente creadas entre narrador real y ficticio— fórmulas retóricas que subrayan su protagonismo como narrador: «No sé si», «renuncio a describir», «Oigan ustedes cómo», «como dejo dicho». Estas fórmulas, junto con otros términos coloquiales y diferencias de tono estilístico entre narrador real y ficticio, persiguen mantener la ficción del esquema narrativo ideado por Bécquer.

Precedida de prólogo en primera persona con función introductoria, donde el autor prepara anímicamente el clima sobrecogedor de la leyenda, plantea los interrogantes e introduce sucintamente ciertas acotaciones escénicas teñidas de romanticismo, *La cruz del diablo* está dividida estructuralmente en dos partes: en la primera tiene lugar la historia del *mal caballero*, responsable de tropelías y desafueros cometidos en su feudo, que queda reemplazada en la segunda por el protagonismo de las fuerzas sobrenaturales del mal, las cuales, ocultas tras la mítica armadura, toman el relevo en la campaña de destrucción y muerte iniciada por su predecesor. La historia del *mal caballero* se repite en la confesión hecha por el prisionero que narra la ceremonia de proclamación del misterioso caballero que viste la armadura como jefe de bandidos. Este subrelato lleva a cabo también una función introductoria de la segunda parte de la leyenda, constituida por la historia de la armadura.

Importancia como protagonista simbólico tiene la armadura, ya sea convertida en cruz (punto desencadenante de la acción narrativa), ya sea concretada en signo presente y activo dentro de la liturgia de la destrucción. La armadura viene a ser la encarnación exterior, el símbolo concreto de esas fuerzas del mal, tanto humanas como sobrenaturales, que encienden extrañas luminarias en la noche, persiguen doncellas escondidas, son capturadas con la ayuda de oraciones milagrosas o se retuercen en las llamas como sierpes heridas.

Leyenda de claro predominio de la narración sobre la des-

cripción, de la acción sobre el ambiente[94]. Lo maravilloso no tiene un sentido misterioso, mágico, fantástico o poético, al menos predominantemente, sino que se halla sujeto al campo de acción de lo diabólico. En este fuero de Luzbel caben perfectamente las manifestaciones de poderío sobrenatural: armaduras humanizadas, fugas a deshora, extraños sortilegios. El contexto de superstición popular sirve de soporte a la arquitectura de lo maravilloso.

Terror y religión, binomio una vez más unido en una creación literaria. Medievalismo y fantasía en esta *cruz del diablo,* que narra la eterna lucha entre el bien como principio moral y el mal como fuerza casi irreductible.

La Creación

Desde el prisma de una concepción pesimista del hombre y el mundo, presente ya en *El caudillo de las manos rojas* y en el *Apólogo,* y expuesta al comienzo de esta parábola humorístico-poética, pretende Bécquer ofrecernos la historia maravillosa de la creación del mundo según el mito de Brahma. Fresco estaba en la memoria becqueriana el recuerdo de las lecturas del *Ramayana.* Antes de la aparición del mundo habitado por los humanos existen otras manifestaciones de la capacidad creadora de Brahma: los *gandharvas,* o cantores celestes, el Edén, los cuatro elementos (fuego, aire, agua, tierra) y los astros. El mundo humano es fruto de una transgresión, y su nacimiento y naturaleza no obedece a una fórmula precisa, sino que tiene su origen en el caos y la confusión. El mundo aparece así como el fruto de un gran desequilibrio, como una mezcla de elementos antitéticos. La antítesis es la base de la estructura temática de la leyenda. De la fusión de ingredientes opuestos nace nuestra deformidad. Somos frutos del descuido de un

[94] Creemos que es en este sentido como debe interpretarse la primera parte de la afirmación de Rica Brown: «Aunque posiblemente la más pobre de sus leyendas en materia poética e imaginativa, (...)» *(op. cit.,* pág. 169). Pobreza de creación de atmósferas y de sus lenguajes implícitos, pero no pobreza de imaginación narrativa o de complicación argumental.

dios. Somos el resultado de los quehaceres lúdicos de pequeños demiurgos en su taller de nebulosas.

Según afirma Rica Brown, Bécquer se adelanta en más de medio siglo a Rudyard Kipling en la percepción del encanto de las leyendas indias y en su interpretación europea[95]. La prosa poética del comienzo se transforma más tarde en precisión expresiva para configurar la plasmación del mundo maravillosamente creado y sus elementos. Esta riqueza compositiva ha sido subrayada por Berenger Carisomo, para quien, más que la filosofía bondadosamente amarga que subyace en la leyenda, destaca, además de su estructura literaria y preocupación estilística, «una riqueza de fantasía en la composición que solamente podría transcribir hoy, con fidelidad, el milagroso hallazgo del dibujo animado»[96].

La ajorca de oro

Hay un primer punto de contacto con *La cruz del diablo* en la presencia del maligno, aunque en *La ajorca de oro* sólo como parte sustancial de la belleza femenina («hermosura diabólica»), lo que ya prefigura una consecuencia dramática y un desenlace infeliz y trágico. La hermosura encierra en sí misma la sutil tentación, sierpe siempre insinuante, que en vez de manzana ofrece tácitos deleites.

Diáfano está el esquema estructural de la acción: tentación (una Eva arquetípica y corpuscular formula implícitamente una petición para conseguir el objeto que satisfaga un capricho de vanidad), pecado (consecución de la ajorca) y castigo (locura). Es el amor quien desencadena el desenlace, amor apasionado que incita a la transgresión, la cual es castigada con la locura. No falta tampoco en esta leyenda un prólogo de presentación de los personajes, en el que Bécquer incluye la ficción literaria de *presentarse* como cronista verídico que recoge una historia del acervo narrativo popular y la retransmite íntegramente. La presentación de los personajes recorre una curiosa

[95] Rica Brown, *op. cit.*, pág. 173.
[96] A. Berenguer Carisomo, *op. cit.*, pág. 31.

trayectoria identificadora, desde los pronombres personales empleados como definición de categorías abstractas, como símbolos sin silueta, hasta la precipitada concreción nominal y ciudadana. Cernuda ha señalado el carácter de poema en prosa, «y de los más bellos en nuestra lengua»[97], de estos tres primeros párrafos de la leyenda, sabiamente articulados mediante paralelismos y correlaciones.

Sin duda, lo más notable de *La ajorca de oro* se halla en el último capítulo. Comienza éste con una descripción de la catedral toledana, digresión cuyo tono, impregnado del tradicionalismo artístico tan excelentemente estudiado por Rubén Benítez[98], es muy similar al que predomina en la *Historia de los templos de España*. Siguiendo las técnicas empleadas por Chateaubriand en su *Genio del Cristianismo* para la descripción de templos y otras arquitecturas, Bécquer subraya los valores estéticos, arquitectónicos y litúrgicos como instrumentos válidos para reafirmar la fe religiosa. Tras esta digresión, el narrador dispone hábilmente los elementos del escenario con el fin de lograr una perfecta progresión del miedo en el ánimo del sacrílego ladrón: los confusos rumores del silencio catedralicio; las losas sepulcrales; la penumbra de las lámparas; la disposición de la arquitectura. Todos estos elementos son distorsionados por el miedo del protagonista, que va produciendo sensaciones alucinadas y formas fantásticas, las cuales culminan con la animación de la pétrea morfología: hombres y alimañas. El miedo distorsiona la realidad y crea siluetas caprichosas, figuraciones erróneas, desvaríos[99].

Amor, terror y sacrilegio como trinomio temático. Interacción entre escenario y sicología, progresión del temor en el ánimo del protagonista y esa asamblea final de dioses y reptiles concelebrando la apoteosis de sus resurrecciones.

[97] Luis Cernuda, *Poesía y Literatura,* t. II, Barcelona, Seix Barral, 1964, página 70.

[98] Rubén Benítez, *Bécquer tradicionalista,* cit., págs. 15-108.

[99] El recurso de animar lo inanimado ya había sido empleado por Bécquer en su *Historia de los templos de España,* cuando puebla los claustros de monjes espectrales y guerreros que regresan de sus eternos campos de batalla.

La riqueza del esquema estructural de la leyenda es evidente: posee prólogo, subrelato introductor, fábula novelesca y epílogo legendario. En el prólogo aparece de nuevo, en primera persona, la ficción del narrador como recolector o revivificador de historias oídas, con expresión de los espacios (desde el que se narra, Madrid, aunque no esté explícitamente citado, y donde sucede la acción, Soria) y de los tiempos: el de la escritura y el de la audición. La ficción prologal establece que Bécquer recuerda desde Madrid la leyenda soriana, al oír las campanadas que suenan en la noche de difuntos. Las campanadas que suenan y los cristales que crujen en la noche son las primeras notas auditivas que Bécquer sabiamente dispone para preparar sicológicamente al lector y definir preludialmente el clima sobrecogedor de la narración.

El subrelato introductor, cuya función es la de crear el ambiente sicológico propicio y fijar el soporte legendario para que se desarrolle el resto de la acción, está formado por un episodio histórico (o seudohistórico) de rivalidad y muerte, en el que Bécquer narra el enfrentamiento entre templarios y nobles castellanos, y un episodio legendario en el que, cuando la campana inaugura el nacimiento del decorado nocturno, se revive en la noche de difuntos la singular batalla entre las ánimas de los antiguos contendientes.

La fábula novelesca desarrolla los antecedentes de la tentación, la tentación en sí, la muerte no narrada de Alonso, el terror paralelo de Beatriz, y la muerte de ésta al alba, cuando ve la banda azul, diáfano puñal de luz. Todo este ciclo narrativo puede ser estudiado con el mismo esquema que aplicamos en la leyenda anterior: tentación, pecado, castigo. Bajo el mismo móvil genérico del amor, existe en ambas leyendas un componente de profanación en las conductas de los personajes masculinos. En *La ajorca de oro*, un robo sacrílego. En *El monte de las ánimas*, la transgresión de una tradición constituida. Pero mientras en la primera el castigo sólo abarca al ladrón y no a la inductora —¿qué le hubiera sucedido a María Antúnez si Pe-

dro Alfonso de Orellana hubiera conseguido entregarle la dorada presea?—, en la segunda son los dos quienes sufren el mismo castigo de la muerte. En el tipo de muerte y en el desarrollo de la misma ya existe una valoración becqueriana de la culpa. Mientras Alonso, herido en su amor propio por Beatriz, muere por exceso de amor y valentía, Beatriz, tras noche de insomnio y miedo, muere sencillamente de terror.

El epílogo legendario es una recreación circular del episodio legendario del subrelato introductor, con la inclusión de un elemento novelísticamente real, la presencia de Alonso y Beatriz, dentro de una ficción legendaria. Discurso legendario y fábula novelesca se confunden en un mismo giro circular, en una misma superposición de tiempos. Maravilloso, enormemente plástico y acentuadamente surrealista es el cuadro de la mujer perseguida por los esqueletos de los muertos, que recuerda las tablas botticellianas en que se ilustra la historia de Nastagio degli Honesti.

En lo que respecta a Alonso, la historia se mantiene hasta su muerte en el plano de la fábula novelesca «real»: muere destrozado por los lobos y no por las ánimas de los caballeros espectrales. A partir de la muerte, su actuación entra dentro de la categoría de lo maravilloso-legendario, pues es su espíritu quien se encarga de entregar la banda azul a Beatriz, satisfaciendo de esta manera la vanidad y capricho de la hermosa inductora. Su muerte tiene la virtud de engendrar un nuevo ciclo legendario, recreando un universo circular en el que se incluyen personajes pertenecientes a la fábula novelesca y al subrelato introductor.

Sobresale singularmente en *El monte de las ánimas* la creación de ambientes. En el capítulo II destacan tres elementos acústicos que, repetidos el mismo número de veces con el fin de preparar la culminación atmosférica que se produce en el capítulo III, configuran un ambiente cuya nota predominante es la sensación de temor: viento que azota los vidrios de las ventanas, cuentos de terror relatados por dueñas habladoras y el doblar de las campanas, con tañido monótono y triste. Convenientemente repetidos en los intervalos en los que estalla entre los protagonistas un silencio cargado de presagios, van intensificando un clima propicio para que nazca la magia, la muerte o

el misterio. En el último capítulo, la disposición de los elementos precisos —dentro del campo de las manifestaciones acústicas— capaces de definir el ambiente adecuado o el escenario sonoro para que se inicie, crezca y se desarrolle el terror de Beatriz está orquestada con indudable acierto y habilidad: murmullo de los rezos, doce campanadas lejanas que inauguran las figuraciones, chirrido de goznes, ladrido de perros, murmullo del agua, tristeza de campanas, voces confusas, infinitos latidos de la noche y el viento. Sobre este trasfondo sonoro, Bécquer va graduando en Beatriz, con muy pocos ingredientes novelescos, la progresión ascendente del miedo, desde su inicio hasta la culminación: nombre pronunciado a lo lejos, sonido de puertas al abrirse, colgaduras de brocado que rozan el suelo al separarse, rumor de pasos, ropas, suspiros y respiraciones que se acercan, crujido de maderas, banda azul. Delicadísimamente, la escena va ascendiendo hasta su culminación, hasta esa banda azul desgarrada y sangrienta, siendo perfecta la síntesis entre el clima tan sabiamente generado y la disposición de los elementos que van graduando la trayectoria del miedo. Complementarios a los signos de la realidad sonora exterior que configuran un ambiente se hallan, como en el ánimo de Pedro, las deformaciones de la realidad que el pánico produce, configurando ambos una atmósfera total de crispación, terror y muerte. Esta conjugación de realidad escenográfica e imaginación deformadora preparan el clima propicio para que el elemento maravilloso de la banda azul tenga presencia real, sea el símbolo que manifieste que se ha cometido la transgresión a una creencia popular supersticiosa y que será necesario un castigo reparador.

Significativa es la alternancia de rumor y silencio. El ruido como último decorado o como amenaza aproximándose. Y el silencio como pausa para regular la gradualidad. Silencio siempre poblado de ecos y sospechas, silencio siempre historiado por el miedo. El silencio del interior, los compases de silencio, actúan como contraste respecto a los sonidos exteriores, intensificando su significación de transfondo escenográfico. Hasta que rumor y silencio se superponen y coinciden, cuando ya la turbación llega a su clímax y el terror se apodera de los senti-

dos. Si el ámbito de lo auditivo es enormemente rico en esta leyenda, el silencio es particularmente trágico y dramático.

Es también digno de destacarse que la localización temporal del clímax narrativo se sitúa en la noche, gradualmente vivida hasta la llegada del alba, y con él, el desenlace. Noche anclada en el presente narrativo, desde el cual el pasado legendario actúa como un mecanismo vivo todavía. Porque aquí, mágicamente, el pasado conforma un nuevo presente esencialmente trágico, en una reviviscencia circular, en un ciclo que trae bandas azules desgarradas y fantásticas persecuciones nocturnas.

Los ojos verdes

Tras breve prólogo en primera persona (en el que Bécquer no insiste en la habitual ficción recolectora, sino que manifiesta que la leyenda es fruto directo de su creadora imaginación), comienza la narración en tercera con una puesta en escena brillante y dinámica, llena de fuerza y color, de perfecta eficacia narrativa y exacto ritmo cinematográfico. La abundancia de verbos de acción, la brevedad de las frases y la apoyatura de los signos de interrogación y admiración transmiten sensación de movimiento, de entrecortado dinamismo, muy propios de una escena medieval de caza. En la breve exposición del montero mayor Íñigo ya está esbozado esquemáticamente, a modo de avance arquitectónico, el tema de la narración, la clave del relato. El segundo cuadro escénico ya muestra los efectos de la transgresión: hechizo y melancolía en los ojos del primogénito de Almenar[100]. Bécquer presenta de pronto, en primer plano, la imagen de Fernando, aquejado de búsquedas, zozobras y cavilaciones, y explica a continuación las causas de tal estado, incluyendo la narración de lo sucedido en la fuente de los Ála-

[100] También puede aplicarse aquí el esquema tentación-pecado-castigo. Como en *El monte de las ánimas*, Fernando de Argensola, impulsado por la codicia del cazador, la soberbia del poderoso y la ansiedad de la primera pieza, transgrede una creencia supersticiosa popular. El pecado de transgresión es castigado con la melancolía y la muerte. A diferencia de las dos anteriores leyendas, no es una mujer la inductora de la tentación, mientras que, curiosamente, sí es la ejecutora del castigo.

mos, así como una hermosa descripción del idílico paraje. Una nueva intervención del montero mayor preanuncia el contenido del último capítulo, deslumbrante por la belleza del lenguaje. En él se halla el desenlace de la acción, situada en una hora crepuscular del día, preludio simbólico de la muerte del protagonista, muerte que se va adivinando a medida que entra la noche en sus altas regiones. El final de la leyenda es de una modernidad narrativa insuperable. En sólo dos líneas cierra Bécquer plásticamente el relato, sin necesidad de explicar nada más de lo dicho y sin añadir detalles superfluos o secundarios.

Bécquer introduce en esta leyenda mayor dinamismo y modernidad en sus técnicas narrativas. Los tres capítulos comienzan inesperadamente (sin los habituales preámbulos explicativos o atmosféricos) con intervención verbal de un personaje, cuya función es la de poner en escena la acción narrativa, seguida de un breve párrafo explicativo, situador o ambiental. En el último capítulo, Bécquer, perito en gradualismo y progresiones, nos hace sentir y visualizar el avance físico de Fernando hasta el borde de la roca, atraído por el magnetismo de los ojos fosforescentes.

En el desarrollo del tema de la mujer que con su belleza acarrea la muerte del hombre preso en sus extensas tentaciones, los ojos verdes son los verdaderos protagonistas de la leyenda. De ellos nace su magnetismo y su capacidad de hechizo. Ellos constituyen el símbolo más visible y original del misterio y de la capacidad de atracción de la hermosura femenina, y sitúan la fascinación suscitada en Fernando en un marco potencial de posibilidades maravillosas. Cuando Bécquer hace intervenir otros elementos del cuerpo de la ondina (brazos, labios), se produce el desenlace fatal. La sensualidad conlleva implícito el frío de la muerte. Los ojos verdes, cuyo brillo —como apunta J. Gulsoy[101]— está intensamente subrayado siempre que aparecen en escena, son el símbolo del ideal buscado y el reclamo apropiado para un espíritu sensible y soñador.

El ideal entrevisto, «lo incorpóreo, lo intangible» (rima XI), la belleza inalcanzable, la idea soñada, la emoción estética que

[101] J. Gulsoy, «La fuente común de *Los ojos verdes* y *El rayo de luna* de G. A. Bécquer», en *Bulletin of Hispanic Studies*, t. XLIV, abril de 1967, pág. 102.

no se apresa en un lenguaje concreto, el imposible aroma de pétalos, todo eso simbolizan esos ojos verdes de esmeralda y relámpago. Bécquer explica claramente el esquema del nacimiento del ideal o de lo idealizado: primero es preciso un estímulo procedente de la realidad exterior (rayo de sol, flor que flota entre las algas, rayo de luna) que impresione una sensibilidad susceptible de transformar, mediante la imaginación, el estímulo exterior en visión o imagen idealizada que sólo existe en el ámbito de lo inalcanzable. Ensueño y fantasía contribuyen a crear el ideal inasequible. Incorpóreo, fugaz y transparente, siempre se sitúa en la región de lo irrealizable, convirtiéndose, por encima de cualquier otra motivación, en el móvil vital de algunos protagonistas becquerianos. La búsqueda del ideal constituye uno de los más poderosos móviles vitales del alma romántica. Bécquer no hace sino reforzar el credo romántico de exaltación y búsqueda del ideal por encima del asfixiante prosaísmo de lo cotidiano. Pero el idealismo ciego conduce a la muerte. Existe un castigo a la ceguera o la desmesura. Los héroes posrománticos perecen buscando la idealidad soñada porque no aceptan renunciar a sus anhelos y se niegan a rebajar su sueño a los requerimientos de la realidad.

De todas las características de la poesía becqueriana definidas por José Luis Cano: «vaguedad, imprecisión, evocación, misterio, ensueño, melancolía, visión fantasmagórica»[102] y señaladas para esta leyenda por Rica Brown[103], quizá sea el misterio, tanto entendido como tenue bruma que envuelve la narración o como elemento de una determinada técnica narrativa, la más destacada. Misterio que abre los primeros interrogantes en el instante mismo de la transgresión, los mantiene en el motivo del hechizo y los acumula en torno a la aparición, presencia, naturaleza y magnetismo ocular de la ondina, a quien Fernando pide la ruptura del «misterioso velo» en que se envuelve.

La descripción de la fuente de los Álamos es un magnífico ejemplo de prosa llena de tactilidad, que, reforzada por el efec-

[102] José Luis Cano, en «Quimera y poesía», de su libro *De Machado a Bousoño*, Madrid, Guadarrama, 1955, pág. 32.

[103] Rica Brown, *op. cit.*, pág. 177.

to sonoro de la aliteración, se mueve siguiendo los accidentes del terreno como si fuera sierpe o insecto himenóptero:

> Aquellas gotas (...) se reúnen entre los céspedes y, susurrando, susurrando, con un ruido semejante al de las abejas que zumban en torno de las flores, se alejan por entre las arenas y forman un cauce, y luchan con los obstáculos que se oponen a su camino, y se repliegan sobre sí mismas, y saltan, y huyen, y corren, unas veces con risas; otras, con suspiros, hasta caer en un lago (...) para estancarse en una balsa profunda, cuya inmóvil superficie apenas riza el viento de la tarde»[104].

El dinamismo del agua adolescente que se abre cauce entre las rocas se refleja en el vivo, nervioso y agitado fluir de la prosa que, cuando llega al preámbulo del lago, se torna reflexiva y al final se queda inmóvil, se remansa y se sosiega.

Maese Pérez el organista

Interesa detenernos en el análisis estructural de la leyenda, excelente ejemplo de actualización de contenidos en función de diversos valores del eje de tiempos. Tras un prólogo de ficción recolectora, con inclusión de las coordenadas de lugar y tiempo desde las que pretendidamente se narra (atrio de Santa Inés, misa del Gallo de un año próximo al de publicación de la leyenda), Bécquer nos sitúa en un tiempo histórico muy amplio (reinado de Felipe II) y en un tiempo puntualmente concreto, aunque no definido respecto a la totalidad del periodo temporal abarcado (misa del Gallo de un año indeterminado del reinado), que llamaremos tiempo primero. A este tiempo corresponde el siguiente contenido: una página teatral, llena de acción y decoración verbal, desde la ficción de un teórico diálogo que mantiene una locuaz feligresa de Santa Inés con otra invisible y recién llegada al barrio. Con este monodiálogo introductorio, Bécquer hace aparecer en escena a diversos caballeros, habla de la rivalidad existente entre familias de la no-

[104] *Los ojos verdes*, págs. 211-212.

bleza sevillana del siglo XVI y nos informa de la solemne llegada del obispo, así como presenta a maese Pérez, el sublime organista, proporcionando algunos datos relativos a su cotización profesional, virtuosismo musical y ceguera, y preparando el clima propicio para la actuación del músico. En la penumbra de la medianoche destacan las notas de luz y color en la descripción del ambiente y los personajes que se acercan a la iglesia: capa roja u oscura, pluma blanca, brillo del oro, luz de linterna, cruz verde de los hábitos, brillo de broqueles, hábitos morados y birrete rojo, resplandor de las hachas encendidas. Primeramente presenta Bécquer personajes singularizados, para dar entrada luego al populacho («bandadas que veis llegar con teas encendidas»), que ya queda definido por el ruido y alboroto que genera. Es una puesta en escena, como otras de Bécquer, de gran animación y cromatismo, realizada con soltura de trazo y rapidez de pincelada. Todo el capítulo I sirve para preparar emocionalmente la intervención de maese Pérez. Bécquer presenta un animado fresco de la Sevilla del siglo XVI para que el lector, llevado por la prosa pictóricamente evocadora del poeta, se traslade imaginariamente a aquel siglo pasado, se sumerja en aquella sociedad bulliciosa, perciba la afectada gravedad de los caballeros principales y el ruido del populacho, y se apreste con emocionada expectación a escuchar la música del maestro.

Nada más comenzar el capítulo II, Bécquer nos ofrece una visión de la sociedad sevillana ordenada jerárquicamente en el recinto del templo. En primer lugar —el espacio actúa como ordenador de jerarquías— y definidas por sus notas de color y grado de ostentación, la nobleza y demás principalías. Detrás, definida por el ruido discordante, la masa informe de la plebe. De la plebe no proceden más que manifestaciones sonoras carentes de armonía. De la nobleza, destellos luminosos de joyas y vestimentas. Si en el capítulo I era la luz protagonista, en el II es el sonido. Los actos, expresiones o manifestaciones que contienen implícita o explícitamente elementos sonoros abarcan una amplia gama de registros: rumor y bullicio de la multitud, aclamaciones de júbilo, ruido de sonajas y panderos, palabras a media voz, exclamaciones de disgusto, ruido espantoso e indefinido, voces, campanadas, campanillas, concierto, grito

de mujer, sonido discorde del órgano, vibración sorda, sollo-
zos y suspiros. Luz y sonido como elementos de un escenario
pictórico y teatral. Luz como insonoro complemento del soni-
do. Sonido como invisible transfondo del que emerge la músi-
ca, culminación armónica. El concierto de maese Pérez es la
culminación estética de un transfondo sonoro. La descripción
de este concierto constituye una de las cumbres expresivas del
lenguaje becqueriano. Bécquer traduce la música en imágenes,
las notas en sílabas, los sonidos en formas lingüísticas. Como
subraya García-Viñó: «Bécquer va a transcribir a palabras el
efecto producido por la música. Va a tratar de solidificar en re-
presentación visible, palpable, lo que es invisible y etérco»[105].
Bécquer posee tal maestría descriptiva que nos parece transmi-
tir el concierto: sentimos la sonoridad del primer acorde ma-
jestuoso o la descomposición de una nota sostenida en explo-
siones de armonía. Este discurso lingüístico y musical está per-
fectamente graduado, desde el inicio arrollador hasta la cum-
bre expresiva, y desde ésta hasta la agonía de los últimos com-
pases, clausurados por un inesperado grito de mujer, manifes-
tación sonora carente en este caso de armonía.

A un tiempo segundo (un año después, misa del Gallo) co-
rresponde otro contenido actualizado, que comienza con un
nuevo monodiálogo (en el que la feligresa nos informa de la
nueva situación y nos prepara para los futuros acontecimien-
tos) y culmina con la actuación del organista de San Bartolo-
mé, ayudado por la mano invisible de maese Pérez. Un breve
monodiálogo crítico donde se insinúa la duda sobre las exce-
lencias musicales del sustituto de maese pone fin al contenido
relacionado con el tiempo segundo. Tras la muerte de maese
Pérez, el órgano mágico sigue conservando sus poderes. Pri-
mero acalla algarabías e inmediatamente después encandila y
rapta el ánimo de las multitudes. Íntima musicalidad tienen sin
duda las hermosas aliteraciones que en el texto pueden espi-
garse. Como un tintineo de esquilas suena:

Las campanillas repicaron, semejando su repique una lluvia de
notas de cristal[106].

[105] M. García-Viñó, *op. cit.*, pág. 30.
[106] *Maese Pérez el organista*, pág. 228.

Algo de ascendente tiene la repetición de nasales que, junto al acento prosódico, le dan un carácter gráficamente aéreo a la siguiente expresión:

Se elevaron las diáfanas ondas del incienso[107].

En el tiempo tercero (dos años después, misa del Gallo) falta el monodiálogo introductor, siendo sustituido por un diálogo entre la abadesa del convento de Santa Inés y la hija de maese Pérez. En este tercer valor de la abscisa temporal queda desvelado el misterio de la música maravillosa. Es el espíritu del artista quien sigue imprimiendo a su órgano mágico sublimes calidades. Este es el elemento sobrenatural y maravilloso: las manos invisibles del protagonista continúan, tras su muerte, arrancando de las teclas un sonido de arcángeles. Pone fin a este tiempo tercero un monodiálogo actualizador de los contenidos periféricos del relato. Destaca, por su agudo contraste, la visión de la iglesia de Santa Inés cuando está desierta, semidormida en la penumbra, poblada tan sólo de ecos y fantasmas, frente a la anterior visión del templo abarrotado de luz, algarabía, feligreses y colorido.

Opuesto al excelso sonido de la música, la algarabía del populacho. Dos son los planos de *Maese Pérez el organista:* el costumbrista, cercano a la realidad social rememorada, lleno de colorido, dinamismo y ruido, y el plano de la culminación artística. Música y ruido como protagonistas invisibles y delimitadores de espacio. Música mágica procedente de un estado de emoción estética, y ruido que recoge amplia variedad de incultos registros y modulaciones. Del órgano de maese Pérez no saldrá más que la auténtica obra de arte, inmortal y perenne, simbolizada en la música que siempre suena en la misa del Gallo y que subyuga y arrebata el corazón de todos los presentes.

Dos son también los niveles del lenguaje: el lenguaje poético, que en esta leyenda alcanza notables calidades, y el lenguaje coloquial, lleno de gracia, frescura y capacidad comunicativa. Las intervenciones de la feligresa de Santa Inés están concebidas desde la mentalidad, perspectiva y características lingüísti-

[107] *Ibíd.,* pág. 228.

cas propias del habla popular, y de ahí los aumentativos, advocaciones religiosas, exclamaciones, construcciones sintácticas y el tono coloquial. Es curioso constatar que este tipo de lenguaje sólo es utilizado por Bécquer para informarnos de los sucesos que ocurren fuera del recinto eclesial, es decir, en el espacio exterior, mientras que en el interior del templo Bécquer únicamente utiliza el lenguaje poético. Porque también hay dos espacios, ya señalados: el interior de la iglesia de Santa Inés (presbiterio, coro, tribuna; el atrio sería un espacio fronterizo), donde tiene lugar la manifestación artística, y el espacio exterior: calles próximas, catedral, iglesia de San Bartolomé. Del espacio exterior provendrán, asociados al populacho, los gérmenes del ruido, que serán derrotados por el arte. Parece así configurarse un paralelismo antitético entre ambos planos, múltiplemente articulados: espacio exterior-ruido-populacho-lenguaje coloquial, frente a espacio interior-música-arte-lenguaje poético.

Esta leyenda es perfectamente representable como obra teatral, en la que se irían sucediendo los dos únicos escenarios ya señalados, alrededor de los cuales quedaría circunscrita la acción, que incorporaría acotaciones escénicas de desusada belleza. Bécquer actúa, desde el punto de vista narrativo, como si fuera un espectador de las escenas que ante él se desarrollan, un transmisor de teatralizaciones a las que incorpora la singularidad de sus acotaciones. Estructura, técnica narrativa (sobre todo, las intervenciones de la feligresa), delimitación de espacios como escenarios únicos y organización de los tiempos contribuyen a acentuar el sentido teatral de la leyenda.

Si la música vence al ruido, el arte siempre derrotará a la barbarie. Pero sólo el verdadero artista puede expresar lo inefable. Quien es tocado por el ala de la mediocridad sólo podrá, como el organista de San Bartolomé, poner en evidencia su incapacidad o sus limitaciones.

El rayo de luna

Enmarcada por breve prólogo y brevísimo epílogo y conducida por el hilo protagónico de Manrique, la narración lineal

está estructurada en cuatro momentos básicos: etopeya, alucinación, búsqueda y desengaño. Prólogo y epílogo, unidos por la aparición del yo narrativo en primera persona, son un testimonio del reconocimiento intelectual de la primacía de la realidad sobre la ensoñación, primacía a la que Bécquer, desde el punto de vista de creador artístico, reconoce escasa virtualidad práctica en sus avatares biográficos, porque su cualidad irrenunciable de soñador se resiste a ver y admitir el perfil siempre hiriente de la realidad.

Rápidamente lleva a cabo Bécquer la caracterización (etopeya) del protagonista y la fijación del relato en un determinado tiempo histórico (final del medioevo). En Manrique se conjuga el ideal renacentista de las armas y las letras, aunque con acusada descompensación hacia las últimas. No sólo siente Manrique inclinación hacia los viejos pergaminos donde aletean versos de trovador, sino también hacia el ejercicio solitario de la poesía y la ensoñación. Aquí se anticipa Bécquer a la afirmación rilqueana de que toda obra de arte es de infinita soledad. Subraya intensamente el requisito de soledad como indispensable para que se produzcan figuraciones, nazca la poesía, brote el verso, se escuche el latido de una flor o el aroma del sueño. Manrique, «loco soñador de quimeras e imposibles», acierta a ver lo que sólo puede vislumbrar un poeta: los mundos invisibles que se esconden bajo la apariencia.

¡Cuánto de autobiográfico hay en ese Manrique soñador, buscador de soledades, perseguidor de formas invisibles y de idealizadas siluetas de mujer! ¡Cuántas resonancias becquerianas laten en esos paseos manriqueños por las ruinas solitarias, llena el alma de efluvios y notas, melancolías y nostalgia! Es evidente la identificación entre Manrique y Bécquer, suspiradores ambos por lo inefable. En el primero nuestro poeta proyecta sus ansias de ideal, su fibra de artista amante de la soledad y la ensoñación, su aspiración y búsqueda de la belleza soñada, concretada en forma de mujer o esencia de poema. También en Manrique aplica Bécquer la conclusión de esta leyenda, el desengaño brutal del soñador, la «verdad muy triste» en el prólogo proclamada.

El hecho de recalcar y subrayar como rasgo de la etopeya del protagonista su carácter de soñador de formas imaginarias

tiene como fin el preparar, siguiendo una técnica habitual en la narrativa becqueriana, la verosimilitud novelesca de las figuraciones. Para que surjan visiones y reinterpretaciones es preciso que exista, además del concurso de la luna como desatadora de lo mágico, una disposición en el poeta hacia el arrebato místico-lírico, una situación de trance emocional y estético. Cierto es que los elementos de la realidad de los que surge la figuración imaginaria poseen un componente estético y sensorial de no despreciable calidad: rayo de luna entre las hojas de los árboles, rielación de la luz lunar sobre la estela del agua, gótico ventanal iluminado. La luz como inductora de la confusión entre realidad y sueño. Pero, sobre el componente estético de la realidad, la imaginación del artista, incitada por la sobreexcitación poética y la alucinación sensorial, reinterpreta esos elementos de acuerdo con los deseos más íntimos y los sueños más largamente acariciados. Para el soñador, la singularidad del momento y del escenario determinan la singularidad de lo soñado o de lo perseguido como sueño. En este punto coinciden los planos de la realidad y la imaginación, porque la reinterpretación de la realidad se hace coincidir con el sueño, cristalizando en un pronombre que resume la esencia del ideal y el aroma de lo soñado: ella, mujer, forma, poesía, ecuación de perfume y misterio.

Tras la confusión, la afanosa búsqueda —por las regiones de la realidad— de lo que sólo tuvo existencia en una imaginación alucinada. Manrique recorre las estrechas, oscuras y tortuosas calles sorianas y espera la llegada del alba para sufrir el primer desengaño. Mas, como buen romántico y ateniéndose a la definición de Kierkegaard, continúa su «perpetuo esfuerzo por asir algo que se desvanece». Prosigue la infatigable peregrinación en pos del ideal, mientras comienza a resquebrajarse el muro de su esperanza. En sus itineraciones y búsquedas, Manrique posee inicialmente la certeza de la obstinación fanática. Pero, con el paso del tiempo y la acumulación de los fracasos, el aparentemente inexpugnable alcázar de la certeza comienza a desmoronarse cuando la realidad, siempre certero ariete del sueño, resquebraja las figuraciones.

Tras diversas etapas, la búsqueda acaba en el descubrimiento de la desnuda realidad formal que fue revestida con las galas

de la imaginación fantástica. Era una realidad que fue recreada por un espíritu ansioso de belleza, una realidad de naturaleza estética, situada en las regiones donde es posible percibir un reflejo como una totalidad, una arista como un paralelepípedo, un brillo fugaz como una forma fugitiva. Pero el rayo de la luna se desnuda al fin de vanas figuraciones y queda convertido sólo en sílaba rota de una noche vacía e inservible.

Tras el espejismo, el desengaño, la reflexión y el reconocimiento de la primacía de la realidad sobre el ensueño. Como sin duda subrayaría Hölderlin, Manrique, dios alucinado cuando sueña, sólo es un pordiosero cuando reflexiona. Si el sueño de la razón produce monstruos goyescos, el delirio de la imaginación produce tan sólo teóricos vislumbres, estériles ensoñaciones y desvaríos erróneos. La conclusión final del relato no puede ser más desoladora: todo, hasta la luz y el aire, es sólo espejismo. El amor, la gloria, la felicidad son sólo producto de la imaginación febril y desbocada. Siempre quedará al final la soledad descarnada y desnuda y el hueco de la luna despoblado de sintagmas.

Otra consideración podemos apuntar para completar las angulaciones sobre el significado de la figura de Manrique. Todo en él es sensibilidad, capacidad de ensoñación, derroche de emoción y... confesada impotencia. Vive sólo en el plano del ideal. De aquí que su poesía no se plasme en verso y su idealidad no se corporifique en una concreta silueta de mujer. Manrique es la pura especulación de los espejos. Es tanta la distancia que le separa de la realidad que sus manos nunca lograrán acariciar la piel de una mujer o la tersura de un verso.

Las coordenadas de espacio y tiempo están perfectamente definidas en *El rayo de luna*. Ya existe un inicial detalle de localización topográfica en el epíteto regionalizador contenido en el subtítulo. Pero el específico espacio novelesco está indicado y desarrollado a lo largo de la leyenda: reloj del Postigo, murallas medievales, ribera del Duero, ermita de San Saturio, ámbito de la ciudad castellana. Existe, además, un ejemplo de paisaje romántico. Bécquer recrea el escenario concreto donde va a producirse la visión alucinada de Manrique, con inclusión de elementos precisos de arquitectura y naturaleza: ruinas a punto de desplomarse por completo, virginidad y exuberancia de las

vegetaciones. La acción narrativa está localizada al final del medioevo. Chimenea gótica del castillo manriqueño, ventana gótica del caserón de piedra, caballeros templarios que han abandonado sus fortalezas, de las que ya sólo quedan las ruinas. En esa coordenada temporal, Bécquer aprovecha la ocasión para dibujarnos con rápida pincelada un boceto de costumbrismo medieval en el interior del castillo: pajes, soldados, palafreneros; potros, lanzas, halcones. Además del marco temporal genérico, un tiempo puntual muy definido, característicamente becqueriano: noche llena de sugerencias y, en su mitad, luna generadora de figuraciones y soporte de lo mágico. Al comienzo del apartado VI sobresale en esta localización nocturna un apunte ambientador lleno de maestría y lirismo:

> La noche estaba serena y hermosa; la luna brillaba en toda su plenitud en lo más alto del cielo; y el viento suspiraba con un rumor dulcísimo entre las hojas de los árboles[108].

Merece ser destacado un notable ejemplo de atmósfera fonética, conseguida mediante la acertada utilización de la aliteración:

> había nacido entre el estruendo de las armas y el insólito clamor de una trompa de guerra (...)[109].

La repetición del grupo consonántico *tr* y de la *l* y la *s*, además de la inclusión de las consonantes *cl*, *p* y *rr* forman un clima acústico definido por el fragor, el estruendo y el ruido. Utilizando la capacidad sinestésica de los fonemas, Bécquer consigue transmitir el caótico fragor de la guerra, sobre el que apenas se percibe el clamor de los bélicos instrumentos musicales.

Ejemplo de prosa sensorializada, que sigue en este caso las ondulaciones del cuerpo de una mujer cuando camina, es el siguiente fragmento:

> a ésta porque era rubia, a aquélla porque tenía los labios rojos, a la otra porque se cimbreaba, al andar, como un junco[110].

108 *El rayo de luna*, pág. 245.
109 *Ibíd.*, pág. 235.
110 *Ibíd.*, pág. 237.

La aliteración de bilabiales y nasales, además del vaivén introducido por las comas, transmite la sensación de un movimiento ondulatorio.

Creed en Dios

Tras apelar en el prólogo introductorio a la atención de nobles, pastores y niñas, convocados por la visión de la tumba del barón de Fortcastell, que se halla entre las ruinas del antiguo monasterio del valle de Montagut, el autor se dispone a narrar la historia de Teobaldo, historia que se articula en los siguientes motivos: precedido del sueño profético de su madre (con reptil que aparece como símbolo de la maldad y paloma como símbolo de salvación), el nacimiento del barón, que con el fallecimiento de su progenitora en el alumbramiento inicia el repertorio de muertes; la juventud, marcada por el signo de la violencia y la brutalidad, extensible también al campo de la religión y sus ministros; el episodio cinegético, que comienza con una nueva manifestación de violencia y sacrilegio en la iglesia —interrumpida por la aparición del oportuno jabalí, desviador de la atención hacia los espacios exteriores— y prosigue con la persecución del paquidermo hasta que tiene lugar la herida del animal y la muerte del caballo. A partir de aquí se inicia lo mágico de la leyenda: el misterioso corcel, entregado por tan enigmático paje, inicia un viaje interminable hacia otras regiones terrestres y aéreas. Desde el primer momento no quedan ocultas las características sobrenaturales de la cabalgadura: relincho de fuerza extraordinaria, salto increíble, velocidad fantástica. Teobaldo inicia su peregrinación primero por regiones terrestres, pero consciente de vivir una experiencia extraordinaria: vértigo, sucesión de parajes desconocidos, alucinaciones. Pero cuando el corcel inicia su ascensión hacia los espacios aéreos, el jinete siente que traspasa la frontera de lo humano y es transportado hacia lo sobrenatural. La consciencia de lo sobrenatural, la visión de las maravillas del empíreo y la percepción del aliento de Dios actúan como factores de su conversión, a la que seguirá el arrepentimiento. Como apunta José Pedro Díaz, en la cabalgata sobrenatural

hay «una experiencia transcendente que ilumina al personaje y prepara su arrepentimiento»[111]. El espacio celeste se compone de varias regiones circulares. Existe un primer cielo, poblado de ángeles, nubes portadoras de tormentas y truenos, el arcángel timonel de la noche, el sol como campana de fuego, los hilos imperceptibles que unen hombres y estrellas, y el arcoiris como un puente entre el primer y el segundo cielo. En éste aparece una estancia para las almas que tienen tráfico con la tierra y, tras cortinas de niebla, el paraíso de los justos, donde moran profetas, vírgenes, querubines y nuestra Señora de Montserrat. Más allá del paraíso de los justos se extiende un espacio intermedio donde se reúnen todos los sonidos de la tierra: palabras, susurros, oraciones, gritos, imprecaciones y blasfemias. En el último círculo se aposentan los serafines y la invisible majestad de Dios. Tras la cabalgata sobrenatural hacia la divina morada, el arrepentimiento y la traslación en el tiempo. Suenan campanadas de penitencia. Han pasado más de cien años.

El medievalismo de *Creed en Dios* se aprecia en el subtítulo «cantiga provenzal» (en el que está explícito el deseo de imitar antiguas formas expresivas), en la estructura poemática (compuesta de pequeños cantos unitarios, a modo de prosificaciones de estrofas poéticas) y en diversos recursos expresivos: apóstrofe inicial y apóstrofe intercalado en mitad del relato, descripción de la Gloria que recuerda el tímpano de las iglesias románicas, religiosidad[112].

La ficción narrativa desarrolla un esquema teórico de relato oral narrado ante un grupo de oyentes convocados por la vi-

[111] José Pedro Díaz, *op. cit.*, pág. 267.

[112] Para los contenidos religiosos de la leyenda, cfr., M. García-Viñó, *op. cit.*, págs. 62-78. Rubén Benítez, *Bécquer tradicionalista*, cit., pág. 176. María Rosa Lida de Malkiel, *La visión del transmundo en las literaturas hispánicas*, apéndice del libro de Howard Rollin Patch, *El otro mundo en la literatura medieval*, Méjico, Fondo de Cultura Económica, 1956, págs. 445-446. De la misma autora, «La leyenda de Bécquer *Creed en Dios* y su presunta fuente francesa», en *Comparative Literature*, V, 3, Oregón, 1953 (recogido en *Estudios de literatura española y comparada*, Buenos Aires, 1966, págs. 252-253). En *Creed en Dios*, Bécquer, como señala María Rosa Lida haciéndolo extensible a otras leyendas, «trata lo sobrenatural —divino o demoniaco— con poética reverencia» («La leyenda de Bécquer...», pág. 252).

sión de la tumba del barón de Fortcastell. Bécquer actúa como un trovador que convoca a sus oyentes y hace una pausa en medio del relato para recabar de nuevo la atención y reafirmar la veracidad de lo narrado y de lo que queda por narrar. Porque Bécquer hace hincapié en que sólo «adorna con algunas galas de poesía el desnudo esqueleto de esta sencilla y terrible historia»[113]. Además de esta función, el segundo apóstrofe a nobles, pastores y niñas actúa estructuralmente como bisagra separadora de dos ciclos narrativos, presididos por el signo del comportamiento de Teobaldo de Montagut: mientras la página del *cazador maldito* se caracteriza por la presencia y dominio del mal, la segunda por el arrepentimiento.

Es ésta la historia de una conversión religiosa, la historia de una soberbia derrotada. El elemento mágico está centrado en el viaje aéreo a lomos de misteriosa cabalgadura y el paso del tiempo con dos velocidades: un instante y un siglo. Hay un tiempo exterior, que afecta a personajes y escenario, que dura algo más de una centuria. Hay un tiempo interior y mágico, que sólo dura la duración de un sueño.

En *Creed en Dios*, los mejores momentos de la prosa becqueriana se hallan situados, en nuestra opinión, tras la segunda apelación a los oyentes. Destaca la atmósfera plástica y sobrenatural lograda en la descripción del empíreo, lleno de color y sonido, de brillantez y fuerza. Después del despertar de Teobaldo, Bécquer, siguiendo una técnica habitual, se detiene un momento en el relato, escruta el corazón del aire, escucha los silencios e, impresionada su delicada sensibilidad por la atmósfera sonora del instante, anota lo siguiente:

> Un silencio de muerte reinaba a su alrededor; un silencio que sólo interrumpía el lejano bramido de los ciervos, el temeroso murmullo de las hojas y el eco de una campana distante que de cuando en cuando traía el viento en sus ráfagas[114].

Bécquer siente una especial predilección por la luz y el sonido. Si se detiene amorosamente en cada punto de la trayectoria

[113] *Creed en Dios*, pág. 255.
[114] *Ibid.*, pág. 259.

del día y de la noche, también ausculta los infinitos teclados del silencio. Obsérvese la matización lograda por los epítetos contenidos en la siguiente frase:

> y confuso y sordo, parecía que de su seno se elevaba como un murmullo lejano, un himno religioso, grave, solemne y magnífico[115].

Es excelente la descripción del que fuera un día airoso castillo de Montagut y del que, tras el paso de más de cien años, no quedan más que las huellas de la melancolía y los signos de las transformaciones. En la torre del homenaje late ya, anunciando la conversión del antiguo *cazador maldito,* la oración de las campanas. En el ánimo de quien fuera un día barón de Fortcastell sólo late ya, tras prolongado silencio, la oración del arrepentimiento.

El Miserere

Prólogo y epílogo forman el marco narrativo general en el que se inscribe la leyenda del romero y, dentro de ésta, el relato del rabadán. Narrados ambos en primera persona, contienen la habitual y muy becqueriana ficción recolectora de historias oídas, esta vez con motivo de la estancia de Bécquer en el monasterio de Fitero, y el hallazgo de un antiguo y empolvado manuscrito musical cuando revolvía volúmenes de la biblioteca. La leyenda del romero, narrada en tercera persona, actúa a su vez como marco general en el que se inscribe el relato del rabadán. Consta éste de los siguientes motivos principales: edificación del monasterio, historia del mal caballero, incendio del edificio medieval y matanza de los monjes, introducción de la sobrenatural audición anual del *Miserere.* La función del relato del rabadán consiste en fijar los antecedentes de la aparición de lo sobrenatural y constatar su existencia periódicamente repetible, así como enlazar con el relato del romero, actuando como motivador de la continuidad del mismo. Por su parte, la

[115] *Ibid.,* pág. 260.

leyenda del romero desarrolla también una serie de motivos que vamos a enunciar: pasión, crimen y expiación; búsqueda de un lenguaje artístico para expresar lo inefable; audición del relato del rabadán; contemplación del sobrenatural espectáculo en la noche de Jueves Santo; imposible escritura total del *Miserere;* locura final.

Correspondiéndose con esta sucesión de marcos narrativos, tienen lugar sus respectivos tiempos. Como sucede en otras leyendas, para cada valor concreto del eje de tiempos se produce la actualización de contenidos. Sobre un primer tiempo genérico e indeterminado («hace muchos años, ¡qué digo muchos años!, muchos siglos») queda ya fijado el primer tiempo puntual: noche de Jueves Santo, al que corresponde una historia de destrucción y aniquilamiento. Desde la coetaneidad («hace algunos meses»), que es el tiempo del inicial marco narrativo, Bécquer retrocede hasta un segundo tiempo genérico e indeterminado («hace ya muchos años») y un tiempo puntual concreto y coincidente (noche de Jueves Santo) para fijar la audición por el romero de la historia del rabadán y la asistencia posterior a la mágica reconstrucción arquitectónica y a la audición del himno sobrenatural.

Conviene señalar la pluralidad de perspectivas narrativas que la existencia de tres narradores introduce en la leyenda, así como la caracterización de cada uno de ellos. Mientras del narrador en primera persona se nos comunica su gran pasión por la música[116], del rabadán advertimos que utiliza en su relato, como el guía de la expedición de *La cruz del diablo,* una serie de recursos (coloquialismos, fórmulas lingüísticas) propios de un narrador popular: «Es el caso», «a lo que parece», «pero es el caso que», «que por lo que se verá más adelante». Por su parte, el narrador omnisciente muestra las características habituales

[116] Como en *Maese Pérez el organista,* la música en esta leyenda es la fórmula para acceder a lo sobrenatural. Es conocida la pasión de Bécquer por la música. Según relata Juan López Núñez, frecuentaba la casa de un pianista llamado Lorenzo Zamora, que vivía en la plaza de Herradores. Allí, oculto en la penumbra de la tarde, el poeta escuchaba las improvisaciones del pianista, que acaso acertaban a expresar la música callada que anidaba en los pentagramas de su corazón. (Cfr. Juan López Núñez, «Gustavo Adolfo Bécquer», en *La Esfera,* número 49, diciembre de 1914.)

de este tipo de perspectiva en las técnicas narrativas becquerianas.

El momento culminante de *El Miserere* corresponde al periodo narrativo de la mágica audición. A la salida del romero de la abadía, tras escuchar el relato del rabadán, la acentuación romántica —tono sombrío y terrorífico— de las acotaciones escénicas (azote del viento, furor de la lluvia, rasgueo de relámpagos) prepara y preanuncia el signo de los sucesos sobrenaturales. Tras la página tormentosa, la calma, en acusado contraste, para marcar las expectaciones. Bécquer combina sabiamente los decorados de su narración y los ámbitos sonoros. Antes del canto de los monjes, parece que toda la naturaleza, animada e inanimada, se halla rebosante de expectación mientras se suceden, con aparente y ritual indiferencia, los infinitos ruidos de la noche. Crea Bécquer un magistral clima de sensaciones auditivas: rumor de las gotas de agua remarcando el latido del tiempo, gritos de los animales nocturnos, ruido de reptiles. La proximidad de la medianoche es el punto de partida de lo maravilloso: las campanadas inauguran el reinado de lo sobrenatural y marcan el inicio de las transformaciones. Los infinitos ruidos de la noche son sustituidos por el fragor sonoro de las piedras al recomponer las antiguas arquitecturas y por el canto profundo, tristísimo y sepulcral, del *Miserere*. En fantástico viaje regresan los monjes de su sueño de siglos para entonar el salmo penitencial, mientras de nuevo el dominio de lo acústico vuelve a recabar protagonismo escenográfico. Dos momentos culminantes se advierten en la sobrenatural salmodia: el versículo de la iniquidad, al que se asocia lo más horrísono del canto, las blasfemias de los pecadores y los lamentos de los desesperados, y el versículo del gozo: baño de luz celeste, himno de gloria, júbilo y armonía, ascensión sonora del incienso. El atisbo de la gloria es de índole tan sobrenatural y tan alejada de la dimensión humana que el romero, como Teobaldo de Montagut, cae cegado al suelo por la luz deslumbradora que procede del umbral de la divinidad. Luz y sonido son los ingredientes de esta página becqueriana que destaca por la recreación de lo sobrenatural, por la captación de las atmósferas sonoras, la habilidad para transformar la música en poesía, la teatralidad de la acción narrativa y la calidad escenográfica.

La locura es también aquí castigo a la inaprehensibilidad del ideal o a la imposibilidad de plasmar en forma artística completa un proyecto creativo. A la búsqueda de un lenguaje estético que exprese ideas o sentimientos, el romero inicia sus peregrinaciones. Pero no es capaz de transcribir el último versículo del *Miserere,* no es capaz de terminar la fúnebre sinfonía, siempre soñada y siempre perseguida. El castigo de la impotencia es la esterilidad o la locura.

El Cristo de la calavera

De la fauna humana y animal surge, en la descripción de la noche del sarao, la principal manifestación de su presencia: la sonoridad. Asociada a la multitud, reina en el espacio exterior (anchurosos patios del alcázar) la algarabía y el ruido, manifestaciones sonoras de la plebe. En abierta oposición a la caracterización sonora de este espacio, la armoniosa música del sarao, manifestación sonora perteneciente a individuos singularizados por su sensibilidad artística o a grupos sociales caracterizados por su posición o función estamental. Asociada a la música, lujo de vestimentas y escenarios. Van por salones espaciosos hermosísimas damas recibiendo las cortesanías varias de los caballeros.

Destaca en este caso, como en otros[117], la técnica descriptiva seguida por Bécquer, que se asemeja a ciertos tratamientos cinematográficos. Enfoca el artista su cámara hacia el espacio exterior y va moviéndola lentamente y anotando observaciones sobre el ruido y los grupos humanos que lo generan. Luego se introduce en los salones, deteniéndose inicialmente en los escenarios, para centrarse posteriormente en el punto de partida del hilo narrativo. Antes de iniciar propiamente la narración, el poeta se detiene gozosamente en la recreación de ambientes y escenarios. Bécquer se sabe maestro en las recreaciones de mundos evocados y saborea con fruición el dominio de su arte, ofreciendo brillantes descripciones, notables com-

[117] Véase, por ejemplo, la misma técnica descriptiva en el tiempo tercero de *Tres fechas.*

posiciones pictóricas, magistrales puestas en escena y sabias acotaciones.

Tras la descripción del escenario, la presentación de los protagonistas: Inés de Tordesillas, Alonso de Carrillo, Lope de Sandoval. Frívola y vanidosa la primera, pretendientes al unísono los segundos de los favores de la diosa. Comienza el torneo de galantería, que acaba en desafío. Intervención real y teatral desvanecimiento del astro mayor de los salones. La recreación cuasiviscontiana acaba en cúspide de tensión dramática, cuyo crecimiento se halla perfectamente graduado hasta el clímax final de la separación real y el aplazamiento del duelo. Escena de clara funcionalidad teatral.

Si la tensión dramática se resuelve en abrazo después de la aparición de lo maravilloso o sobrenatural (luz que se apaga cada vez que los combatientes cruzan sus estoques y eco de voz misteriosa y sobrehumana), la búsqueda nocturna del árbitro dirimidor de las preferencias amorosas estalla en carcajada. Toda la leyenda es como un brillante fuego de artificio que estalla en la pirotécnica salva final de carcajadas que resuenan en la noche toledana, despertando las palomas dormidas de la catedral y los apóstoles de los parteluces.

La rapidez de la acción narrativa contrasta con la morosa descripción de los escenarios. Lo sobrenatural es un paréntesis estrictamente situado en un fragmento de la narración, no un clima que impregna la leyenda. El clima general de *El Cristo de la calavera* es el ambiente de cortesanía, de lujo vestimental. Hasta el episodio final, lleno de burla y sarcasmo, tiene la misma nota de frivolidad propia del relato cortesano. La acción narrativa parece como disminuida entre tanto lujo y esplendor, entre tanto brocado y estandarte, entre la recreación de un espacio y un tiempo históricos, con inclusión de usos y requiebros, prácticas cortesanas, ambientes palaciegos y refinamientos de la música. Todo el final del medioevo, estallando luminoso como primavera, está plasmado en ese esplendor de lanzas y armaduras, vestimentas y hojaldre.

No podemos dejar de comentar la calidad pictórica de las descripciones, sobre todo la inicial del alcázar en la noche del sarao. Bécquer «pinta con palabras» las escenas bajomedievales. Son los ojos de un artista plástico quienes captan líneas,

ruidos, movimientos y colores. Es la mano maestra de un poeta quien luego trata de expresar con sílabas la impresión de la pupila imaginaria. Según Berenguer Carisomo, la influencia que Valeriano ejerció sobre Gustavo contribuye a que «muchas páginas de Bécquer estén pensadas pictóricamente»[118]. Además, la propia disposición e inclinación becqueriana para el dibujo es otro factor que contribuye a dar a «su estilo literario una orientación plástica»[119]. Otro magnífico fragmento descriptivo es el de la terminación del sarao y la salida de los participantes. Bécquer sitúa su cámara cinematográfica en un punto estratégico y nos va ofreciendo en sus enfoques las imágenes de escuderos, corceles, timbaleros, soldados, pajes, servidores, caballeros de la nobleza castellana. Plasticidad, animación y colorido bajo el resplandor de las hachas. Esplendor de un siglo que agoniza asomándose al siguiente. Luego, la lenta transición hacia la hondura de la noche y el silencio, mientras se apagan las luces de las altas vidrieras y el último grito va disolviéndose entre la espesura de las sombras.

Como señala García-Viñó[120], la enumeración y la adjetivación son los recursos empleados para subrayar la plasticidad de las escenas. Enumeración que en la descripción de los anchurosos patios del alcázar —descripción estática— crea el clima de algarabía y confusión, superponiendo las manifestaciones sonoras que surgen de cada grupo humano. Calidad pictórica de las descripciones. Plasticidad de una prosa de la que no faltan los matices musicales, como en la oración que pone punto final a la leyenda:

> (...) todo lo adivinó, y la púrpura de la vergüenza enrojeció su frente y brilló en sus ojos una lágrima de despecho[121].

Aquí también la belleza de la mujer es inductora de una

118 A. Berenguer Carisomo, *op. cit.*, pág. 95.

119 *Ibíd.*, pág 95. También Rica Brown ha subrayado los valores pictóricos de las descipciones becquerianas, destacando la influencia de Valeriano sobre Gustavo, sobre todo a partir de 1862 (Rica Brown, *op. cit.*, pág. 188). Sobre este aspecto de la técnica narrativa de Bécquer, cfr. Edmund L. King, *From Painter to Poet*, cit.

120 M. García-Viñó, *op. cit.*, pág. 153.

121 *El Cristo de la calavera*, pág. 287.

transgresión que no llega a consumarse. Ella, la orgullosa diosa del desdén y la hermosura, conocedora del halago, catalizadora del deseo y timonel de los aplausos, recibirá como castigo de su frivolidad el conocer en su rostro la vergüenza y en su corazón el despecho.

El gnomo

El relato del tío Gregorio tiene una función introductoria y explicativa de la naturaleza y moradas, hazañas y odiseas, hechicerías y misterios de los gnomos, seres maléficos pertenecientes al folklore de los pueblos nórdicos y que Bécquer literariamente traslada a una localidad situada a orillas del Moncayo. El subepisodio del pastor, intercalado dentro del relato del viejecito aragonés, termina adelantando una síntesis argumental de la leyenda: «(los gnomos) procuran seducir a los incautos que les prestan oídos, prometiéndoles riquezas y tesoros que han de ser su condenación»[122]. El desencadenante de la visita nocturna de las hermanas a la fuente misteriosa se basa en un estímulo de índole amorosa, en un afán de mejorar la humilde posición social de las enamoradas para ponerse a la altura del tácito galán e indiferente caballero. Estos párrafos, sobre todo la historia de la pastorcica y el favorito del rey, son confusos y, lo que es peor, innecesarios. Bastaba el móvil sicológico para estimular la aventura, o la simple atracción del misterio.

Tal como ha sido escrita, la leyenda posee una compleja estructura narrativa y una amplia variedad de registros: subrelatos dentro del relato principal, apuntes costumbristas, páginas poéticas, desenlace teñido de tragedia. Además, dentro del apartado del narrador, aparece sorpresiva y fugazmente en el último epígrafe el yo narrativo, con la pretensión de mantener la ya habitual ficción recolectora de historias oídas. Sin duda, la parte más importante de *El gnomo* está constituida por el epígrafe III, donde tiene lugar el diálogo de los elementos de la naturaleza y los personajes. Crea Bécquer, en el preludio de las

[122] *El gnomo*, pág. 294.

voces aéreas, un universo sonoro lleno de imperceptibles palpitaciones y sutilísimos lenguajes: rumor del aire en las copas de los álamos y murmullo del agua. Aire y agua. Espiritualidad y materia. Magdalena y Marta. ·

La descripción prosopográfica de cada hermana conlleva correlativa y paralelamente su descripción etopéyica, configurando ambas un retrato coherente y completo. Marta está definida por la ambición, el orgullo, la superioridad, la frialdad calculadora y la dimensión materialista de lo real. Magdalena, por la idealización, la fragilidad sentimental, la inocencia, la ensoñación y la espiritualidad. Son los mismos arquetipos femeninos que podemos encontrar en otros pasajes de la obra becqueriana[123].

La caracterización de las hermanas marca los dos planos de la leyenda: materia y espíritu, paralela y respectivamente representados por el agua, habitante de lo tangible, y el viento, inmaterial y aéreo. Cada uno de los elementos se dirige al interlocutor con el que tiene relación simbólica. La lengua rastrera del arroyo pronuncia palabras que sólo puede escuchar el ambicioso corazón de Marta, lleno de pasión por la tierra. En cambio, el viento, pura intangencia, sólo puede hablar, en suspiros como sílabas, a un corazón no contaminado por la frialdad del cálculo. El agua ofrece satisfacer una ambición posesiva. El viento, sólo «perfumes y ecos de armonías», sólo espiritualidad y poesía. Si el agua es ofidio que se arrastra sobre la tierra, el aire, por el contrario, habita en las secretas almenas de lo invisible. Y, como áspid, el agua lleva implícito el veneno de la muerte, mientras el aire, pura ensoñación, es aleteo de vida[124].

[123] Ya en *Pensamientos* —texto escrito en 1862, según Schneider— aparece una primera división arquetípica: unas mujeres son «altas y pálidas», otras «morenas y ardientes»; aquéllas pasan «con un suspiro», éstas «con una carcajada alegre» (*O. C.*, 1981, págs. 647-648). Las primeras simbolizan la belleza idealizada y la fuente de inspiración. Las segundas son el símbolo de la pasión. Esta primera formulación será ampliada más tarde en la rima XI, publicada en *El Eco del País*, el 26 de febrero de 1865. Aquí ya está claramente enfrentada la concepción de la mujer como símbolo de pasión y como plenitud del ideal.

[124] Este simbolismo agua-muerte y aire-aventura imaginaria ha sido sutilmente desarrollado por José Pedro Díaz en *G. A. Bécquer. Vida y poesía*, cit., págs. 415-427.

La dualidad cuerpo-espíritu, materia-ensueño, realidad-fantasía constituye uno de los ejes temáticos básicos de la obra de Bécquer y establece dos grandes grupos, donde, desde la óptica del poeta, se integra la humanidad: el de los aferrados a lo prosaico y el de los cultivadores de las diversas flores del sueño. Bécquer, claro está, acaudilla la facción de los eternos soñadores y condena a quienes tienen las alas tan apegadas a lo real que no pueden levantar el vuelo. El cántaro roto no es sino un símbolo de la fragilidad dramática de lo real, una vez desaparecido el espejismo que una ambición desmedida había provocado.

Como señala Rica Brown, «en su esencia *El gnomo* es una declaración de fe en la vida del espíritu, una afirmación de la voz interior, casi imperceptible, pero cuya melodía es preferible a cualquier música terrestre»[125]. Si en la rima XI Bécquer rechaza a la mujer símbolo de la pasión, por ser una cristalización de lo real, y prefiere la idealidad y la poesía, en *El gnomo* condena el grosero materialismo y salva la inocencia y la búsqueda del ideal.

Imprescindible mencionar la sensibilidad con que el narrador capta el hermoso cuadro sonoro que da comienzo al epígrafe III y la belleza con que lo describe. ¡Cómo están sentidas y expresadas las manifestaciones del sonido que lentísimamente se apaga! Todo se va consumiendo en la postrimería de la tarde: los infinitos ruidos del instante, la imperceptible musicalidad de las declinaciones. Se acaban los ruidos exteriores y empieza la silenciosa ebullescencia de los mundos dormidos, de los rectángulos levemente iluminados por la luz de los candiles.

La cueva de la mora

Falta en *La cueva de la mora* algo fundamental, característica dominante del resto de leyendas. Son las recreaciones poéticas, las descripciones de ambientes, el lirismo de la prosa pictórica y sensorial, el aleteo de la imaginación, la inclusión de lo so-

[125] Rica Brown, *op. cit.*, pág. 207.

brenatural. A modo de romance morisco zorrillesco, Bécquer se limita a narrar apresuradamente la historia, sin ahondar en el interior de los protagonistas, mirar el crepúsculo o escuchar los ayes de los soldados heridos y el fragor de la batalla. Sólo la descripción inicial de las ruinas del castillo árabe se acerca al estilo peculiar del poeta. Tras el primer epígrafe introductor —en el que Bécquer describe el escenario desolado, ofrece en las palabras del viticultor una síntesis esquemática del contenido básico de la leyenda y hace uso, una vez más, de la ficción recolectora de historias oídas—, todo es acción y movimiento, rápida sucesión de los hechos narrados y esquemática celeridad del propio discurso narrativo. La abundancia de verbos —sobre todo de acción y movimiento— y el predominio de la oración corta y sintéticamente simplificada de subordinaciones confieren a esta prosa unas características de rapidez narrativa no habituales en la obra de Bécquer.

Historia de amor y muerte, de pasión y conversión, de expiación y pecado. El pecado del amor pasional se castiga con la muerte. Pero siempre el amor tiene capacidad regenerativa. Por eso, en el último instante se funden en una misma liturgia los dos vectores arquitectónicos del relato: el amor y la religión. El último instante de lucidez recobra así, de la mano de la contrición purificadora, virtualidad bautismal y redentora.

Como casi siempre que existe una mujer como personaje destacado, cúmplese aquí también el esquema tentación-pecado-castigo. Pero con la peculiaridad de que el castigo tiene una vertiente recreadora. Lo que fue transgredido por la posesión es redimido ahora por el agua sacramental y amorosa.

La promesa

En los epígrafes I y II está narrada la primera parte de la historia amorosa, que en dos fotogramas presenta un recorrido completo. En el primero aparece toda la tristeza y el presentido dramatismo de la despedida. En el segundo, toda la desolación del desengaño. Como ambientación y llenando los intersticios del relato, un crepúsculo sensitivo que acalla los ruidos para respetar la pena de los amantes, en el primero; en el se-

gundo, un alba de luz y movimiento, lleno de colorido, animación de masas y estallido de trompeterías. El primer fotograma no puede ser más conmovedor y explícito: tras las lágrimas se esconde una historia de amor todavía no narrada; tras el silencio se oculta una identidad desconocida. Lágrimas y mutismo con transfondo de respetuoso silencio: desde la cúspide del aire caen las luces del crepúsculo. En el segundo fotograma, la luz raya las primeras pizarras del alba. Frente al silencio del labio y el paisaje, la atronadora trompetería de las huestes condales: queda parcialmente desvelado el misterio. La historia amorosa prosigue con el protagonismo de la mano maravillosa y acaba —tras la audición del romance— con el casamiento del conde y la definitiva ocultación de la mano rebelde a la sepultura. Así pues, la historia amorosa se estructura en cinco momentos narrativos: despedida y promesa, descubrimiento de la identidad del amante, actuación sobrenatural de la mano, denuncia crítica y explicación, y cumplimiento de la promesa. La mano fantasmal actúa como acusadora del incumplimiento, siempre deíctica y señaladora, siempre testigo de la falta cometida, pero también como conciencia solícita, acariciadora y amable, conciencia felizmente enamorada, pues puede en ella más la pasión que la justicia, o el rigor. El romance tiene la función de ser aldabonazo y campanada crítica, y es resumen de lo relatado (las dos primeras estrofas) y explicación de lo omitido a partir de la salida del conde (las dos últimas), incluyendo el detalle de la mano sobresaliente por encima de la tierra.

No son escasos los puntos de contacto entre *La promesa* y *El Cristo de la calavera*, sobre todo en lo que se refiere a las técnicas descriptivas. De nuevo la sensorialidad de la prosa de Bécquer y su capacidad pictórica recrea un mundo vivo y palpitante y nos hace sentir su presencia y colorido. Las descripciones becquerianas poseen tal fuerza pictórica y sensorial, tal capacidad de sugestión y encantamiento, que parece que estamos asistiendo como espectadores al desfile de las huestes o a su proyección cinematográfica. Conviene prestar atención a la brillantísima descripción de la salida militar. Al movimiento desordenado de las masas de los campesinos se opone el ordenado desfile de las huestes condales. Frente a la anonimia de la

informe multitud, la individualidad ya desvelada del conde. Todo es fragor y movimiento, vistosidad de ropajes, ensordecedor ruido de trompetas, clarines, hombres y caballos. Digna de subrayarse es también la descripción que Bécquer ofrece del campamento cristiano. El mismo retablo animado y sugestivo, «imposible de pintar con palabras». Mezcolanza de vestimentas y lenguajes, heterogeneidad de los sonidos discordantes, abigarramiento de la multitud sonora como manifestación de actividad y presencia. Y frente a la ajetreada y confusa multitud, la silenciosa tristeza del conde.

Sobre el transfondo bélico de un medioevo evocado y recreado, sobresale el protagonismo de una mano acusadora y amante, deíctica y sobrenatural, en un marco de historia amorosa propia de romance. Pues «simple prosificación de un romance»[126], en palabras de Rubén Benítez, quizá excesivamente simplificadoras, podríamos considerar *La promesa*.

No resistimos la tentación de destacar la musicalidad y el lirismo del siguiente párrafo:

> Y todo callaba alrededor y parecía respetar su pena. Los rumores del campo se apagaban; el viento de la tarde dormía y las sombras comenzaban a envolver los espesos árboles del soto[127].

Hermoso ejemplo de gradación descendente[128], capaz de generar una delicada tonalidad crepuscular, luminosa y sonora.

La corza blanca

Es habitual en la técnica narrativa del poeta el recurso a las anticipaciones. Mediante intervención de personaje generalmente secundario, que pondera lo maravilloso o extraordinario del lugar (cueva, monte, fuente), del objeto (cruz, cuader-

[126] Rubén Benítez, prólogo a su edición *Leyendas, apólogos y otros relatos*, cit., pág. 23.

[127] *La promesa*, pág. 313.

[128] Empleamos la terminología de Carlos Bousoño, *Teoría de la expresión poética*, Madrid Gredos, 1956, pág. 215.

nos de música) o de ciertos personajes (gnomos, corza blanca), Bécquer anticipa los contenidos básicos de la leyenda o expone un esquema del funcionamiento de lo maravilloso. En *La corza blanca* esta técnica está doblemente utilizada: en la presentación que el montero interlocutor de don Dionís hace del zagal Esteban y en el relato de éste, que sirve para situar el preámbulo de la historia principal, introduciendo el elemento mágico de las apariciones nocturnas, las corzas móviles y reidoras, y la protagónica corza blanca. Junto al preanuncio sintético del tema nuclear de la leyenda, nuestro autor va sembrado de indicios e insinuaciones los renglones siguientes, en un intento de desvelar parcialmente la clave explicativa de las transformaciones: alusión a los pies pequeños de Constanza y su impulso por ocultarlos, como sintiéndose descubierta; persistencia del eco de las risas oídas por Esteban cuando ella ríe; oscuros orígenes de la hija de don Dionís; volubilidad de carácter y extraña personalidad; acusadísimo contraste entre el color de sus ojos y cejas, y el del resto del cuerpo. Garcés es el hilo de unión entre el prólogo introductorio y el episodio de las nocturnas transformaciones.

El momento supremo de la aparición de las corzas va precedido de una serie de recreaciones plásticas y atmosféricas de gran belleza: descripción del paisaje nocturno (árboles, ráfagas de luna, ribera de río), aparición de voces y rumores misteriosos en la noche (el aire se puebla de lenguajes confusos), canto del coro (mágicas voces entonan un cántico de llamada a la reina de las ondinas: acompañan aguas, hojas y vientos). Hay tres momentos de especial y progresiva intensidad poética y especialmente significativos en la graduación del misterio. El primero, el de la aparición de las corzas. El segundo, el de su conversión en mujeres. El tercero, aquel en que la cámara cinematográfica se fija en Constanza cuando ésta entra en escena. Antes de la metamorfosis, es perfecta la graduación de las apariciones. Inicialmente se insinúa una presencia preludial de las corzas mediante la audición del «rumor de voces delgadas», que se transforma en cántico más tarde; luego, la aparición de las corzas dirigiéndose al remanso del río; inmediatamente después enfoca el narrador a la corza blanca, que marcha al frente de la manada. La graduación del asombro cuando las

corzas se transforman en mujeres sigue también una línea ascendente. Primeramente, la evolución plástica de las mujeres desnudas. Compone el poeta un cuadro de extremada plasticidad y lírico erotismo en esa sinfonía voluptuosa de cuerpos desnudos bañándose en el agua. Caprichosas, livianas, deliciosamente liberadas de su máscara. Quietud y vértigo, remanso y arabesco, unas recostadas al borde del agua en dulcísimo diálogo con la luna y el sueño, otras en alocada danza circular, como si cabalgaran los corceles centrales del *Jardín de las delicias*. Tras la visión colectiva de las formas femeninas, Bécquer focaliza la atención de la cámara en Constanza, donde culmina el proceso de intensificación del asombro y el misterio. Toda la descripción de las mujeres desnudas, incluida la de Constanza, forma una escena de lírica voluptuosidad. La plástica del desnudo femenino colectivo y el dinamismo de las formas evolucionando bajo los compases de inaudibles sinfonías hacen recordar inmediatamente a Jean-Baptiste Camille Corot en su cuadro del Louvre *Una mañana. Danza de ninfas* y a ciertos fotogramas de Valerian Borowcyck. Por su mayor proximidad geográfica y temporal, y por su semejanza temática de las mujeres desnudas bañándose, mencionaremos el cuadro *La vuelta de las hadas al lago*, de Dióscuro Teófilo de la Puebla y Tolín, presentado en la Exposición Nacional de 1864, en la que obtuvo una segunda medalla.

En la primera aparición de las corzas, todavía lo maravilloso no ha ejercido su capacidad transformadora, pues se halla al comienzo del proceso. Pasado el primer asombro, lo racional (la frialdad cinegética de Garcés) todavía se opone a lo maravilloso. El montero mejora su situación para no errar el tiro, acercándose al lugar de las abluciones. Bajo el influjo de la luna, «astro protector de los misterios», se produce la asombrosa metamorfosis. En la desnudez de Constanza alcanza su cima lo mágico. A partir de este momento irrumpe en escena la zafiedad de lo real, de la rudeza de la incomprensión estética, desbaratando una sutil y delicada composición plástica. Las mujeres recuperan su condición de corzas y huyen espantadas.

Garcés no comprende la elevada sutileza y belleza de las transformaciones. Por eso, brutalmente, las destruye. La pugna en el montero entre lo real y lo maravilloso comienza cuan-

do, pasado el primer asombro tras las voces y cánticos, descubre las corzas. Pero la metamorfosis de éstas en mujeres destruye su sistema de referencias. Si Garcés fuera artista, si Garcés hubiera sido Manrique, se hubiera deleitado con las evoluciones de las ninfas. Pero el montero trata de destruir el elemento que perturba su sistema de percepción de la realidad. Prosaico y sin aleteo, apegado a la ballesta como instrumento de dominio y de conocimiento, no podrá comprender la magia de las apariciones. El castigo que sufre por interrumpir el encantamiento, por imponer su radical incomprensión de lo maravilloso, no puede ser más cruel: su ballesta acaba con la vida de quien era la reina de su sueño. Por su parte, la *Azucena del Moncayo* sufre también el castigo merecido por su frivolidad y burlesco jugueteo llevado a cabo con el rendido y enamorado montero.

La saeta es el punto culminativo, el remate final de un proceso de transformaciones inversas. Mediante la magia de la luna, la corza blanca se transforma en Constanza. Tras la irrupción de Garcés, la hija de don Dionís recupera su condición de corza. La saeta demoledora, al partir del oscuro ángulo de la realidad, hace que la corza blanca, la plasmación de lo maravilloso, recobre de nuevo la apariencia real. Si la luna transforma lo real en maravilloso, la saeta transforma lo mágico en real. Si la luna es el elemento inductor de las transformaciones, la saeta es el elemento destransformador, el símbolo mediante el cual se recuperan las apariencias convencionales, y con ellas el sabor de la culpa y el catálogo de la sangre.

Bécquer denuncia en *La corza blanca* la prepotencia de la zafiedad intelectual, brutal y destructora, sobre el fragilísimo cristal del arte, sus formulaciones y su capacidad transformadora. El final es sencillamente magistral. Final en el que confluyen los dos planos de la leyenda: el plano de la realidad, que es quien dispara la saeta, y el plano de lo maravilloso, que transforma a Constanza en una corza blanca. Parece sugerir Bécquer que el prosaísmo de la realidad —desde donde surge la flecha que no sabe deleitarse con la belleza de las evoluciones plásticas— acaba con las ensoñaciones, con las metamorfosis que la propia realidad induce para huir de su tiranía. De

cualquier rincón oscuro partirá el dardo que herirá de muerte la corza blanquísima de la imaginación.

El beso

Destaca en esta leyenda que el tiempo en que está situada no es el habitual medioevo rememorado o recreado, sino una coordenada temporal mucho más cercana al autor y, sobre todo, más precisa. Subrayamos este dato porque es determinante para que *El beso* sea la leyenda menos legendaria de Bécquer, la más novelesca[129] y la más teatralizable. En los dos primeros capítulos conocemos los elementos narrativos que luego serán los conformantes del episodio final, episodio que constituirá una culminación de la principal anécdota. La acción va graduándose progresivamente hasta el fin del relato, donde posee su clímax la tensión dramática: la mano altiva castiga la irreverente osadía de intentar besar los labios translúcidos de una estatua de piedra. No faltan las manifestaciones acústicas en el primer capítulo: ruido de caballos y armas al recorrer las calles de Toledo; presencia del sonido el interior de la iglesia; perturbaciones del silencio cuando ya duerme la soldadesca (gemidos del aire sobre las vidrieras, revoloteo de las aves nocturnas, sonidos de los pasos vigilantes). Mientras este capítulo está subterráneamente dominado por la presencia del ruido, los otros por la presencia de lo teatral. La teatralidad de las escenas de Zocodover está estructurada en torno al capitán como personaje principal, actuando el resto de oficiales como coro o inductor del discurso. No es posible encontrar en la obra de Bécquer un fragmento tan extenso y de tan acusado sentido teatral como el que constituye esta escena. En el último capítulo Bécquer prepara cuidadosamente los escenarios. Dentro de un escenario general como es la iglesia, iluminado por un punto de luz generado por los propios personajes, el poeta acota otro escenario teatral más reducido, la capilla mayor, donde va a culminar la progresión dramática. Los per-

[129] Para la ampliación de este calificativo, cfr. M. García-Viñó, *op. cit.*, páginas 110-112.

sonajes están perfectamente definidos: capitán francés, estatuas inmóviles, coro de oficiales. La acción teatral se va desarrollando con la intervención muda de los personajes de piedra, a cuyo silencioso e hierático protagonismo queda subordinada. Se incrementa la tensión a medida que crece la osadía y se espesan los vapores etílicos. La réplica de los pétreos actores no puede ser más contundente y precisa.

De nuevo, también en *El beso* la luna es generadora de figuraciones. «A la dudosa luz de la luna» el capitán de dragones contempla por primera vez la ilusión de mujer. Comienza el proceso de idealización de la realidad paralelamente al proceso de animación de la estatua. A una primera consideración como criatura no terrenal le sucede una vivificación cuasifisiológica, hasta que en la imaginación del capitán de dragones la estatua pasa a tener corazón y labios, y se introduce en las regiones de la transparencia. Este motivo de la animación vivificadora de formas arquitectónicas forma parte en Bécquer del tema general de la animación de lo inanimado. En lo que a figuras se refiere, ocasionalmente pueblan las páginas becquerianas airados guerreros en sombríos claustros que se levantan de su pedestal simbólico, arzobispos, abades, caballeros y damas de piedra[130] que de pronto recobran apariencia de vida y movimiento. La vivificación o humanización de las estatuas se inscribe en la pretensión romántica de recrear y revivir los siglos pasados, de resucitar escenarios y personajes del medioevo. Además, para la sensibilidad becqueriana, para su imaginación idealizadora y su fantasía rica en figuraciones, el lenguaje interior de las estatuas posee mayor atractivo que el de las máscaras de las figuras humanas.

En *El beso* no es la dama quien exhibe un matiz diabólico e inductor, sino que la tentación se genera en el propio protagonista. La progresiva corporeización de la estatua tiene lugar exclusivamente en la mente del capitán y es consecuencia de

[130] El tema de la estatua femenina, en el que se funden arquitectura, religión e intención vivificadora de orden idealizador y estético, también ha sido tratado por Bécquer en *La mujer de piedra* y en la rima LXXVI, donde el poeta suspira por conseguir, «en el ansia de esa vida de la muerte», la placidez de las estatuas dormidas.

su tendencia idealizadora, de su búsqueda de una forma imaginaria y perfecta. El apartarse de la realidad hasta rozar las fronteras de la transgresión queda castigado con la bofetada de la mano indignada y marmórea. En el discurso del capitán francés —en cuyos labios pone Bécquer sus propios pensamientos— queda una vez más definida la consabida división arquetípica de la mujer como símbolo de la pasión y como símbolo del ideal inaprensible. En *La mujer de piedra* la sonrisa imperceptible de la figura femenina demuestra que hay siempre un mensaje escrito en el corazón de las estatuas, esperando la voz de un poeta que descifre el ademán de piedra y lo convierta en signo transparente. En *El beso,* Bécquer encuentra en una mujer de piedra el mensaje de belleza inmaterial y elevación estética que no puede hallar en «esas mujeres materiales». Si el arte del escultor es capaz de insuflar un leve soplo de vida a las imágenes, la imaginación de un espíritu sensible puede generar, mediante la idealización de los perfiles reales, una forma más perfecta de pervivencia.

La rosa de Pasión

Tras prólogo de ficción recolectora, en el primer capítulo tiene lugar la presentación de los personajes principales, Daniel y Sara, y la exposición del conflicto amoroso-religioso. Excelente retrato del judío, sobre todo su etopeya, presidida por el signo de la doblez. La aparente humildad y mansedumbre se transformarán más tarde en energía organizativa y en afán de venganza. Destaca también la prosopografía de Sara, llena de contenido cromático, cuya juventud y belleza están preanunciadas por el simbolismo de la hiedra y la luz. El capítulo acaba con el golpe de efecto producido por las celosías al cerrarse, que sugieren la existencia de una simultaneidad de acciones, luego implícitamente desmentida por la reflexión de la heroína tras el diálogo mantenido con el barquero. En el tercer capítulo tiene lugar el desenlace dramático. Sara se ofrece como víctima para salvar a su enamorado y cristiano galán, y para apostrofar la conducta de los judíos (pasión y muerte).

Un breve epílogo de renacimiento floreal completa el relato (resurrección).

Alegría inicial del labio enamorado, levemente sensual tras los encendidos ajimeces: «Contaba apenas dieciséis años (...) y ya hinchaban su seno y escapaban de su boca esos supiros que anuncian el vago despertar del deseo»[131]. Dramatismo de la pasión y muerte. Epifanía de la resurrección como rosa de luminosos pétalos. La trayectoria descrita por Sara es la de una semana santa, amorosa y completa. El amor actúa como factor de conversión religiosa y elemento inductor del martirio. Ella reemplaza en la cruz al inicial destinatario del tormento.

La conocida capacidad becqueriana de creación de ambientes se centra en *La rosa de Pasión* no en conseguir un clima mágico o poético en un punto determinado de la narración, sino en configurar, mediante la ubicación del núcleo central de la leyenda en Viernes Santo y la alusión a las atrocidades cometidas por judíos, una atmósfera general o marco narrativo en el que se inserta, sin violencia literaria y con las máximas pretensiones de verosimilitud novelesca, el relato del martirio. El misterio, lo oculto y secreto de las acciones y los movimientos[132], la nocturnidad, las sombras fantasmagóricas del atrio y el transfondo litúrgico y legendario de la violencia y la sangre constituyen las notas predominantes del clima narrativo. Pasión y muerte. La resurrección casi no existe. Apenas es pequeñísimo colofón, breve latir de rosas misteriosas y campanas catedralicias, huérfanas ya de los suspiros escondidos tras la celosía de los ajimeces.

[131] *La rosa de Pasión*, pág. 365.
[132] Todo está como escondido: la vivienda de Daniel Leví, éste acurrucado en el portal de su casa, Sara tras las celosías, el barquero entre la noche, la iglesia en la lejanía. Sara otra vez tras la maleza, y la flor y el esqueleto debajo de la tierra.

Criterio de esta edición

Bajo el título de *Leyendas* hemos incluido aquellas narraciones que son unánimemente aceptadas por los críticos como inequívocas leyendas, rechazando los relatos que, a pesar de aproximarse a su clima estético o narrativo, o participar parcialmente de su atmósfera de irrealidad y misterio, han sido sometidos a discusión y han recibido, por lo tanto, diversas consideraciones y calificaciones. Siguiendo este criterio, hemos excluido *Tres fechas* por ser narración situada en un tiempo coetáneo al del autor y contener elementos autobiográficos, aunque sea en esbozo. Menos duda ofrecían *La venta de los gatos, ¡Es raro!, El aderezo de esmeraldas, Apólogo, Memorias de un pavo, Las hojas secas* y la inacabada *La mujer de piedra*. Respecto a *La Creación*, aunque clasificada como apólogo por Rubén Benítez, hemos creído conveniente incluirla por poseer, en nuestra opinión, características de leyenda perteneciente al ciclo narrativo hindú. Una vez demostrada la no autoría becqueriana de *La voz del silencio* y *La fe salva*[1], era obligado excluirlas de esta edición, a pesar de que tal decisión entrañara un sentimiento de amputación literaria al desgajarse estas ramas que, hasta la intervención de Rafael Montesinos, siempre se había creído que pertenecían a las arboledas de Bécquer.

[1] Fernando Iglesias Figueroa dio a conocer, en su obra *Páginas desconocidas de Gustavo Adolfo Bécquer*, 3 vols., Madrid, Renacimiento, 1923-1924, numerosos artículos y poemas atribuidos a Bécquer, además de *La voz del silencio* y *La fe salva*, siendo realmente apócrifos o pertenecientes a otros autores. Rafael Montesinos, en su artículo «Adiós a Elisa Guillén», aparecido en *Ínsula*, Madrid, 1970, y en su obra *Bécquer. Biografía e imagen*, cit., se encarga de demostrarlo.

Tres estadios pueden definirse en la historia de la evolución textual de las leyendas. El primero es el de la publicación periodística, realizada en vida del autor y basada en un manuscrito entregado por él mismo (o sus amigos, como en el caso de *El caudillo de las manos rojas*) al periódico. El segundo viene señalado por la edición en 1871 de las *Obras* (Imprenta Fortanet), preparada por Campillo, Ferrán y Rodríguez Correa, prologándola este último. Esta edición —que llamaremos de Rodríguez Correa (RC), siguiendo a Rubén Benítez— ofrece una gran cantidad de variantes respecto a la versión periodística, orientadas todas ellas a perfeccionar la corrección académica de los textos. Así, no es infrecuente encontrar alteraciones sintácticas, ausencia de vacilaciones en formas pronominales, corrección de construcciones viciosas, supresión de galicismos y barbarismos. En Bécquer es más importante la satisfacción de la necesidad expresiva que la corrección académica del lenguaje y el pulimiento infatigable del estilo. En el prólogo a la edición de 1871 se lamenta Rodríguez Correa de que Bécquer escribiera con la precipitación del oficio y no con el reposo del artista. De ahí ciertos vicios de lenguaje, que con alguna frecuencia aparecen en la prosa becqueriana y que en la edición de Correa intentan ser corregidos.

El tercer estadio viene marcado por la rigurosa edición de Rubén Benítez (RB) *Leyendas, apólogos y otros relatos,* ya que la edición anterior de Aguilar (Ag), con el título de *Obras completas* y preparada por Dionisio Gamallo Fierros, si bien introduce variantes respecto a la versión de Rodríguez Correa, en una línea de acercamiento a los textos periodísticos, no los fija todavía de modo definitivo. La edición de Rubén Benítez fija —creemos que definitivamente— el texto periodístico de las leyendas, corrigiendo erratas de impresión y ofreciendo un estudio de variantes entre el texto periodístico y las ediciones de Correa y Aguilar.

Habiendo sido ya fijado el texto por Rubén Benítez, no tiene sentido repetir aquí de nuevo el mismo trabajo, ya eficazmente ejecutado. Así pues, aceptamos la versión de Rubén Benítez y la ofrecemos en nuestra edición, prescindiendo casi siempre del estudio de variantes. Anotamos, sin embargo, en las escasas veces que sucede, lo que consideramos error tipo-

gráfico de su edición o, cuando discrepamos de la versión de RB, el desacuerdo textual respecto al texto periodístico. Mantenemos el exotismo de las grafías, la vacilación de algunos nombres propios y la peculiaridad de ciertos acentos ortográficos (metamórfosis, áloe, cántiga, intérvalo) que contribuyen a definir la musicalidad de la prosa de Bécquer. También respetamos la conocida confusión becqueriana de «dintel» por «umbral». En *El caudillo de las manos rojas,* leyenda que apareció mutilada en la edición de 1871 y de la que en 1948 Dionisio Gamallo Fierros, en su obra *Del olvido en el ángulo oscuro. Páginas abandonadas (prosa y verso),* Madrid, Valera, 1948, ofreció el texto original y completo, también seguimos el criterio de publicar el texto periodístico, respetando la división en capítulos y no en cantos.

Editamos las leyendas atendiendo al orden cronológico en que fueron apareciendo en los periódicos. A continuación indicamos la fecha de la publicación y el periódico en el que aparecieron:

El caudillo de las manos rojas, en *La Crónica,* Madrid, 29 y 30 de mayo de 1858; 1, 2, 5, 6, 11 y 12 de junio de 1858.

La cruz del diablo, en *La Crónica de ambos mundos,* Madrid, 21 y 28 de octubre y 11 de noviembre.

La Creación, en *El Contemporáneo,* Madrid, 6 de junio de 1861.

La ajorca de oro, en *El Contemporáneo,* Madrid, 7 de noviembre de 1861.

El monte de las ánimas, en *El Contemporáneo,* Madrid, 7 de diciembre de 1861.

Los ojos verdes, en *El Contemporáneo,* Madrid, 15 de diciembre de 1861.

Maese Pérez el organista, en *El Contemporáneo,* Madrid, 27 y 29 de diciembre de 1861.

El rayo de luna, en *El Contemporáneo,* Madrid, 12 y 13 de febrero de 1862.

Creed en Dios, en *El Contemporáneo,* Madrid, 23, 25 y 27 de febrero de 1862.

El Miserere, en *El Contemporáneo,* Madrid, 17 de abril de 1862.

El Cristo de la calavera, en *El Contemporáneo,* Madrid, 16 y 17 de julio de 1862.

El gnomo, en *La América,* Madrid, 12 de enero de 1863.

La cueva de la mora, en *El Contemporáneo,* Madrid, 16 de enero de 1863.

La promesa, en *La América,* Madrid, 12 de febrero de 1863.

La corza blanca, en *La América,* Madrid, 27 de junio de 1863.

El beso, en *La América,* Madrid, 27 de agosto de 1863.

La rosa de Pasión, en *El Contemporáneo,* Madrid, 24 de marzo de 1864.

Nota sobre las fuentes

Sobre el tema de las posibles fuentes de la obra becqueriana, no es ocioso citar la opinión de Dámaso Alonso: «Bécquer tuvo, pues, como casi todo poeta, fuentes literarias de inspiración (...). Pero, como en todos los grandes creadores, la materia recibida llega a él sólo para ser transfundida de manera prodigiosa. Lo añadido por Bécquer es siempre infinitamente más que lo que tomó (...) Lo puesto por él sí que era inhallable: la dardeante fantasía, la delgada sensibilidad (...) el irreal trasmundo iluminado de visiones, el hondo mundo poético (...)» *(Originalidad de Bécquer,* en *Poetas españoles contemporáneos,* Madrid, Gredos, 1952, pág. 45). En todo caso, las fuentes no fueron para Bécquer otra cosa sino materia prima literaria, simple arcilla transformada en microcosmos expresivo mediante la insuflación del aliento creador. Sin duda, las leyendas de Bécquer nacieron «de sus propias ensoñaciones antes que de fuentes extranjeras, aunque algunos de sus elementos pertenezcan al acervo universal, principalmente nórdico» (Enrique Rull Fernández, prólogo a su ed. cit., pág. 67). Quizá sin ser consciente de ello, al escribir Bécquer sus leyendas, al elaborar elementos de la tradición de acuerdo con sus propios parámetros estéticos, el poeta rozaba los sustratos básicos del universo narrativo supranacional y coincidía con temas comunes del folklore universal.

El panorama de aportaciones críticas y eruditas al asunto de las fuentes becquerianas se caracteriza por su voluntarismo posibilista. Todavía no se ha avanzado más allá de un primer estadio dominado por las hipótesis y las suposiciones, situadas

casi siempre en el terreno del «bien pudo ser» y en las movedizas arenas de los desiertos probables. No faltan las teorías, abundan las proposiciones, menudean los acercamientos tangenciales. A veces la audacia se alía con la erudición y deviene en peregrina fórmula. A veces, por el contrario, la aproximación tiene apariencia de certero acierto.

A pesar de lo dicho, creemos conveniente en esta edición exponer el estado en que se encuentran las investigaciones sobre las fuentes de las leyendas becquerianas. Así pues, en la primera nota de cada leyenda ofreceremos una breve y sucinta exposición sobre las principales teorías, opiniones y aportaciones.

Bibliografía

a) *Principales ediciones de* Las Leyendas

Obras, 1.ª ed., Madrid, Fortanet, 1871, 2 vols., prólogo de Ramón Rodríguez Correa.

Obras, 2.ª ed., Madrid, Fernando Fe, 1877, 2 vols.

Obras, 3.ª ed., Madrid, Fernando Fe, 1881, 2 vols.

Obras, 4.ª ed., Madrid, Fernando Fe, 1885, 3 vols. Edición corregida y aumentada en varias narraciones.

Obras completas, Madrid, Aguilar, 1934 (13.ª ed., 2.ª reimpresión, 1981).

Obras completas. Ordenación, ideario e índice general analítico de temas por Joaquín Gil, Buenos Aires, Cía. Imp. Argentina, 1946.

Del olvido en el ángulo oscuro. Páginas abandonadas (sólo para *El caudillo de las manos rojas).* Ensayo biocrítico, apéndice y notas por Dionisio Gamallo Fierros, Madrid, Valera, 1948.

Obras completas, Madrid, Afrodisio Aguado, 1949.

Leyendas, apólogos y otros relatos. Edición, prólogo y notas de Rubén Benítez, Barcelona, Lábor, col. Textos Hispánicos Modernos, 1974.

Rimas y leyendas. Edición, introducción y notas de Enrique Rull Fernández, Barcelona, Plaza y Janés, col. Clásicos, 1984.

b) *Recopilaciones bibliográficas*

ALONSO, Martín, «Recuento sistematizado de bibliografía becqueriana», en *Segundo estilo de Bécquer,* Madrid, Guadarrama, 1972, páginas 491-545.

BENÍTEZ, Rubén, *Ensayo de bibliografía razonada de Gustavo Adolfo Bécquer,* Buenos Aires, Facultad de Filosofía y Letras, 1961.

DÍEZ TABOADA, Juan María, «Bibliografía sobre Gustavo Adolfo Bécquer y su obra», en *Revista de Filología Española,* LII, 1969, páginas 651-695.

— «Bibliografía sobre Gustavo Adolfo Bécquer y su obra. Suplemento», en *Boletín de Filología Española*, núms. 46-49, 1973, págs. 47-60.

SERÍS, Homero, «Estado actual de los estudios sobre Bécquer», en *Mélanges à la mémoire de Jean Sarrailh*, Centre de Recherches de l'Instituto d'Études Hispaniques, París, 1966, págs. 278-388.

c) *Estudios biográficos*

BALBÍN LUCAS, Rafael de, «Bécquer, fiscal de novelas», en *Revista de Bibliografía Nacional*, III, Madrid, 1942, págs. 133-165.

— «Documentos becquerianos», en *Revista de Bibliografía Nacional*, V, fascs. 1 y 2, 1944, págs. 5-33.

— «Sobre la llegada de Gustavo Adolfo Bécquer a Madrid», en *Revista de Literatura*, V, 1954, págs. 301-308.

— *Bécquer y Madrid*, Madrid, Artes Gráficas Municipales, 1963.

— «Isabel II y Bécquer», en *ABC*, Madrid, 5 de marzo de 1967.

— «El casamiento de Julia Espín, musa de Bécquer», en *Revista de la Universidad de Madrid, Homenaje a Menéndez Pidal*, I, Madrid, 1969, vol. XVIII, núm. 69.

BARBÁCHANO, Carlos J., *Bécquer*, Madrid, Epesa, 1970.

BÉCQUER, Julia, «La verdad sobre los hermanos Bécquer. Memorias de Julia Bécquer», en *Revista de la Biblioteca, Archivo y Museo, Ayuntamiento de Madrid*, año IX, núm. XXXIII, Madrid, enero de 1932, págs. 76-91.

BENÍTEZ, Rubén, «El periódico *Gil Blas* define a Bécquer, censor de novelas», en *Hispanic Review*, XXXVI, 1968.

BENITO REVUELTA, Vidal, *Bécquer y Toledo*, Publicaciones del Instituto Provincial de Investigaciones y Estudios Toledanos, Madrid, 1971.

BLASCO, Eusebio, *Memorias íntimas*, Madrid, 1904.

— «G. A. Bécquer», en *Mis contemporáneos. Semblanzas varias*, Madrid, F. Álvarez, 1886.

BROWN, Rica, «The Bécquer Legend», en *Bulletin of Spanish Studies*, XVIII, Liverpool, abril de 1941, págs. 4-18.

— *Bécquer* (prólogo de Vicente Aleixandre), Barcelona, Aedos, 1963.

CAMPILLO, Narciso, «Gustavo Bécquer», en *La Ilustración de Madrid*, núm. 25, Madrid, 15-I-1871, págs. 2-3.

CANTO, Antonio, «El Monasterio de Veruela y Gustavo Adolfo Bécquer, en el centenario de las *Cartas desde mi celda* (1864-1964)», en *Medicamenta*, 1965, XLIII, págs. 104-108.

CARPINTERO, Heliodoro, «La España de Bécquer», en *Clavileño*, 1950, núm. 6, págs. 55-62.

— *Bécquer de par en par*, Madrid, Ínsula, 1957.

Castán Palomar, Fernando, «El Madrid de Bécquer. Evocación de las calles por las que paseó su melancolía el poeta», en *Blanco y negro*, Madrid, febrero de 1936.

Celaya, Gabriel, *Gustavo Adolfo Bécquer*, Madrid, 1972.

Corella Estella, Faustino, *Bécquer y Navarra*, Pamplona, Diputación Foral, 1970.

Díaz, José Pedro, *Gustavo Adolfo Bécquer. Vida y poesía*, Madrid, Gredos, 1971.

Diego, Gerardo, «Casta y Gustavo. Cartas inéditas», en *La Nación*, Buenos Aires, 14 de junio de 1942.

— «Los amores de Bécquer», en *La Nación*, Buenos Aires, 19 de julio de 1942.

García-Viñó, M., «El gran enigma de la biografía de Bécquer: la mujer que le inspiró las rimas», en *Nuestra Ciudad*, núm. 6, Sevilla, octubre de 1969.

— *Vida y obra de Bécquer*, Madrid, Publicaciones Españolas, 1969.

González y Gómez, Simón, *Bécquer, Veruela y el Somontano del Moncayo*, Zaragoza, Caja de Ahorros y Monte de Piedad de Zaragoza, Aragón y Rioja, 1970.

González Hernández, Vicente, *Ruta de Bécquer por el Somontano del Moncayo*, Zaragoza, Institución Fernando el Católico, 1975.

Jarnés, Benjamín, *Doble agonía de Bécquer*, Madrid, Espasa-Calpe, 1936.

León, María Teresa, *El gran amor de Gustavo Adolfo Bécquer. Una vida pobre y apasionada*, Buenos Aires, 1951.

López Núñez, J., *Biografía anecdótica de Bécquer*, Madrid, Mundo Latino, 1915.

Marañón Moya, Gregorio, *Bécquer, periodista en el siglo XIX*, Madrid, Asociación «Amigos de Bécquer», 1952.

Martínez Cachero, José M., «La viuda de Bécquer, escritora», en *Studia Philologica. Homenaje a Dámaso Alonso*, II, Madrid, 1961, páginas 443-457.

Montesinos, Rafael, «Adiós a Elisa Guillén», en *Ínsula*, núm. 289, diciembre de 1970, págs. 1, 10, 11 y 12.

— *Bécquer, Biografía e imagen*, Barcelona, Ed. R. M., 1977.

Montoto, Santiago, «La mujer de Bécquer», en *Bibliografía Hispánica*, núm. 6, 1944, págs. 470-478.

— «Antecedentes familiares de Bécquer», en *Revista de Filología Española*, LII, 1968, págs. 1-19.

Nombela, Julio, *Impresiones y recuerdos*, Madrid, La última moda, 1909-1912, 4 vols.

Olmsted, E. W., prólogo a su ed. *Legends, Tales and Poems*, Boston, 1907.

PAGEARD, Robert, «La mort de G. A. Bécquer dans la presse du temps (1870-1871)», en *Bulletin Hispanique,* LIX, 1959, págs. 396-403.

— «La revolution de 1868 et la biographie de G. A. Bécquer», en *Bulletin Hispanique,* LXVII, 1965, págs. 337-339.

PALACIO, Eduardo, *Pasión y gloria de Gustavo Adolfo,* Madrid, Libros y Revistas, 1947.

PHILLIPS CUMMINGS, H., «Gustavo A. Bécquer as a Journalist...», en *Hispania,* 1937, 20, págs. 31-36.

RODRÍGUEZ CORREA, Ramón, prólogo a la ed. de *Obras,* Madrid, Fortanet, 1871.

SÁINZ DE ROBLES, Federico Carlos, «Bécquer y Madrid», en *Mundo Hispánico,* núm. 272, noviembre de 1970, págs. 16-19.

SANDOVAL, Adolfo de, *El último amor de Bécquer,* Barcelona, Juventud, 1951.

SANTOS TORROELLA, R., *Valeriano Bécquer,* Barcelona, Ed. Cobalto, 1948.

SCHNEIDER, Franz, *Gustavo Adolfo Bécquer. Leben und Schaffen unter besonderer Betonung des Chronologischen Elements. Inaugural-Dissertation zur Erlangung der Doktorwürde der hohen philosophischen Fakultät der Universität Leipzig, vorgelegt von Franz Schneider, aus Dessau,* Berna-Leipzig, 1914.

TORRE VIVERO, Carmen, *Evocación de Gustavo Adolfo Bécquer en Madrid,* Madrid, 1980.

VARIOS AUTORES, *Bécquer y Soria,* Madrid, C. S. I. C., Centro de Estudios Sorianos, 1970.

d) *Estudios sobre las leyendas*

ALONSO, María Rosa, «Gustavo A. Bécquer, 1836-1936», en *Cuadernos de la Facultad de Filosofía y Letras,* t. IV, Madrid, abril-mayo de 1936, págs. 15-38.

BALBÍN LUCAS, Rafael de, *El tema de España en la obra de Bécquer,* Oviedo, Universidad Literaria, 1944.

BAQUERO GOYANES, Mariano, «Las leyendas de Bécquer», en *El cuento español en el siglo XIX,* Madrid, C. S. I. C., 1949, págs. 219-223.

BASALISCO, Lucio, «Una probabile fonte de *El rayo de luna* di G. A. Bécquer: *El lago de Carucedo* di E. Gil y Carrasco», en *Revista de Literatura Moderna,* XXII, Mendoza, 1969.

BENÍTEZ, Rubén, *Bécquer tradicionalista,* Madrid, Gredos, 1971.

— Introducción a su ed. *Leyenda, apólogos y otros relatos,* Barcelona, Labor, 1974.

BERENGUER CARISOMO, Arturo, *La prosa de Bécquer,* Sevilla, Universidad de Sevilla, 1974.

BROWN, Rica, *Bécquer*, Barcelona, Aedos, 1963.

CAGNONI, Philip Craig, *The «Leyendas» of Gustavo Adolfo Bécquer*, Baltimore, The Johns Hopkins University, 1968 (publicado en *Dissertation Abstracts*, XXIX, núm. 5, noviembre de 1968, 1509-A).

CAMPOS, Jorge, prólogo a su ed. *Leyendas*, Madrid, Alianza, 1982.

CANSINOS ASSENS, Rafael, «La rosa de Pasión de Bécquer», en *Los judíos en la literatura española*, Buenos Aires, 1937, págs. 53-62.

CERNUDA, Luis, «Bécquer y el poema en prosa español», en *Poesía y literatura*, t. II, Seix-Barral, 1964.

CUBERO SANZ, Manuela, «La mujer en las *Leyendas* de Bécquer», en *Revista de Filología Española*, 1969, LII, págs. 347-370.

CHAO ESPINA, Enrique, «Bécquer y Díaz», en *Pastor Díaz dentro del romanticismo*, Madrid, C. S. I. C., 1949.

DÍAZ, José Pedro, *Gustavo Adolfo Bécquer. Vida y poesía*, Madrid, Gredos, 1971.

DIEGO, Gerardo, «Enrique Gil y Bécquer», en *La Nación*, Buenos Aires, 11 de mayo de 1947.

— Prólogo a su ed. *Leyendas sorianas*, Soria, Obra Cultural Caja G. A. Soria, 1970.

ENGLEKIRK, John E., *Edgard Alan Poe in Hispanic Literature*, Nueva York, Instituto de las Españas, 1934, págs. 126-134.

ESTRUCH, Joan, introducción a su ed. *Leyendas y relatos de terror y misterio*, Barcelona, Fontamara, 1982.

GALLAHER, Clark, *The Predecessors of Becquer in the Fantastic Tale*, Louisiana, 1949 (Publicación del *College Bulletin*, Southeastern Lousiana College, VI, núm. 2).

GARCÍA-VIÑÓ, Manuel, *Mundo y trasmundo de las leyendas de Bécquer*, Madrid, Gredos, 1970.

— «Los escenarios de las leyendas becquerianas», en *Revista de Filología Española*, LII, 1969, págs. 335-346.

GUILLÉN, Jorge, *Lenguaje y poesía*, Madrid, 1969, págs. 113-114.

GULSOY, J., «La fuente común de *Los ojos verdes* y *El rayo de luna* de G. A. Bécquer», en *Bulletin of Hispanic Studies*, t. XLIV, 2 de abril de 1967, págs. 96-104.

HÄMEL, Ángela, «Don Gustavo Adolfo Bécquer's Legenden», en *Germanisch-Romanische Monatschrift*, t. X, Heidelberg, 1922, páginas 349-357.

HERRERO SALGADO, Félix, «Las leyendas sorianas de Gustavo Adolfo Bécquer. Aspectos temático y estilístico», en *Bécquer y Soria*, C. S. I. C., Centro de Estudios Sorianos, 1970, págs. 91-107.

ILIE, Paul, «Bécquer and the Romantic Grotesque», en *PMLA (Publication of the Modern Language Association of America)*, 83, 2, Nueva York, mayo de 1968, págs. 312-331.

INGLIS, A. D., «The Real and the Imagined in Bécquer's *Leyendas*», en *Bulletin of Hispanic Studies*, t. XLIII, enero de 1966, págs. 25-31.

KING, Edmund Ludwig, *Gustavo Adolfo Bécquer: From Painter to Poet. Together with a Concordance of the Rimas*, México, Porrúa, 1953.

KRAPPE, Alexander Haggerty, «Sur une Legende de Gustavo A. Bécquer *(Creed en Dios)*», en *Neophilologus*, t. XVII, Amsterdam, 1932, págs. 273-277.

— «Sur le conte *La corza blanca* de Gustavo Adolfo Bécquer», en *Bulletin Hispanique*, t. XLII, 3, julio-septiembre de 1940, páginas 237-240.

LIDA DE MALKIEL, María Rosa, «La visión del transmundo en las literaturas hispánicas», en el libro de Howard Rollin Patch *El otro mundo en la literatura medieval*, México-Buenos Aires, Fondo de Cultura Económica, 1950, págs. 445-446.

— «La leyenda de Bécquer *Creed en Dios* y su presunta fuente francesa», en *Comparative Literature*, t. V, 3, Oregón, verano de 1953, págs. 235-246. (Recogido posteriormente en *Estudios de literatura española y comparada*, Buenos Aires, Eudeba, 1966, págs. 245-256.)

LÓPEZ ESTRADA, Francisco, «La prosa de Bécquer», en *El Correo de Andalucía*, 7 de mayo de 1970.

LOVETT, Gabriel H., «Patriotism and Other Themes in Bécquer's *El beso*», en *Modern Language Quartely*, t. XXIX, 3, septiembre de 1968, págs. 289-296.

MOLLEJA ESPINOSA, José, «La leyenda de *Maese Pérez el organista*», en *ABC*, Sevilla, 17 de diciembre de 1970.

OLMSTED, Everett Ward, prólogo a su ed. *Legends, Tales and Poems of Gustavo Adolfo Bécquer*, Boston, 1907.

PAGEARD, Robert, «Le germanisme de Bécquer», en *Bulletin Hispanique*, t. LVI, 1954, págs. 83-109.

PALOMO, María del Pilar, prólogo a su ed. *Rimas. Leyendas. Cartas desde mi celda*, Barcelona, Planeta, 1982.

RAMÍREZ ARAUJO, Alejandro, «Bécquer y la reconstrucción del pasado», en *Hispania*, t. XXXIX, 3, Baltimore, septiembre de 1956, págs. 313-319.

RISCO, Antonio, *Literatura y fantasía*, Madrid, Taurus, 1982.

RULL FERNÁNDEZ, Enrique, prólogo a su ed. *Rimas y leyendas*, Barcelona, Plaza & Janés, 1984.

STAUF VON DER MARK, Ottokar, «Introducción a *Legenden des Gustavo Adolfo Bécquer. Aus dem Spanischen übersetzt mit literarisch-kritischer Einleitung und biographisther Skizze*, Berlín, Franz Ledermann, 1907.

TURK, Henry Charles, *German Romanticism in Gustavo Adolfo Bécquer's Short Stories*, Kansas, Lawrence, 1957.

VARELA, José Luis, «Mundo onírico y transfiguración en la prosa de

Bécquer», en *Revista de Filología Española*, 1969, LII, págs. 305-334.

WOOLSEY, Wallace, «La mujer inalcanzable como tema en ciertas leyendas de Bécquer», en *Hispania*, XLVII, 1964, págs. 277-281.

Leyendas

Dibujo de Valeriano Bécquer

El caudillo
de las manos rojas[1]

(TRADICIÓN INDIA)

CAPÍTULO PRIMERO[2]

I

El sol ha desaparecido tras las cimas del Jabwi[3], y la sombra
de esta montaña envuelve con un velo de crespón a la perla de

[1] Fue publicada en *La Crónica*, entre el 29 de mayo y el 12 de junio de 1858.
En la edición de 1871 apareció incompleta y corregida, pues faltaban capítulos
y los que aparecieron fueron alterados por los autores de la edición. Dionisio
Gamallo Fierros fue quien en 1948 publicó la edición íntegra de la leyenda, tal
como figuraba en *La Crónica*, en su obra *Del olvido en el ángulo oscuro. Páginas aban-
donadas (prosa y verso)*, Madrid, Valera, 1948.
Compuesta probablemente entre 1957 y los primeros meses de 1958, se ins-
cribe, desde el punto de vista del posible marco de influencias o fuentes, dentro
del conjunto de lecturas preparatorias de la *Historia de los templos de España*. Béc-
quer pudo encontrar las semillas de su leyenda en la lectura de los grandes poe-
mas indios o las tradiciones religiosas hindúes. Rubén Benítez muestra un am-
plio abanico de obras sobre la India a las que Bécquer pudo tener acceso. En la
primera parte de *El caudillo de las manos rojas* el mismo estudioso encuentra evi-
dentes reminiscencias del *Ramayana* y del *Mahabarata*, así como ecos de la lectu-
ra de *Atala*, obra de Chateaubriand. En la segunda parte, Bécquer recoge la tra-
dición hindú del Jaganata. (Cfr. Rubén Benítez, *Bécquer tradicionalista*, cit., pá-
ginas 109-136.)
[2] Mantenemos la división de la leyenda en capítulos, de acuerdo con la ver-
sión periodística, y no en cantos, como en la ed. RC.
[3] No hemos encontrado referencias sobre este nombre, así como tampoco
de otros que aparecen más adelante (Jawkior, Senwads). Puede ser una inven-

las ciudades de Orisa[4], a la gentil Kattak[5], que duerme a sus pies, entre los bosques de canela y sicomoros[6], semejante a una paloma que descansa sobre un nido de flores.

II

El día que muere y la noche que nace luchan un momento, mientras la azulada niebla del crepúsculo tiende sus alas diáfanas sobre los valles, robando el color y las formas a los objetos, que parecen vacilar agitados por el soplo de un espíritu.

III

Los confusos rumores de la ciudad, que se evaporan temblando; los melancólicos suspiros de la noche, que se dilatan de eco en eco repetidos por las aves; los mil ruidos misteriosos que, como un himno a la divinidad, levanta la creación al nacer y al morir el astro que la vivifica, se unen al murmullo del Jawkior, cuyas ondas besa la brisa de la tarde, produciendo un canto dulce, vago y perdido como las últimas notas de la improvisación de una bayadera[7].

ción o una deformación ortográfica introducida por Bécquer, que en esta leyenda mezclaría topónimos reales con otros imaginarios.

[4] *Orisa, Orissa* u *Orixa*, y no *Osira*, como figura en RC. Es una región o estado de la costa oriental de la India. Alcanzó cierta fama en 1857-1858 por ser escenario, junto a Bengala, de la rebelión de los Cipayos contra las fuerzas de la corona inglesa.

[5] *Kattak* o *Cutac*, ciudad fundada en el siglo X a. C. por un rey de la dinastía de Kesari, está situada a orillas del río Mahanadi, siendo estratégica su posición desde un punto de vista militar. Es la capital del estado de Orissa.

[6] Árbol propio de zonas mediterráneas, semejante a la higuera. Su madera, incorruptible, era usada por los egipcios para construir las cajas donde encerraban las momias.

[7] Bailadora y cantora india. Intervenía en las funciones religiosas y también en las celebraciones profanas, con el fin, en las segundas, de divertir a los participantes con sus danzas y cantos.

IV

La noche vence, el cielo se corona de estrellas, y las torres de Kattak, para rivalizar con él, se ciñen una diadema de antorchas. ¿Quién es ese caudillo que aparece al pie de sus muros, al mismo tiempo que la luna se levanta entre ligeras nubes más allá de los montes a cuyos pies corre el Ganges como una inmensa serpiente azul con escamas de plata?

V

Él es. ¿Qué otro guerrero de cuantos vuelan como la saeta a los combates y a la muerte, tras el estandarte de Schiven[8], meteoro de la gloria, puede adornar sus cabellos con la roja cola del ave de los dioses indios, colgar a su cuello la tortuga de oro o suspender su puñal de mango de ágata del amarillo schal[9] de cachemira, sino Pulo-Dheli, rajá de Dakka[10], rayo de las batallas y hermano de Tippot-Dheli, magnífico rey de Orisa, señor de señores, sombra de Dios e hijo de los astros luminosos?

VI

Es él, ningún otro sabe prestar a sus ojos, ya el melancólico fulgor del lucero del alba, ya el siniestro brillo de la pupila del

[8] Llamado también Siva, en terminología modernizadora. El nombre utilizado por Bécquer evidencia procedencia germana, ya que en su época había otras posibles denominaciones: Siva, Shiva, Sib, Sieb, Chib, Chiven. Es la tercera persona de la Trimurti (Trinidad) india, a la que corresponden las fuerzas destructoras. Mientras que a Brahma le incumbe la creación del universo y a Visnú (Vichenú en el texto becqueriano) su conservación, la misión especial de Siva es esencialmente la de destrucción. Por eso, a pesar de que su nombre casi no figura en el *Rig-Veda*, rápidamente adquiere las funciones y atributos de Rudra, dios veda del fuego devorador, y de la tempestad devastadora.

[9] Mantenemos la ortografía de esta palabras y alguna otra (chakal, yathagán, simoún) con las mismas grafías usadas por Bécquer, para así respetar el exotismo de la leyenda.

[10] *Dakka* o *Dacca*, ciudad de la India situada a la orilla del río Bari-Ganga o Viejo Ganges, en el NO. de su delta. De 1610 a 1704 fue la capital de Bengala.

tigre, comunicando a sus oscuras facciones el resplandor de una noche serena o el aspecto terrible de una tempestad en las aéreas cumbres de Davalagiri[11]. Es él; pero ¿qué aguarda?

VII

¿Oís las hojas suspirar bajo la leve planta de una virgen? ¿Veis flotar entre las sombras los extermos de su diáfano schal y las orlas de su blanca túnica? ¿Percibís la fragancia que la precede como la mensajera de un genio? Esperad y la contemplaréis al primer rayo de la solitaria viajera de la noche; esperad y conoceréis a Siannah, la prometida del poderoso Tippot-Dheli, la amante de su hermano, la virgen a quien los poetas de su nación comparan a la sonrisa de Bermach[12], que lució sobre el mundo cuando éste salió de sus manos; sonrisa celeste, primera aurora de los orbes.

VIII

Pulo percibe el rumor de sus pasos; su rostro resplandece como la cumbre que toca el primer rayo del sol, y sale a su encuentro. Su corazón, que no ha palpitado en el fuego de la pelea ni en la presencia del tigre, late violento bajo la mano que se llega a él, temiendo se desborde la felicidad que ya no basta a contener. «¡Pulo». «¡Siannah!», exclaman al verse y caen el uno en los brazos del otro. En tanto, el Jawkior, salpicando con sus ondas las alas del céfiro, huye a morir al Ganges, y el Ganges al golfo de Bengala, y el golfo al Océano. Todo huye; con las aguas, las horas; con las horas, la felicidad; con la felicidad, la vida. Todo huye a fundirse en la cabeza de Schiven, cuyo cerebro es el caos, cuyos ojos son la destrucción y cuya esencia es la nada.

[11] *Davalagiri, Dawalagiri* o *Dhawalgiri:* monte de la cordillera del Himalaya que alcanza 8.181 metros de altura. Se le tenía por el más alto del mundo antes de escalar el Everest.

[12] Dios de la religión hindú. Es el autor de la máquina del mundo.

IX

Ya la estrella del alba anuncia el día; la luna se desvanece como una ilusión que se disipa, y los sueños, hijos de la oscuridad, huyen con ella en grupos fantásticos. Los dos amantes permanecen aún bajo el verde abanico de una palmera, mudo testigo de su amor y sus juramentos, cuando se eleva un sordo ruido a sus espaldas.

Pulo vuelve el rostro, exhala un grito agudo y ligero como el del chakal, y retrocede diez pies de un solo salto, haciendo brillar al mismo tiempo la hoja de su agudo puñal damasquino.

X

¿Qué ha puesto pavor en el alma del valiente caudillo? ¿Acaso esos dos ojos que brillan en la oscuridad son los del manchado tigre o los de la terrible serpiente? No. Pulo no teme al rey de las selvas ni al de los reptiles; aquellas pupilas que arrojan llamas pertenecen a un hombre, y aquel hombre es su hermano.

Su hermano, a quien arrebataba su único amor; su hermano, por quien estaba desterrado de Orisa; el que por último juró su muerte si volvía a Kattak, poniendo la mano sobre el ara de su dios.

XI

Siannah le ve también, se coagula la sangre en sus venas y queda inmóvil, como si la mano de la muerte la tuviera asida[13] por el cabello. Los dos rivales se contemplan un instante de

[13] *La tuviera asida:* ya que está refiriéndose a Siannah, es manifiesto el error del texto periodístico, transcrito y defendido por RB. Preferimos aquí, de acuerdo con el contexto y coincidiendo con Gamallo Fierros y RC, el femenino al masculino.

pies a cabeza; luchan con las miradas, y exhalando un grito ronco y salvaje, se lanzan el uno sobre el otro, como dos leopardos que se disputan una presa... Corramos un velo sobre los crímenes de nuestros antepasados; corramos un velo sobre las escenas de luto y horror de que fueron causa las pasiones de los que ya están en el seno del grande espíritu.

XII

El sol nace en Oriente; diríase al verlo que el genio de la luz, vencedor de las sombras, ebrio de orgullo y majestad, se lanza en triunfo sobre su carro de diamantes, dejando en pos de sí, como la estela de un buque, el polvo de oro que levantan sus corceles en el pavimento de los cielos. Las aguas, los bosques, las aves, el espacio, los mundos, tienen una sola voz, y esta voz entona el himno del día. ¿Quién no siente saltar su corazón de júbilo a los ecos de este solemne cántico?

XIII

Sólo un mortal; vedle allí. Sus ojos desencajados están fijos con una mirada estúpida en la sangre que tiñe sus manos; en balde, saliendo de su inmovilidad y embargado de un frenesí terrible, corre a lavárselas en las orillas del Jawkior; bajo las cristalinas ondas, las manchas desaparecen; mas apenas retira sus manos, la sangre, humeante y roja, vuelve a teñirlas[14]. Y torna a las ondas, y torna a aparecer la mancha, hasta que al cabo exclama con un acento de terrible desesperación:

[14] El motivo de las manos manchadas de sangre no pertenece a la tradición hindú, sino que procede de la literatura y el folklore europeo. La sangre como signo acusador aparece en *Caín*, de Lord Byron, obra que Bécquer confiesa estar leyendo en 1864 y que sin duda era una de sus preferidas, por lo que pudo leerlo antes de la elaboración de *El caudillo de las manos rojas*. En *Macbeth*, de Shakespeare, obra conocida por Bécquer, es lady Macbeth quien quiere lavar de sus manos las inexistentes manchas de sangre. (Cfr. Rubén Benítez, *op. cit.*, páginas 123-124.)

—¡Siannah! ¡Siannah! La maldición del cielo ha caído sobre nuestras cabezas.

¿Conocéis a ese desgraciado a cuyos pies hay un cadáver y cuyas rodillas abraza una mujer? Es Pulo-Dheli, rey de Orisa, magnífico señor de señores, sombra de Dios e hijo de los astros luminosos, por la muerte de su hermano y antecesor.

Capítulo II

I

—¿Qué me sirven el poder y la riqueza si una víbora enroscada en el fondo de mi corazón lo devora sin que me sea dado arrancarla de su guarida? ¡Ser rey, señor de señores; ver cruzar ante los ojos, como las visiones de un sueño, las perlas, el oro, los placeres y la alegría; verlos cruzar al alcance de la mano y, al tenderla para asirlos, encontrar todo cuanto toca manchado en sangre!... ¡Oh! ¡Esto es espantoso!

II

Así exclama Pulo, revolcándose sobre la púrpura de su lecho y torciéndose las manos a impulsos de su terrible desesperación. En balde el humo de los pebeteros embalsama la opulenta cámara; en balde la seda de brillantes colores se ha extendido sobre diez pieles de tigre para que descansen sus miembros; en balde han invocado los bracmines[15] por siete veces al espíritu del reposo y al genio de los sueños de nácar; el Remordimiento, sentado a la cabecera del lecho, los ahuyenta con un grito lúgubre y prolongado, grito que resuena incesante en el oído de Pulo, que golpea su frente con dolor al escucharlo.

[15] Individuos pertenecientes a la primera de las cuatro castas en que se halla dividida la sociedad de la India. Se dedican al sacerdocio, a la meditación y al estudio de los libros sagrados. Por su nacimiento, son personas sagradas y las únicas autorizadas para aplicar el *Veda* a los sacrificios, comentar sus doctrinas y enseñar las tradiciones.

III

Los genios que cruzan en numerosas caravanas sobre dromedarios de zafiro y entre nubes de ópalo; las schiwas de ojos verdes como las olas del mar, cabellos de ébano y cinturas esbeltas como los juncos de los lagos; los cantares de los espíritus invisibles que refrescan con sus alas los cansados párpados de los justos, no pasan como una tromba de luz y de colores en el sueño del criminal.

Gigantes cataratas de sangre negra y espumosa que se estrellan bramando sobre las oscuras peñas de un precipicio terrible; imágenes espantosas y confusas de desolación y terror; éstos son los fantasmas que engendra su mente durante las horas del reposo.

IV

Por eso el magnífico señor de Orisa no puede gustar la copa del beleño[16] con que los dioses brindan a sus escogidos. Por eso, apenas la aurora abre las puertas al día, se lanza del lecho, se desnuda de sus vestidos, que abrillantan las perlas y el oro, y, depositando un beso sobre la frente de su amada, sale del palacio en traje de un simple cazador, dirigiéndose hacia la parte de la ciudad que domina la cumbre de Jabwi.

V

Como a la mediación de esta montaña, nace un torrente que se derrumba en sábanas de plata hasta bajar a la llanura, donde, refrenando su ímpetu, se desliza silencioso entre las guijas y las flores, para ir a confundir sus rizadas ondas con las ondas del Jawkior. Una gruta natural, formada de enormes peñascos que parecen próximos a desplomarse, sirve de taza a estas olas

[16] Planta narcótica, especialmente su raíz.

en su nacimiento. Allí, transparentes y sombrías sus aguas, parecen dormir sin que las turbe otro rumor que el monótono ruido del manantial que la alimenta, el suspiro de la brisa que viene a humedecer sus alas en la linfa o el salvaje grito de los cóndores[17] que se lanzan a las nubes como una flecha disparada.

VI

Pulo, ya fuera de los muros de la ciudad, manda retirarse a los que le siguen, y emprende solo y sumido en hondas meditaciones el camino que, serpenteando entre las rocas y las cortaduras, se dirige a la gruta donde nace el torrente, que ya salpica su rostro con el polvo de sus aguas. ¿Dónde va el señor de Orisa? ¿Por qué, desnudándose de su recamada túnica, del amarillo schal, emblema misterioso y del amuleto de los reyes, cambia sus vestiduras por el tosco traje de un simple cazador? ¿Viene a los montes a buscar a las fieras en su guarida? ¿Viene ansioso de encontrar la soledad, único bálsamo de las penas que el resto de los hombres no comprenden?[18]

VII

No. Cuando el regio morador de Kattak abandona su alcázar para acosar en sus dominios al soberbio león o al rayado tigre, cien bocinas de marfil fatigan el eco de los bosques, cien ágiles esclavos le preceden arrancando las malezas de los senderos y alfombrando el lugar en que ha de poner sus plantas; ocho elefantes conducen su tienda de lino y oro y veinte rajás siguen su paso, disputándose el honor de conducir su aljaba de ópalo. ¿Viene a buscar la soledad? Imposible. La soledad es el imperio de la conciencia.

[17] Aves inexistentes en el cielo y la floresta hindú. Pueblan esta espesura becqueriana quizá porque están presentes en el paisaje americano descrito en *Atala*, de Chateaubriand, autor de quien Bécquer fue lector devoto.

[18] En los escritos de Bécquer es habitual la concordancia *ad sensum* cuando en la oración aparece un sustantivo colectivo. Mantenemos esa concordancia.

VIII

El sol toca a la mitad de su viaje, y Pulo a su término. A sus pies salta el torrente, sobre su cabeza está la gruta en que duerme el manantial que lo alimenta, manantial sagrado que brotó de las hendiduras de una roca para templar la sed del dios Vichenú[19] cuando, destinado de los cielos, venía a cazar en las faldas del Jabwi durante la noche. A datar de aquella época remota, un bracmín vela constantemente en el muro de la gruta, dirigiendo sus oraciones al dios para que conserve las maravillosas virtudes en que, según una venerable tradición, abundan las sagradas linfas.

IX

El último de estos sacerdotes que, encendidos en amor por la divinidad, han consagrado sus días a venerarla en contemplación de sus obras, es un anciano cuyo origen envuelve un misterioso profundo: nadie sabe la época en que llegó a Kattak para guarecerse en la gruta de Vichenú. Rajás venerables, sobre cuya cabeza han lucido más de cuarenta mil soles, aseguran que en su juventud el bracmín del torrente tenía ya los cabellos blancos y la frente inclinada. El pueblo le mira con temor y respeto cuando por casualidad baja a la llanura. Dicen que las serpientes danzan a su voz, que los cóndores le traen su alimento y que el genio de aquellas aguas, a quien debe la inmortalidad, le revela los arcanos futuros. Otros aseguran que él

[19] Llamado también Visnú, en terminología modernizadora. El nombre usado ahora sugiere procedencia francesa, ya que Bécquer elige Vichenú entre otras posibles denominaciones (Vichnou, Vistnou, Vistney, Bisnou, Bichan, Bichen). Es la segunda persona de la Trimurti india, en la cual desempeña el papel de preservador del mundo. Según la mitología, nació del seno de Brahma. La característica esencial de su divinidad, tal como está definida en el *Rig-Veda*, radica en el recorrido de las tres etapas que simbólicamente pueden asociarse a la salida, culminación y puesta del sol. Sus encarnaciones se conocen con el nombre de *avatares*.

mismo no es otra cosa que un espíritu bajo las formas de un bracmín.

X

¿Quién es? ¿De dónde vino y qué hace? Se ignora; pero los que se sienten con el valor necesario para llegar hasta la gruta en que habita, suben a ella para pedirle un remedio contra los males desesperados, una revelación para conocer el término de las empresas arriesgadas, una penitencia suficiente a lavar un crimen que ni la sangre borraría. Uno de éstos es Pulo, porque a la gruta del torrente se dirige. Conociendo que las leves expiaciones que los aduladores bracmines de Kattak le impusieran no bastaban a desterrar sus remordimientos, sube a consultar al solitario de Jabwi, solo y de incógnito, para que la pompa real no turbe el espíritu y selle los labios del profeta.

XI

Pulo llega, a través de las zarzas que rodean como un festón los bordes del torrente, hasta la entrada de la gruta. Allí ve una ancha vasija de cobre suspendida de las ramas de una palmera, para que el viajero apague su sed. El caudillo toca por tres veces con el mango de su yathagán[20], y el cobre restalla[21] produciendo un sonido metálico y misterioso, que se pierde vibrando con el rumor de las olas. Un momento transcurre, y el solitario aparece.

—Elegido del grande espíritu —exclama al verle el caudillo, inclinando la frente—, que el enojo de Schiwen no se amontone sobre tu cabeza como las brumas en las cimas de los montes.

[20] El yathagán (yatagán) es un sable turco o cuchillo con hoja oblicua y corva. Su mango suele estar lujosamente adornado.

[21] *restalla: restalla* (RC), *restaña* (RB.). Entendemos que no es correcto mantener el texto periodístico, en el que, sin duda por error tipográfico, apareció la consonante cambiada.

—Hijo de mortales —replica el anciano sin responder a su salutación—, ¿qué me quieres?

XII

—Consultarte.

—Habla.

—Yo he cometido un crimen. Un crimen horroroso, cuyo recuerdo abruma mi alma como una pesadilla eterna. En vano consulté a los adivinos de Bracma[22]. Las penitencias que me impusieron han sido inútiles. El remordimiento vive aún en mi corazón. El fantasma de la víctima me sigue a todas partes. Se ha hecho la sombra de mi cuerpo, el rumor de mis pasos. Tú, a quien todos los dioses se dignan visitar; tú, que lees el porvenir en los astros y en las arenas que arrastran los ríos, dime: ¿Cuándo quedará lavada mi alma de este crimen?

—Cuando la sangre que mancha tus manos, que en balde me ocultas, haya desaparecido —exclama el terrible bracmín, lanzando una mirada de indignación al príncipe, que permanece aterrado ante aquella prueba de la sabiduría del solitario.

XIII

—¿Me conoces? —prorrumpe Pulo al fin, saliendo de su estupor.

—No te conozco, pero sé quién eres.

—¿Quién soy?

[22] Según el brahmanismo, coexisten tres grandes dioses: Brahma, Visnú y Siva, que forman una Trimurti (Trinidad). Brahma representa el principio creador, Visnú el conservador y Siva el destructor. Inicialmente, Brahma representaba lo absoluto, el alma universal, pero los bracmines le fueron añadiendo rasgos personales, convirtiéndole en el creador del universo, todopoderoso y omnisciente. La única adoración que recibe es puramente literaria, expresada en forma de epítetos enfáticos, alabanzas, etc. A pesar de su alta categoría divina, no existen en la India templos dedicados a su culto y son escasísimos los practicantes hindúes que le consideran el dios supremo.

—El matador de Tippot-Dheli.

El príncipe inclina la cabeza a estas palabras, como herido de un rayo, y el bracmán prosigue de este modo:

—En la pasada noche, cuando el sueño había descendido sobre los párpados de los mortales, yo velaba. Un sordo rumor se elevó por grados del fondo del agua sagrada, rumor confuso como el hervidero de cien legiones de abejas. Una manga de aire frío y silencioso vino de la parte de Oriente, rizó las ondas y tocó con la punta de sus húmedas alas mi frente. A su contacto, mis nervios saltaron y se heló el tuétano de mis huesos; aquel soplo era el aliento de Vichenú. Poco después sentí su diestra, tan pesada como un mundo, descansar sobre mi hombro, en tanto que me contaba al oído tu historia.

XIV

—Ahora bien: pues conoces mi delito, dime la manera de hacer que desaparezcan de mis manos estas terribles manchas.

El bracmín permanece en silencio y el príncipe prosigue:

—¡Qué! ¿Mi sangre toda no podrá borrar esta sangre?

—Lo ignoro; es muy corta tu vida para expiar ese delito y Schiwen está airado porque has hecho uso de tus facultades para la destrucción, obra que a él solo está encomendada.

—Pues bien: si tú lo ignoras, consultemos a Vichenú. Él me protegerá contra su hermano. Penetremos en la gruta sagrada.

—¿Has ayunado las tres lunas?

—Sí.

—¿Has huido del lecho nupcial por siete noches?

—Sí.

—¿Has dejado de cazar durante nueve días?

—También.

—Entonces, sígueme.

Algunos momentos después de este corto diálogo, sus interlocutores se hallaban en el fondo de la misteriosa gruta...

117

XV

Lo que pasó en aquel recinto se ignora. La tradición guarda una idea confusa, y el príncipe por quien esto se supo habla vagamente de sierpes monstruosas y aladas que se precipitaron en las ondas del torrente, para aparecer de nuevo en forma de animales desconocidos y fantásticos; de conjuros tan temibles, que a veces se cubría de manchas el sol y los montes se estremecían como cañas; de lamentos y aullidos tan espantosos, que la sangre se helaba al escucharlos.

XVI

Las palabras del dios se guardan, y son éstas: «Asesino marcado por Schiwen con un sello de eterna infamia, voy a darte mis consejos para que puedas expiar tu crimen: sube por las orillas del Ganges, y a través de los pueblos feroces que habitan sus riberas, hasta encontrar sus fuentes. El remoto país del Tibet, a quien defiende como un gigante muro la cordillera del Himalaya, es el término de tu viaje. Cuando llegues a él, lava tus manos en el más escondido de los manantiales y a la hora en que el valiente Tippot cayó a tus plantas. Si en el discurso de tu peregrinación no conoces a tu esposa Siannah, que deberá acompañarte, la sangre desaparecerá de tus manos.»

XVII

¿Quién es ese peregrino que se apoya en un grosero cayado de abedul y que en la sola compañía de una mujer hermosa, pero humildemente ataviada, sale por una de las puertas del Kattak al mismo tiempo que la luna se desvanece ante los rayos del astro del día? Es él: Pulo-Dheli, magnífico rey de Orisa, señor de señores, sombra de Dios, e hijo de los astros luminosos.

Capítulo III

I

Los peregrinos tocan al término de su viaje; ya han dejado a sus espaldas las fértiles e inmensas llanuras de Nepaul; ya han visto a Benarés, célebre por sus alcázares, cuyos cimientos besa el sagrado río que divide al Indostán del imperio de los birmanes. Como las creaciones de una visión celeste, han cruzado ante sus ojos Palná, famosa por sus templos, sus mujeres y sus tapicerías; Dakka, la ciudad que tejió el velo para el santuario de los dioses con las trenzas de ébano de sus vírgenes; Gwalior, escudo del reino de Sindiak, cuyos muros detienen a las nubes en su vuelo[23].

II

También han gustado el reposo a la sombra de los inmensos plátanos de Dehli, concha que guarda a la perla de los reyes presentando una ofrenda de miel y flores al genio protector de Allad-abad[24], ciudad que debe su nombre a las caravanas de peregrinos que de todos los puntos de la India acuden a sus templos, más numerosos que las hojas de los bosques y las arenas del Océano.

[23] Nombres de las ciudades más conocidas en el recorrido de los peregrinos hacia las fuentes del Ganges. Entre ellas destaca Benarés, ciudad sagrada de los hindúes y una de las más antiguas del mundo, y Gwalior, situada al pie de una roca de 104 metros de altura, sobre la que desde hace más de mil años se alza una fortaleza.

[24] Ciudad situada en la confluencia de los ríos Ganges y Yumna. De antiquísimo origen, su nombre actual data del reinado de Akbar, quien la reedificó en el siglo XVI. Para los indígenas es la ciudad santa por excelencia y a ella acuden en diciembre y enero para purificarse en el punto en que el Yumna se une al Ganges, lugar que consideran sagrado.

III

Cuarenta lunas han nacido después que abandonaron su alcázar; pero ¿quién podrá enumerar los países que han cruzado, los bosques que les han prestado su sombra, los ríos que han apagado su sed? El Kian-gar, conocido por el de las aguas rojas; el Espuri, cuya mansa corriente arrastra oro bastante a construir con él un alcázar soberbio; los Senwads, bosques sombríos donde el boa se desliza con el rumor de la lluvia; Lahorre, la madre de los guerreros; Cachemira, la virgen de los siete schales de amianto, y cien y cien otros países, ciudades, bosques, torrentes, ríos y montañas, que hasta llegar a las cordilleras del Himalaya se extienden sobre las inmensas llanuras de la India.

IV

Pero ya tocan al deseado término, ya han salido de las más terribles de las pruebas atravesando a par del Ganges el valle del Acíbar, llamado así no tanto por los árboles que produce, de los que se extrae este licor, como por las amarguras que padecen los infelices que se ven en la necesidad de atravesarlo. Y Pulo atravesó las rocas que lo erizan llevando a Siannah sobre sus espaldas.

V

El sol lanza sus rayos perpendiculares sobre la tierra. Los viajeros, fatigados de su trabajosa jornada, reposan a la orilla del río, a cuya fuente se aproximan. Un boabad[25] corpulento y

[25] El baobad (boabad es deformación frecuente) es un árbol del África tropical, perteneciente a la familia de las bombáceas. Tiene un tronco que mide de 9 a 10 metros de altura y hasta 5 metros de diámetro de circunferencia, ramas horizontales que pueden alcanzar de 16 a 20 metros de longitud, flores grandes de color blanco y frutos de sabor entre ácido y dulce.

magnífico les presta su sombra, capaz de cubrir a una tribu de guerreros. Entre las brumas del lejano horizonte se lanza al vacío el Himalaya, y, empinado sobre sus cumbres, el Dawalagiri, que pasea sus miradas sobre medio mundo.

VI

Un aura fresca mece las magnolias y los tulipanes que crecen entre los juncos de la ribera y enjuga el sudor de sus frentes. El bulbul[26], sobre las ramas de un penachudo talipot[27], entona un canto melancólico y suavísimo, y entre las ráfagas de luz que reverberan las arenas cruzan diáfanos como el ámbar miríadas de pájaros y de insectos con ropajes de oro y azul, de crespón y esmeraldas.

VII

Todo convida al descanso. Pulo y Siannah, después de refrescar sus labios con algunas de las deliciosas frutas del bosque, apagan su sed en las cristalinas ondas que corren, produciendo al besar las orillas un ruido manso y melancólico, semejante al arrullo de una tórtola. Al agradable son de las aguas y de las hojas que se agitan como abanicos de esmeraldas sobre sus cabezas, recuerdan en dulces coloquios, y con esa especie de satisfacción con que se menciona el peligro pasado, las mil aventuras de que han sido héroes durante su peregrinación, los países que han recorrido, las maravillas que, como un panorama magnífico, se han desplegado a sus ojos. Forman proyectos sobre el porvenir y sobre la felicidad que les espera cuando hayan cumplido la expiación, próxima a satisfacerse. Sus palabras se atropellan llenas de un fuego y de un calor vivísimo. Después va poco a poco languideciendo su diálogo; diríase que

[26] Palabra árabe, muy usada en poesía, que designa cierto pájaro de la familia de los picnonótidos. Algunos orientalistas defienden el origen persa de esta voz, que significaría ruiseñor.

[27] «Coripha parasol». Árbol de enormes hojas, usadas como parasoles.

hablan una cosa y piensan otra. Por último, algunas frases vagas e incoherentes preceden al Silencio, que, con un dedo sobre el labio, se sienta a la par de los amantes sin ser sentido.

VIII

El sol cae a plomo sobre la gran llanura. La frente del príncipe descansa sobre las rodillas de su esposa. Todo a su alrededor calla o duerme. En los países tropicales, el mediodía es la noche de la naturaleza. Sólo interrumpen esta calma profunda el grito breve y agudo del bengalí[28], el zumbido monótono y tenaz de los insectos que voltean en el aire, brillando a la luz del sol como un torbellino de piedras preciosas, y la acelerada respiración de Siannah, respiración sonora y encendida como la del que sueña embriagado con opio. Los peregrinos permanecen en silencio. ¿Qué ideas cruzan por su mente?

IX

Hay momentos en que el alma se desborda como un vado de mirra que ya no basta a contener el perfume; instantes en que flotan los objetos que hieren nuestros ojos, y con ellos flota la imaginación. El espíritu se desata de la materia y huye, huye del vacío a sumergirse en las ondas de luz, entre las que vacilan los lejanos horizontes.

La mente no se halla en la tierra ni en el cielo. Recorre un espacio sin límites ni fondo, océano de voluptuosidad indefinible, en el que empapa sus alas para remontarse a las regiones en donde habita el amor.

Las ideas vagan confusas, como esas concepciones sin formas ni color que se ciernen en el cerebro del poeta; como esas sombras, hijas del delirio, que nos llaman al pasar y huyen, nos brindan amor y se desvanecen entre nuestros brazos.

[28] Pequeño pájaro que habita en las regiones intertropicales del antiguo continente. Tiene el pico cónico, puntiagudas las alas, delgadas las patas y se adorna de vivos colores.

Pulo es el primero que interrumpe el silencio.

—¡Cuán dulce es —dice— percibir el aliento de la mujer que se ama, ese aliento que se escapa de unos labios encendidos, atropellándose en ellos como olas de ambrosía que vienen a expirar sobre una playa de rubíes! Si me fuera posible, ¡oh hermosa Siannah!, explicarte lo que el murmullo de tu espiración me dice... Suena en mi oído como una voz insólita que murmura palabras desconocidas en un idioma extraño y celeste. Me recuerda los días de mi infancia, aquellas horas sin nombre que precedían a mis sueños de niño, aquellas horas en que los genios, volando alrededor de mi cuna, me narraban consejas maravillosas que, embelesando mi espíritu, formaban la base de mis delirios de oro. ¿No es cierto, hermosa mía, que hasta el aroma que precede al objeto de nuestro amor, el tenue y débil crujido de su túnica, tienen palabras, dicen algo que los demás no comprenden?

XI

Siannah calla; sus labios entreabiertos y rojos dejan escapar suspiros ardientes, y en su pupila húmeda, azul y dilatada, brilla un punto luminoso semejante al reflejo de una estrella en un lago[29].

—Pulo —exclama al fin, como volviendo de un éxtasis que

[29] Como observa Gamallo Fierros *(Del olvido...,* cit., pág. 513), la imagen de la pupila azul relacionada con efectos luminosos está formulada por primera vez en *El caudillo de las manos rojas.* Luego pasará a formar parte de la rima XIII (29), la primera de Bécquer, que apareció el 17 de diciembre de 1859 en las páginas literarias del semanario *El Nene.* Los puntos de semejanza entre el pasaje de la leyenda y la última estrofa de la rima son innegables:

> Tu pupila es azul, y si en su fondo
> como un punto de luz radia una idea,
> me parece en el cielo de la tarde
> ¡una perdida estrella!

la hubiese alejado por algunos instantes de la tierra—, ¿es cierto que existe un árbol cuya sombra causa la muerte?[30].

—Es cierto —responde el príncipe—. El dios Shiwen lo creó para destruir a los mortales, y su hermano Vichenú, apiadándose de nuestra infelicidad, se lo dio a conocer a Bracma, su elegido.

Siannah vuelve a su muda agitación. Su esposo, en tanto, la contempla con un sentimiento de ternura indescriptible.

XII

—Pulo —exclama a los pocos instantes la hermosa—, ¿es verdad que existe un árbol cuya sombra agita la sangre en las venas y enciende el amor?

—Sí.

—¿Lo conoces?

—Lo conozco, aun cuando ignoro su nombre. Mas... ¿por qué me haces esa pregunta tan extraña?

—No sé... la sombra de este bosque me hace mal... Prosigamos nuestra jornada.

—¡Proseguir, cuando el sol abrasa las arenas! Esperemos a que la brisa de la tarde se levante del golfo y la luz comience a palidecer.

—Esperemos —murmura Siannah—; pero, entre tanto, aparta tus ojos de los míos, vuélvelos al cielo o duerme; mas no me los claves en el alma.

[30] Se refiere Béquer el açoka, árbol mítico de la India que, según los libros sagrados, causa la muerte a quienes se cobijan bajo su sombra. Aparece, como hemos indicado, en los libros sagrados hindúes. En el *Ramayana* existe un monte de açokas donde Ravana, rey de los Rakshas, pretende seducir a Sita y donde el príncipe Rama y su amada Sita mantienen diálogos amorosos. En el *Mahabarata* también figura, precisamente en el episodio de *Nala y Damayanti*, cuyos protagonistas —que coinciden con los nombres del título—, peregrinos y amantes como los héroes becquerianos, recorren la espesura de un bosque.

XIII

—Bien dices. Mis ojos en los tuyos beben amor, y nuestro amor, casto y puro otras veces, ahora es un crimen. Sí, es necesario que no te vea... Siannah, voy a dormir. Cántame algún himno de nuestra patria, arrulla mi sueño como una madre, ya que no como una esposa.

La beldad de las trenzas de ébano canta:

I

¡Guerreros! Las espadas de la tribu tienen sed, y la sed de las espadas se templa con sangre.

Un torrente de fuego desciende del Jabwi. Esas centellas que brillan entre la nube de polvo que levantan son los hierros de nuestros enemigos.

Traedme el escudo reforzado con las siete pieles de búfalo y rodead a mi casco el schal amarillo, para que no me desconozcan en la confusión de la pelea.

¡Guerreros! Las espadas de la tribu tienen sed, y la sed de las espadas se templa con sangre.

II

Allá van, semejantes a...

Al llegar aquí, Pulo se incorpora y Siannah se detiene en su canto.

—¿Por qué —exclama el príncipe— no escucho ahora las canciones de mi patria con el placer de otras veces? ¿Será que ya no alienta en mi pecho el corazón de un Dheli, o acaso que los himnos de guerra no se han hecho para que los recite una hermosa?

125

—Entona un canto de amor, uno de aquellos himnos que al son de los címbalos alzan las vírgenes cuando conducen a una joven esposa al pie de las aras.

—¡Pulo!...

—Canta, no temas; yo dormiré tranquilo, arrullado por el eco de tu voz, el suspiro de la brisa y la música de las aguas.

Siannah canta. Su voz tiembla y su pecho se eleva acompasadamente, como un ola que se hincha coronada de espuma.

La vuelta del combate

Canción

I

El combate ha terminado con el día, y el caudillo está ya en presencia de su adorada.

La Virgen.—Caudillo, reclina tu frente sobre mi seno, que quiero beber en ella el sudor y el polvo de la gloria.

El Caudillo.—Virgen, apoya tus labios sobre los míos, que quiero beber en ellos la muerte en una copa de rubí.

II

La Virgen.—¡Alma de la creación! ¡Hijo de Bermach! ¡Genio de las setenta alas! ¡Amor, divino amor! Desciende en brazos del misterio y de la noche a coronar con tu aureola a los que arden en tu llama.

El Caudillo.—¡Espíritu invisible! ¡Aliento del alma generosa! ¡Esperanza del guerrero! ¡Amor, ardiente amor! Abandona un instante el alcázar de los dioses para poner una guirnalda de rosas sobre la corona de laurel del caudillo.

La Virgen.—Caudillo, reclina tu frente sobre mi seno, que quiero beber en ella el sudor y el polvo de la gloria.

EL CAUDILLO.—Virgen, apoya tus labios sobre los míos que quiero
beber en ellos la muerte en una copa de rubí.

III

LA VIRGEN.—Tu aliento humea y abrasa como el aliento de un vol-
cán. Tu mano, que busca la mía, tiembla como la hoja en el árbol. La
sangre se agolpa a mi corazón, rebosa en él y enciende mis mejillas.
Un velo de sombras cae sobre mis párpados. Todo se borra y se con-
funde ante mis ojos, que no ven más que el fuego que arde en los
tuyos. Caudillo, ¿qué espíritu invisible llena el aire de melodiosos acor-
des y me estremece a su contacto?

EL CAUDILLO.—Virgen, es el amor que pasa[31].

XV

El canto de Siannah expira, y con él, suave y armonioso, el
rumor de un beso.
¿Qué son los vanos castillos que eleva la voluntad del hom-
bre para combatir las funestas armas de que se vale la fatali-
dad? Montes de arena que, como los de la gran llanura de Ne-
paul, asombran al viajero y un soplo del huracán los arrebata.

CAPÍTULO IV

I

—Hijo mío —dice Schiwen al Sueño—, baja a la tierra y sé el
mensajero de mis iras.
El Sueño, hijo de la tumba, levanta a esta voz la frente, en-

[31] Las afinidades de este pasaje y la rima X (46) han sido puestas de mani-
fiesto por numerosos críticos. Para un análisis de la rima en relación con la to-
talidad de la obra de Bécquer, cfr. J. M. Díez Taboada, «La Rima X de G. A.
Bécquer», en *Boletín Cultural de la Embajada Argentina*, núm. 2, Madrid, marzo
de 1963, págs. 5-23.

treabre los soñolientos ojos y agita sus noventa manos, en cada una de las cuales tiene una copa llena hasta los bordes de un licor soporífero.

—¿Qué me quieres, realidad de mi símbolo, padre que me diste el ser para que sirviera de eslabón invisible entre lo finito y lo infinito, entre el mundo de los hombres y el de las almas, sirviendo para bajar las potencias del cielo y elevar las de la tierra hasta que se toquen en el vacío, que es el lugar de mi soberanía?

II

Schiwen continúa de este modo, dirigiéndose a su imagen:

—Hace algunos momentos pensaba en llevar a cabo la destrucción del príncipe que usurpó un día el cetro de la muerte; mas en vano buscaba la ocasión de herirle; en vano, porque Vichenú, mi orgulloso antagonista, le defendía bajo el inmenso escudo con que oculta los hombres a mis ojos cuando éstos se encienden en cólera y arrojan rayos que arden y matan. De repente oí un zumbido a mi alrededor. Torné el rostro. Un mundo nuevo, un joven planeta, se adelantaba hacia mí, trazando su círculo en el vacío, fascinado e inocente como el ave atraída por el boa.

III

»De su seno brotaba un raudal de armonías que llenaban el vacío, dilatándose en él como los círculos en un lago donde se arroja una piedra. Envuelto en un flúido ardiente y luminoso, rodando entre mares de colores y sonidos, su alegría y su gloria parecían insultar mi terrible poder. Levanté la mano. El aire de ésta, desquiciándolo de sus órbitas, lo ha herido de muerte. Incorpórate y tiende los ojos sobre las inmensas llanuras del cielo: verás a Vichenú, que corre en pos de él para arrancarle a la inmensa tumba de los astros, volviéndole a la vida...

128

IV

»He aquí el momento oportuno para mi venganza. El príncipe faltó a su promesa y ahora está abandonado por mi funesto enemigo. Refresca su ardorosa frente con tus alas y aguarda la ocasión propicia para derramar sobre sus párpados un sueño precursor del sepulcro, un sueño de agonía y ansiedad, de esos que ciñen la garganta con sus manos de acero y pesan sobre el corazón como una montaña de plomo.

V

El Sueño tiende las alas de tul y abandona la selva donde vive, en un alcázar de ébano escondido entre la flotante sombra de los aloes[32].

El Silencio lo precede, y sus hechuras le siguen en grupos fantásticos. Éstos se agitan y confunden entre sí, dando ser a nuevas y rápidas metamórfosis[33], locos delirios, embriones de confusas ideas, semejantes a las que produce en mitad de la fiebre una imaginación débil y sobreexcitada.

VI

La silenciosa caravana llega a las orillas del Ganges y al lugar en que el príncipe descansa. Éste experimenta, primero, una languidez voluptuosa; después, un entorpecimiento general, y, por último, sus párpados caen con el peso del plomo sobre sus pupilas, como una losa fúnebre sobre un sepulcro. El sueño ha vertido sobre ellos una gota del licor que contiene su misterioso vaso de ópalo.

[32] Plantas perennes, de hojas largas y carnosas, que nacen en la parte baja del tallo. Éste termina en espiga de flores rojas o blancas.

[33] Para mantener la musicalidad de la prosa, respetaremos, como en cántiga e intérvalo (que aparecerán más adelante), la acentuación becqueríana.

VII

Cuando la materia duerme, el espíritu vela. En tanto que el cuerpo del caudillo permanece inmóvil y sumergido en un letargo profundo, su alma se reviste de una forma imaginaria y huye de los lazos que la aprisionan para lanzarse al éter; allí le esperan las creaciones del Sueño, que le fingen un mundo poblado de seres animados con la vida de la idea, visión magnífica, profética y real en su fondo, vana sólo en la forma. Oíd, según la tradición la conserva, la visión del caudillo.

VIII

La noche es oscura. El viento muge y silba, sacudiendo las gigantes ramas del boabad de las selvas. Los genios blanden sus cárdenas espadas de fuego sobre las nubes, en que se les ve pasar cabalgando. El trueno retumba, dilatándose de eco en eco en los abismos de las cordilleras. La lluvia azota el penacho de las palmas, y confundiéndose con los sordos mugidos de la tormenta, el prolongado lamento del vendaval y el temeroso murmullo de las hojas del bosque, se escucha por intérvalos un rugido lejano, ronco y estridente, que parece formarse en la cavidad de un pecho de bronce.

IX

Un bracmín, al atravesar en tal noche y a tal hora aquella selva, no hubiera podido menos de dirigir sus plegarias al dios destructor, cuyo triunfo parecía acercarse, equivocando aquellos quejidos de la naturaleza con las profecías de los blancos fantasmas de sus antepasados, que rompían el secreto del sepulcro para enseñarle el camino de la muerte.

X

De cuantos guerreros se rodean el schal amarillo a la cintura en las fiestas y a la frente en el combate, sólo el caudillo de Orisa tendría el valor necesario para arriesgarse en sus agrestes y enmarañados senderos con una noche tan terrible.

XI

Pulo se adelanta, con el arco tendido, la flecha pronta y el puñal entre los dientes; Siannah le sigue, pálida la color, el cabello erizado y el paso temeroso.

—¿Oyes —dice al príncipe—, oyes esa voz que resuena en la espesura?

—Es el viento, que azota los palmares —responde el caudillo, lanzando, a pesar suyo, una mirada escudriñadora a través de los añosísimos troncos de aloes que bordan las lindes del sendero.

XII

Los esposos prosiguen caminando, y la tempestad haciéndose cada vez más terrible.

—¿Oyes ese rumor que se eleva por grados a nuestra espalda? —interrumpe de nuevo la hermosa.

—Es la lluvia, que agita las lianas —añade el príncipe, armando la flecha y cubriendo a Siannah con su cuerpo.

—¿Oyes? —vuelve ésta a interrumpir—. Alguien respira alrededor nuestro.

—Échate en tierra —grita Pulo de repente—. El tigre va a saltar sobre nosotros.

XII

Dos llamas fosfóricas brillan en la oscuridad.

La flecha del príncipe parte. A su áspero silbar responde un rugido[34] ahogado y profundo. El tigre salta. Pulo arroja el arco, se cubre con el escudo de pieles, dobla una rodilla, esconde el rostro y lo espera con el puñal en la diestra. Siannah está desmayada y oculta con el manto del guerrero, a cuyos pies yace.

XIV

La lucha se traba.

Pulo hunde una y cien veces su puñal en el pecho y el vientre del tigre, que en su agonía pugna aún por lanzarse sobre su adversario. Éste, cubierto con el escudo, ha podido evitar su ataque merced a esa ligereza y sangre fría patrimonio de los hombres avezados a los peligros y a la muerte. Pero ya la temible fiera ha lanzado el último y ronco estertor revolcándose entre el polvo y la sangre que brota de sus heridas cuando el príncipe levanta los ojos al cielo, sorprendido por un extraño fenómeno.

XV

La lluvia ha cesado. El huracán y el trueno han enmudecido. Al brillante y súbito resplandor de los relámpagos sucede una claridad tenue y azulada, una luz indecisa, semejante al primer albor de un día sin sol y sin aurora. Las aves, que se habían guarecido de la tempestad bajo los pabellones de verdura de la selva, llenas de gozo a su vista, quieren alzar el vuelo y entonar su canto; pero la voz se ahoga en su garganta, y caen a

[34] *rugido: rugido* (RC), *mugido* (RB). Preferimos *rugido* ante lo que consideramos una errata en el texto periodístico.

tierra heridas de muerte por una mano invisible. Los gigantescos árboles se agitan y, retorciéndose como a impulsos de una horrorosa convulsión, comienzan a alfombrar el suelo con las pálidas hojas que se desprenden de sus ramas, como se desprenden los cabellos de la cabeza de un anciano. Las verdes lianas que se mecieran al soplo del viento, suspendidas en el tronco de los antiguos reyes del bosque, pierden el color y la frescura, arrugándose sus tersas flores como un pergamino que se acerca al fuego. Diríase, al contemplar este asombroso espectáculo, que un tósigo mortal, circulando en el aire o levántandose en imperceptibles efluvios de las entrañas de la tierra, había envenenado la atmósfera, y con ella al mundo.

XVI

El caudillo, lleno de estupor, vuelve en torno suyo la mirada. Por todas partes le persiguen aquellas imágenes desoladoras; pero lo que más asombro le causa es el ver el sangriento cadáver del tigre estremecerse, y poco a poco, perdiendo sus primitivas formas, ir tomando, merced a una inconcebible transformación, las de una serpiente.

—Ya no me queda ningún género de duda —exclama—. Schiwen desea mi muerte. Reconozco en ese reptil al ministro de su cólera. ¡Oh! ¡Que yo no fuera un dios para luchar con los dioses!... Mas no importa; mortal miserable como soy, venderé cara mi vida.

XVII

El temible reptil crece con una rapidez prodigiosa. Su longitud es ya treinta veces mayor que la del boa[35] secular, que se despierta de dos en dos lunas sobre las márgenes del Sitpuri. Sus ojos redondos, fijos y fascinadores, están clavados en los del caudillo. Éste, presa de un vértigo y con ese arrojo sin lími-

[35] Bécquer, precursor del modernismo, se adelanta aquí a Rubén Darío y prefiere el masculino.

tes que presta la desesperación en sus momentos supremos, arroja lejos de sí el tresdoblado escudo, inútil para aquel combate, y desnuda por segunda vez su puñal.

XVIII

La gigantesca serpiente comienza a replegarse sobre sí misma, lanzando un silbo áspero y agudo. El príncipe, sin aguardar a que le acometa, se arroja a su cuello, tan grueso como el de una palma colosal, y hace esfuerzos inauditos por herirla. ¡Imposible! Las aceradas escamas que la cubren y defienden son impenetrables como la concha de las tortugas de Jawkior.

Ya el reptil, aprisionándolo entre sus anillos de bronce, lo estrecha y comienza a ahogarle; ya el puñal se ha escapado de sus manos desfallecidas y el velo de la muerte se extiende ante sus ojos, cuando una flecha disparada de las nubes baja silbando y traspasa los de la serpiente.

XIX

Un furor terrible se apodera de ésta, que desasiéndose del ya casi inanimado cuerpo de Pulo, busca a ciegas a su celeste enemigo.

La punta de diamante de una segunda flecha pone fin a su agonía con la muerte.

El caudillo, recobrado de su estupor, puede entonces contemplar, no sin sentirse sobrecogido de una emoción profunda de gratitud y respeto, al que es deudor de la vida.

Vichenú, cubiertas las espaldas con un manto de pieles, el arco tendido aún y el carcaj de las flechas de diamante sobre el hombro, está a su lado, de pie. La frente del dios toca a las nubes, y su sombra es inmensa, como la que arroja el Himalaya sobre las llanuras al ocultarse el sol en los confines del Océano.

XX

—¡Caudillo! —exclama el antagonista de Schiwen con acento airado—. ¿Para qué subiste a la sagrada gruta del Jabwi? ¿Para qué interrogaste a las limpias aguas de su manantial, si las revelaciones celestes han sido inútiles, si al cabo habías de romper tu juramento, como se rompe la flecha sobre la rodilla en prenda de paz entre dos enemigos?

Pulo enmudece. El rubor de su falta colora sus bronceadas mejillas y ahoga su voz. Vichenú continúa de este modo.

—Inmensa como la imprevisión de los hombres es la bondad del cielo. He aquí por qué me he apiadado de tus culpas. Inútil es ya que busques las fuentes del Ganges. Cada grano de arena que cae en la medida de la culpa debe añadirse a la del castigo. El que te impuso el solitario de Jabwi es ya insuficiente para lavar tu alma.

XXI

—Si un solo momento de olvido desvaneció como el humo cuanto había logrado merecer con mi arrepentimiento, ¿qué haré para lavar mi culpa? —exclamaba el príncipe.

—Levántate —prosigue el dios—, toma tu arco, descálzate las sandalias y, abandonando las orillas del Ganges, vuelve sobre tus pasos hasta llegar a Cutac[36]. Entre las arenas de sus costas duerme, en el seno del olvido, un templo que en mi honor levantara un día tu glorioso antecesor, cuando, protegido por mi escudo, llevó hasta allí sus huestes invencibles. Sobre los peñascos en que se estrellan las encrespadas olas tiene su nido un cuervo. Sube a preguntarle el lugar en que el templo

[36] He aquí un ejemplo de vacilación ortográfica, entre otros que se podrían seleccionar. Con Cutac, Bécquer se acerca más al topónimo real (Cuttak). Como indica Rubén Benítez, el cambio de Kattak por Cutac puede ser debido a la elección de otra fuente, ya que se inicia a partir de este punto el desarrollo de la tradición del Jaganata. Cfr. ed. *Leyendas...*, cit., pág. 89.

se oculta. Éste lo conocerás por los fuegos que durante la noche voltean sobre sus ruinas, y a aquél, por su cabeza blanca.

XXII

Vichenú desaparece. Los árboles recobran su lozanía, la liana su verdura, los pájaros su voz, y a la indecisa y cárdena luz del cielo sucede el tranquilo y suave esplendor de una noche estrellada y llena de armonía, perfumes, suspiros y cantares.

El príncipe se incorpora y corre al lugar en que Siannah permanece desmayada y oculta bajo los pliegues del manto de su esposo. Levanta éste, y de sus labios se escapa un grito de sorpresa y ansiedad.

Siannah no está allí. Siannah ha desaparecido.

XXIII

En aquel punto, el Sueño tiende las alas y abandona al príncipe. Éste, convulso y pálido aún, despierta de su pesadilla, busca a su esposa, en cuyo seno se había dormido, y no la encuentra.

El sol, recostado en un lecho de púrpura y de oro, como un rajá en su alfombra de colores, lanza a la tierra el último rayo de sus entreabiertos ojos. La naturaleza comienza a despertarse de su sueño del mediodía. Las brisas de la tarde, impregnadas en murmullos y perfumes, juguetean con el cáliz de las flores, que se abren a sus besos. Las aguas del Ganges, copiando en sus linfas transparentes la vigorosa vegetación de sus riberas, alzan un himno melancólico, al que se unen las aladas y suaves notas de los pájaros, que despiden al día con un dulcísimo y triste adiós.

XXIV

—Siannah —dice el caudillo con voz ahogada por el llanto—, Siannah, esposa mía, ¿dónde estás que no me oyes? Sian-

nah, inseparable compañera de mi dolor y mi infortunio,
¿quién te arrancó de mi lado para robarme la única felicidad
que me restaba en la tierra? ¡Oh! Vuelve, vuelve, hermosa mía;
sin ti mi vida será una noche sin aurora, un llanto sin lágrimas.

XXV

Solo el eco responde al enamorado Pulo que, presa de un
loco frenesí, corre de nuevo a las orillas del Ganges, busca en
la arena la huella de su esposa y vuelve a llamarla por su nom-
bre cien y cien veces; todo es inútil. La noche borra del cielo
los colores, y las nubes, las estrellas, mudos testigos de los pe-
sares y la felicidad de los amantes, aparecen unas tras otras ro-
deadas de un ligero cendal de bruma, y Siannah no aparece.

XXVI

—Insensato —dice una voz que resuena en el viento, sin
que se vea la boca de donde parte—, ¿qué vas a hacer?
El caudillo, que ha desnudado el puñal para asestarlo contra
su pecho, se detiene sobrecogido y escucha estas palabras:
—Si mueres, nunca la tornarás a ver; si conservas tu vida y
cumples cuanto te he dicho, la mancha de sangre de tus manos
desaparecerá para siempre y encontrarás de nuevo a tu esposa.
Los sueños son el espíritu de la realidad con las formas de la
mentira: los dioses descienden en él hasta los mortales, y sus
visiones son páginas del porvenir o recuerdos del pasado.
La voz que detiene al príncipe es la Vichenú, que se le había
aparecido en sueños.

Capítulo V

I

El príncipe, después de un año de peregrinación, llega al fin
al término señalado por el genio. Éste, durante las jornadas, fi-

137

jos los ojos sobre su protegido, ha velado día y noche por su vida hasta dejarlo en Cutac.

II

La aurora rasga el velo de la noche; de sus trenzas de oro se desprende el rocío en una lluvia de perlas sobre las colinas y las llanuras; los horizontes del mar se encienden, y las crestas de sus olas brillan como las escamas de la armadura de un guerrero en un día de combate; de las flores, húmedas aún con las lágrimas del crepúsculo, se eleva al cielo una columna de aromas en emanaciones, perfumadas emanaciones que los genios, cruzando sobre las nubes celestes y ambarinas, recogen con las matinales plegarias de los bracmines para depositarlas a los pies de Bermach, autor de la maravillosa máquina de los mundos.

III

Pulo se ha sentado sobre una de las rocas que erizan en aquella parte del reino de Cutac las extensas playas del Océano. Su pensamiento está dividido entre su esposa y su conciencia.

—Ya se aproxima —dice— la hora del perdón; unos esfuerzos más, y me hallo en presencia del ave misteriosa que Vichenú ha escogido para intérprete de sus designios. ¡Dios, que conservas cuando existe, apartando las tempestades y la muerte de la cabeza de los hombres, no interpongas tu poder entre mi corazón y la flecha de los guerreros, entre mi vida y las garras del tigre o los anillos del boa gigante; pero defiéndeme contra mí mismo, arráncame el amor y la conciencia, cuyos golpes matan sin que se vea la mano que los dirige!

IV

El sol se va levantando pausadamente del seno del mar y remontándose por la cumbre del firmamento. El caudillo, después de lavarse por siete veces las manos y los sangrientos pies, recitando algunas oraciones misteriosas, emprende una difícil ascensión para llegar a la cima de las colosales rocas, cuya frente han ennegrecido los rayos y las tempestades, cuyas plantas besan o azotan las hirvientes olas del Océano.

V

Después de trepar por espacio de una hora, asiéndose a los arbustos y malezas que crecen en las aberturas de las peñas, el príncipe consigue, al fin, encontrarse en la cumbre del promontorio.

En una de las rocas de granito que coronan su cúspide hay una hendidura, y en el fondo de ésta le parece distinguir las formas confusas de un ave, que fija en los suyos dos ojos que brillan en la oscuridad con una luz fantástica.

VI

—Ave de los dioses —prorrumpe Pulo, cayendo de rodillas ante el aéreo nido del cuervo de la cabeza blanca—, ave misteriosa, bajo cuyo negro plumaje vivió por espacio de tres siglos el poderoso Vichenú, logrando con este ardid evitar la muerte que el dios de la destrucción le aprestaba: heme aquí esperando tus palabras, como los tulipanes agostados por el fuego del día esperan las gotas del rocío de la noche.

VII

El cuervo, abandonando su guarida, se abate sobre una de las enhiestas rocas, y después de agitar sus alas por tres veces, dice así al caudillo, que lo escucha en silencio y con la frente humillada en el polvo:

—Señor de Orisa, poderoso descendiente de los Dheli, conquistadores de la India y protegidos de Vichenú: sé lo que vienes a preguntarme; así, es inútil que me lo refieras. El templo que buscas se halla lejos de este lugar; sigue mis pasos y te mostraré el sitio en que se emperazán las excavaciones.

VIII

El cuervo de la cabeza blanca se remonta en los aires, dejándose caer al pie del promontorio, donde espera a que baje el caudillo. Cuando éste toca al término de su descensión, el ave misteriosa emprende la marcha, caminando a saltos pequeños y sin abandonar la costa en que viene a romperse el oleaje de crestas de oro.

Prosiguen durante todo el día sin abandonar la ribera, blanqueada por la espuma, y cuando ya el sol desciende al seno de las ondas, rodeado de espesos y rojos celajes, el alado guía se aparta de las playas, internándose tierra adentro, a través de un pantano cenagoso y cubierto de juncos verdes y altísimos.

IX

Las nubes, amontonándose en el Occidente, envuelven el cadáver del sol en un sudario de brumas antes que descienda a su sepulcro.

La noche se adelanta; una noche sin astros y sin transparencia; la brisa murmura la oración de los muertos, sollozando melancólica entre los espesos juncos; el perfume de las flores que se abren en la sombra vaga en el espacio; el grito del cha-

kal y el silbo de las aves nocturnas resuenan confundiéndose con esos rumores siniestros y misteriosos que nacen, tiemblan y se dilatan en el seno de la oscuridad, sin que podamos decir quién los produce.

—Ave inmortal —exclama Pulo, deteniéndose en su camino—, he aquí que la noche se ha apoderado de la tierra y que en balde procuro seguirte, pues la sombra te ha robado a mi vista.

El grito del chakal se oye cada vez más próximo; tú sabes que no le temo; mas estoy sin armas y, por lo tanto, inhábil para defenderme de sus traidores ataques.

Volvamos atrás y esperemos al día para proseguir nuestra jornada. Temerario valor juzgo el de aquel que arriesga su vida contra enemigos que no puede exterminar o vencer; si al menos la luna brillara en el cielo, su luz me guiaría a través de este pantano, donde a cada paso que doy temo encontrar la muerte, sepultándome en sus aguas cenagosas e inmóviles.

X

—No temas —responde el cuervo—; el dios que nos envía cuidará de nosotros desde su elevación. He aquí la manera de salir con bien de este peligro: las llanuras que vamos a atravesar presenciaron la derrota de tu padre. Schiwen, celoso del culto que éste rendía en el templo que nos dirigimos al genio que te protege, reunió en su daño a los guerreros de Cutac y de Lahorre, que, ardiendo en sed de venganza contra su vencedor, se juntaron entre las sombras de la noche para afilar las espadas que habían de herir a los predilectos de Vichenú.

XI

»Un día, tu padre abandonó el templo para dirigirse a las selvas que se extienden al pie de la colina en cuya cumbre está oculto; de pronto, una nube de polvo blanca e inmensa, que elevándose de la parte de oriente oscurecía la luz del sol, atrajo su curiosidad. "¿Qué nueva y numerosa caravana de peregri-

nos será la que se aproxima al templo de mi dios?", dice volviéndose a uno de los pérfidos rajás portadores de su escudo y su aljaba.

XII

»Éste, lanzando a sus compañeros una mirada de inteligencia, respondió al victorioso rey con la sonrisa en los labios: "¿Quién sabe cuál será el remoto país que envía este enjambre de peregrinos? La fama del asombroso templo de Cutac, corre de boca en boca hasta los más remotos confines del mundo." Tu padre, después de fijar nuevamente las miradas en aquella nube de polvo que se aproxima, y de la cual brotan centellas de fuego, exclama con voz terrible:

XIII

»..."¿Qué es esto? Los toscos *yaids* de los peregrinos llamean al rayo del sol como las armaduras de los guerreros de Lahorre. ¿Oís? En las alas del viento llega confuso el eco de la terrible y bárbara armonía de sus trompas de guerra. ¡Oh! Ya no me queda duda: el enemigo que hollé a mis pies se endereza como la víbora para morderme en ellos. No importa; veremos si los caudillos de Lahorre han aprendido de nuevo a vencer, tras tantos años de acostumbrarse a huir.

XIV

»"Valientes —prosigue, hablando, dirigiéndose a los que le acompañan—, dadme el arco y el escudo, desnudad vuestros aceros y que las roncas bocinas de plata convoquen a mis huestes con sus bramidos." Eldi Salek, uno de sus traidores capitanes, por toda respuesta, le hunde en el pecho su misma espada, de que era portador, y blandiéndola después en los aires en ademán de triunfo, prorrumpe a voces: "¡Ánimo, compañeros de esclavitud! ¡Ánimo, domeñados ejércitos de Cutac y La-

horre, desvanecidos un día al soplo del tirano como al del huracán el humo! ¡Ánimo! ¡Nuestro país es libre!"

XV

»En tanto, el infelice rey, revolcándose en su sangre, intenta en vano llamar en su socorro; la voz se ahoga en su garganta; hace una postrer tentativa para incorporarse, y cae a tierra muerto y con los puños crispados y tendidos hacia las bárbaras huestes, que se adelantan al bélico y rudo compás de sus instrumentos de bronce.

XVI

»Los sacerdotes de Vichenú se aperciben de la sorpresa y, subiendo a las altas torres de la pagoda, llenan el ámbito de los aires con los terribles bramidos del caracol sagrado, al que responden en la llanura las bocinas de marfil de los guerreros de tu padre.

XVII

»"¿Dónde está nuestro caudillo, que no corre como el león al combate? ¿Por qué no vuela en la primera fila su manto de púrpura y el schal amarillo que ciñe su frente?" "¡Mi dueño!", exclaman los valientes conquistadores de Cutac, y ninguno sabe decir dónde se encuentra el señor de Orisa, que no responde al rumor de la batalla con el grito de guerra.

XVIII

»Los enemigos se adelantan, la llanura gime bajo el peso de sus carros y elefantes de guerra y el eco de los lejanos montes repite sus salvajes alaridos. Suena la señal del combate y de la muerte. Los defensores de Vichenú expiran uno a uno al rigor

del acero; el templo del dios es presa de las llamas, y con él la naciente ciudad que en sus inmediaciones levantó el rey de Orisa en honor del benéfico genio de Allab-abad.

XIX

»Cuando llegó la noche, la expirante llama del incendio, arrojando sus temblorosos círculos de luz y de sombra sobre la llanura, chispeaba en el casco de los valientes que habían sucumbido a los golpes de Schiwen y que yacían entre el polvo cubiertos de sangre y de gloria.

»Un hondo silencio reinaba en el que fue teatro de la sangrienta lucha, silencio que sólo interrumpía el imponente estruendo de los muros al desplomarse abrasados por las silbadoras llamas, o el ronco grito del chakal que, ofuscado por el ardiente resplandor del fuego, rugía en su cueva, temeroso de lanzarse sobre los cadáveres insepultos.

»Los vencedores abandonaron con el día la llanura, donde desde esa época nadie osa poner la planta, temiendo el enojo de Schiwen, que quiso tener en aquellos lugares un templo de ruinas habitado por la soledad y el espanto.»

XX

Pulo escucha, sobrecogido de un religioso pavor, la historia del sangriento combate en que su padre perdió la vida, historia que en su país cantan las bayaderas al son de los címbalos, pero cuya terrible sencillez nunca había arrancado una lágrima tan ardiente a sus ojos cual la que entonces rodó abrasadora sobre su mejilla.

XXI

El cuervo prosigue así:
—¿Ves allá, entre los espesos cañaverales, encenderse una llama ligera y cárdena, que vacila y corre sobre el haz de las fé-

tidas aguas del pantano? Más lejos, al pie de la colina, donde a la sombra de un bosque sombrío se levanta un grosero sepulcro, formado de piedras toscas e irregulares, ¿ves cómo se desarrolla el brillante fluido, y vuela sobre la tumba, y se detiene junto a los troncos de los árboles, y se multiplican, subdividiéndose en mil, otras llamas fantásticas, ligeras y de un azulado resplandor?

XXII

»Esos son los espíritus de los valientes que, en defensa del genio que te protege, sucumbieron al golpe de las hachas de Cutac. Dobla en tierra la rodilla, que tu padre va a dejar el seno de la tumba para guiarnos, a través de la noche, del pantano y las sombras de los valientes, al sitio en que, cubiertos de musgo y escondidos entre las hierbas altas y silenciosas, hallaremos los restos mortales, única reliquia del ara de Vichenú.»

XXIII

Pulo se arrodilla, y del tosco sepulcro del bosque se levanta una llama roja que, lanzándose al vacío, comienza a caminar con dirección al ocaso.

El cuervo sigue a la llama, y el príncipe al cuervo. De repente, aquélla se detiene sobre la cumbre de la colina en cuya falda duerme el viento de la noche, suspirando entre las hojas de los árboles. El pájaro de la cabeza blanca tiende el vuelo y, cerniéndose en los aires sobre las ruinas de la pagoda, llama con una voz al caudillo; éste, maravillado y absorto, sube la suave pendiente que conduce al término de su peregrinación.

Capítulo VI

I

—Vuelve a tu reino; derrama tus tesoros y trae en tu compañía los artífices más celebrados que en él encuentres. A la luz del sol durante el día, a la de las antorchas durante toda la noche, que no se dé un minuto de reposo a la ociosidad, fatigando el eco de esos solitarios lugares con el alegre y bullicioso clamor de los trabajadores, a los rudos y sonoros golpes del martillo.

II

»Seis años tienes de término para reedificar la pagoda que llenará al mundo de admiración, y alrededor de cuyas altísimas torres se agruparán las nubes y estallarán las tempestades como en las crestas de las montañas. Sedas hay en Cachemira; oro, en Siam; cedros, en Katay; elefantes en Lahorre, y perlas, en el golfo de Ormuz. Recorre esos países y con sus ofrendas y tus adquisiciones la pagoda de nuestro dios resplandecerá como los astros, flotantes moradas de los genios[37].

—¿Y cómo deberá representar a Vichenú —interrumpe el príncipe—: en traje de cazador como un emblema de sus atributos, o en la figura que tú tienes, y que fue la suya durante algunos siglos?

El cuervo prosigue:

—Cuando hayas puesto sobre la más alta de las torres la última de las piedras que han de coronarla, de la parte de Oriente, y conducido por las olas, llegará a estas riberas el gigantesco tronco de un árbol desconocido para los mortales. Con las sombras de la noche que sustituya al día en que lo encuentres,

[37] Según la edición mutilada de Rodríguez Correa, en este punto se interrumpe la leyenda, reanudándose en la nota 41.

llegará a las puertas de tu palacio un peregrino; acógele en tu morada, lávale los pies y siéntalo a tu mesa.

III

»Este peregrino te dirá que le pidas alguna cosa en pago de tu hospitalidad; ruégale, en nombre de nuestro común protector, que talle su efigie en el tronco del árbol desconocido. Si accede a tus súplicas, dale los útiles que necesite, señálale una habitación apartada en tu palacio, y cuida de no espiar sus operaciones durante la callada noche con una sola e indiscreta mirada; ésta bastaría para que el extranjero desapareciese de tu vista y fueran inútiles cuantos esfuerzos has hecho para adormir tu conciencia y lavar la mancha de sangre de tus manos.

IV

—Tus palabras —exclamó el caudillo— permanecerán grabadas en mi memoria, como el postrer adiós de mi moribunda madre, como el primer juramento de amor de mi adorada Siannah; pero antes de separarnos, quizás para siempre; antes que vuelvas a remontar el vuelo para ocultarte a los ojos de los hombres en la escarpada cumbre de tu roca solitaria, dime, si te es posible o si el secreto de tu existencia puede ser conocido por un miserable mortal: ¿Quién eres tú? ¿Qué espíritu divino te alienta? ¿Por qué teniendo la inteligencia, no del hombre, de los dioses, permaneces bajo la forma de un ave? ¿Acaso el genio que te favorece no tiene poder bastante para concederte cuanto inspire tu deseo o tu ambición?

V

El ave de la cabeza blanca responde:

—Yo era lo que soy, un cuervo; de esto hará ya cerca de seis mil u ocho mil años. Vichenú, vencido por su antagonista Schiwen, huía de astro en astro, a través de los cielos; después

de vagar errante por la inmensidad del vacío, se refugió por último en la tierra. Aun allí le siguió su adversario; ya estaba éste próximo a descubrir sus huellas, cuando el genio de la conservación, viéndome en la cima de un aloe, sacó la esencia que daba la vida a mi forma y se encarnó en ésta, burlando así la vigilancia de su rival.

VI

»Tres siglos transcurrieron, al cabo de los cuales, volviéndome a mi antiguo ser, el dios preguntóme: "¿Qué quieres?" "La inmortalidad." "¿Y qué otra cosa?" "La suprema inteligencia." "¿Sólo eso?" "Y ser hombre." "De hoy en adelante, tus votos serán cumplidos." Y fui hombre inmortal e infalible; viví en el mundo, regeneré las sociedades, escribí leyes y... el pago de mis vigilias, de mis afanes y de mi amor fue tal, que pedí volver a ser cuervo, y aunque después de juzgarme en la tumba, los hombres me han hecho justicia, heme aquí que cuervo soy y cuervo seré hasta la consumación de los siglos.»

VII

—Pero ¿quién eres o quién fuiste? —pregunta el príncipe al ave, que se aleja batiendo sus alas de azabache.

—Lee una inscripción que he grabado con mi pico en la carcomida piedra del ara y lo sabrás —dice ésta in detenerse en su vuelo.

Pulo corre al lugar que acaban de indicarle; efectivamente, lee en la musgosa piedra la siguiente leyenda:

«Ésta es el ara del templo de Jaganata[38]; por inspiración de

[38] Sobre el Jaganata, es conveniente citar las siguientes palabras de M. Lacroix de Marles: «Krishna est adoré sous plusieurs formes: la plus vénérée parmi les Hindous est celle de Jaghernaut, Jagrenat ou Jagannatha, mot qui signifie *Seigneur de la création*. Jaghernaut est une idole de pierre ou de bois, sans bras ni jambes et très-grossièrement travaillée; elle a un temple fameux sur la côte d'Orissa». (*Histoire générale de l'Inde ancienne et moderne depuis l'an 2000 avant J. C. jusqu'à nos jours: (...)*, París, Emler Frères, 1828, pág. 145. Citamos por RB., *op. cit.*,

Vichenú, Bracma dejó la roca donde vive lejos del bullicio del mundo, para mostrárselo a Pulo-Dheli, rey de Orisa, señor de señores, sombra de Dios e hijo de los astros luminosos.»

<p style="text-align:center">CAPÍTULO VII</p>

<p style="text-align:center">I</p>

Dos años han transcurrido.

El templo de Jaganata, o *señor del mundo*, ha vuelto a levantarse sobre sus antiguas ruinas. El mismo día en que se colocó la última piedra en la gigante torre de la pagoda, el mar arrojó en las arenas de su orilla el tronco de un árbol, que los bracmines condujeron sobre sus hombros, y envolviéndole en un manto de púrpura, a la morada del príncipe.

Éste, sentado sobre una alfombra de Persia, aguarda impaciente la hora en que el sol, descendiendo de su carro de oro, se ocultará tras la encendida faja de luz que borda el horizonte del Océano.

<p style="text-align:center">II</p>

La niebla del crepúsculo se levanta del fondo de los silenciosos lagos, y el padre del día se esconde tras las nubes amontonadas en el Occidente, cuando Pulo, que tiene fijos los ojos en la senda que conduce a su palacio, y en el cual nadie aparece, exclama, poseído de profundo desaliento:

—El día huye, la noche vence y el peregrino tarda. Por ventura, ¿habré ofendido nuevamente al dios con mi impaciencia? ¡Mi impaciencia! ¡Ah! cuando de su llegada pende la de mi esposa, y de la terminación de su trabajo la conclusión de mis padecimientos y el perdón de mis culpas, ¿es posible que no

pág. 126). También Jaganata, o Jaganath, es el nombre de la ciudad sagrada de la India donde se erigió el famoso templo, al que se dirigen los peregrinos para venerar la estatua.

ansíe apagar el último rayo de luz que brilla en el ocaso, y traer la noche sobre las llanuras, para que con ella llegue el divino mensajero?

III

—Heme aquí.

El príncipe, sobrecogido al escuchar las anteriores palabras, vuelve el rostro y contempla, lleno de gozo y de ansiedad, al que las ha pronunciado.

El peregrino, que no era otro el que, tocando ligeramente en la espalda de Pulo, respondió a las ideas que formulaba en su mente, prosiguió de este modo, dirigiéndose al príncipe:

—La noche se adelanta; escrito está en los sagrados *Vedas*[39] que el mundo es la patria del piadoso peregrino; las humildes chozas y los maravillosos palacios le deben una plaza en el hogar, en la mesa y en el lecho. Señor de Orisa, ¿querrás darme un asilo en tu morada?

IV

El caudillo responde:

—El esposo, temblando de gozo y de amor, no conduce con tanta alegría a[40] la mujer que ama al hecho nupcial, colgado de púrpura y lino, como yo te llevaré a sentarte en mi hogar, en mi lecho y en mi mesa.

V

El peregrino, conducido por el impaciente señor de Orisa, penetra en el palacio. Las antorchas se encienden, el fuego del

[39] Cada uno de los primitivos libros sagrados de la India, donde se hallan los fundamentos de su religión, su moral y sus costumbres. Son cuatro y según la tradición fueron dictados por Brahma: *Rig-Veda, Sama-Veda, Jadjour-Veda* y *Atharva-Veda*. Cada libro está formado por una colección de himnos versificados en metros diferentes y dedicados a numerosos dioses.

[40] *a: y* (RB.). Corregimos la evidente errata de la edición de RB.

hogar se reanima, y sobre dos magníficos schales de cachemir, los bracmines sirven exquisitos manjares en fuentes de oro al huésped enviado por el cielo. Cuando termina el banquete y las copas de ámbar, coloradas con aromáticos licores, circulan en derredor, vertiendo la alegría y la embriaguez, el peregrino se dirige a Pulo, a quien ya comienzan a turbar los vapores del vino y la abrasadora atmósfera del festín.

VI

—Señor de señores —le dice—, tu copa ha sido la mía. ¿Con qué podré pagarte la hospitalidad que me has dispensado? Habla; tus deseos serán cumplidos.

El príncipe le ruega, siguiendo las instrucciones de Bracma, que esculpa en el tronco que arrojan las olas la imagen de Vichenú. El peregrino accede, y se le proporcionan los instrumentos que desea y la estancia solitaria y apartada que exige.

VII

La pálida reina de la noche sube, serena, por el ancho cielo, derramando un suave y melancólico esplendor, que se quiebra en chispas de plata sobre las crestas de las ondas.

Todo está sumergido en el más profundo silencio cuando el caudillo, despertándose sobresaltado del sueño que a su pesar embargara su espíritu, pasa sus manos sobre su abrasada frente para apartar de ella la bruma de la embriaguez.

VIII

Recuerda cuanto había tenido lugar aquella noche en su palacio y, combatido por la curiosidad y la impaciencia, presta atención por ver si en el silencio de la noche percibe los golpes del martillo y el cincel del escultor.

Ni un lejano murmullo turba la majestuosa tranquilidad de las sombras.

IX

«¿Si embriagado con el vapor de los licores se habrá rendido al sueño, abandonando su obra?», piensa entre sí[41].

Entonces se traba en su alma una lucha entre la curiosidad y el temor, lucha que concluye con el triunfo de aquélla.

Un genio del mal guía sus pasos a través de la noche, y éstos se dirigen, impulsados por una fuerza incontrastable, hacia el lugar en que se encuentra el peregrino.

X

Presta de nuevo atención; nada se escucha. ¿Qué hara? ¡Si fuera posible descubrir este arcano!

Diciendo así, el caudillo de las manos rojas separa las colgaduras de seda y oro que cubren la puerta de la habitación que ocupa el misterioso viajero; un rayo que hubiera caído a sus pies no le asombraría tanto como la escena que se presenta a sus ojos.

XI

El peregrino ha desaparecido.

En mitad del aposento, y al débil resplandor de una lámpara de alabastro, se ve el informe busto de un horroroso ídolo.

La locura en sus fantásticas creaciones, el sueño en sus angustiosas pesadillas, el insomnio en su delirio abrumador no forjaron nunca una imagen tan repugnante y terrible.

XII

No es su rostro el del genio benéfico que protege al príncipe, ese rostro en cuyas facciones se ven grabadas, en armonio-

[41] En este punto prosigue la versión de RC.

sas líneas y rasgos atrevidos, la noble fiereza, la salvaje y varonil hermosura del dios de las selvas, no; la fisonomía de aquella tosca escultura que, sin concluir aún, se presenta a los ojos del aterrado Pulo, tiene algo de infernal y medroso; de su redonda pupila parece pronto a brotar el rayo y la muerte; su dilatada boca está contraída por una sonrisa feroz; todo él revela un genio del mal.

Es la imagen de Schiwen, y no la de Vichenú.

La impaciencia ha perdido para siempre al desgraciado caudillo.

XIII

Éste, presa de un vértigo y saliendo de su inmovilidad:

—Bracmines —exclama en alta voz— despertad de vuestro sueño: la esperanza de dicha que aún me restaba se ha desvanecido como el perfume de un lirio que besa el simoún[42]. Schiwen venció en el combate; levantad el ídolo que lo representa; llevadlo al ara sobre vuestros hombros al compás de los himnos de luto y el clamor de las plañideras y de los címbalos; suyo será el templo de su hermano, y con él mi vida.

XIV

Los bracmines y los servidores del príncipe, que han acudido a su llamamiento, se apresuran a ejecutar sus mandatos: las apagadas antorchas vuelven a despedir torrentes de luz; los guerreros hieren sus escudos con el pomo de la espada; las roncas bocinas de marfil ahuyentan el tranquilo sueño de los habitantes de Cutac, y la triste e imponente comitiva que conduce al dios de la muerte y del estrago se dirige a la gigantesca pagoda, del seno de la cual se escuchaban levantarse, crecer y morir, temblando en el vacío, medrosos lamentos y horribles carcajadas. Son los genios de la destrucción, que solemnizan su victoria.

[42] *simoún: simún:* viento abrasador de los desiertos de África y Arabia.

XV

El día comienza a despuntar; la luna se desvanece y el mar se colora con la primera luz del alba. El templo resplandece, iluminado en su interior por cien y cien magníficas lámparas de bronce y oro; las blancas nubes que se elevan de los altares difunden la esencia de la mirra y del aloe por los extensos ámbitos de la pagoda; el príncipe ha ceñido la frente con el amarillo schal, emblema del poder soberano, y cubierto con sus más ricas vestiduras, está de rodillas ante el ara.

Las ceremonias con que los bracmines, invocando la piedad de los genios, han dado posesión al de la muerte del templo de Jaganata, han concluido.

XVI

—¡Sacerdotes, caudillos, siervos! —prorrumpe al fin el señor de Orisa—. ¡La cólera de los dioses está suspendida sobre mi cabeza como una espada pendiente de un cabello; mis manos, que desde la terrible hora en que subí al solio ningún mortal ha visto desnudas, están manchadas de sangre! Vedlas; esta sangre es la de mi antecesor, la de mi hermano, a quien arranqué la vida con la corona. Schiwen, el dios del remordimiento y de la expiación, me exige ojo por ojo, corona por corona, vida por vida. Cúmplase su voluntad. ¡Sacerdotes, caudillos, siervos: rogad por el último de los Dheli, cuya raza va a desaparecer de la tierra!

La multitud, sobrecogida y llena de terror, permanece en silencio. Pulo, volviéndose hacia el altar en que está colocado el dios, prosigue de este modo, dirigiéndose al informe ídolo, que parece que contrae sus labios con una muda e infernal sonrisa.

XVII

—Schiwen, enemigo y extirpador de mi raza, si la sangre puede lavar mis culpas apartando tu cólera de la frente de Siannah, recíbela como mi última ofrenda; pero concédeme, al

154

menos, que antes de partir del mundo la contemple un instante por la postrera vez; que su boca reciba el frío y apagado aliento de la mía; que sus besos cierren mis párpados a la eterna noche de la tumba.

XVIII

La muchedumbre que ocupa las naves del templo tiene fijos sus ojos en el príncipe y arroja un grito de horror.

Pulo se ha atravesado con su espada, y el caliente borbotón de sangre que brotó de su herida saltó humeando al rostro del genio.

En aquel instante, una mujer atraviesa el atrio de la pagoda y se adelanta hasta el recinto en que se eleva el ara de Schiwen.

—¡Siannah! —murmura el príncipe, reconociéndola—. Siannah, al fin te veo antes de morir —y expira.

XIX

Siannah, la perla de Ormuz, la violeta de Orisa, el símbolo de la hermosura y del amor, la que formó Bermach en un delirio de placer, combinando la gentileza de las palmas de Nepaul, la flexibilidad de los juncos del Ganges, la esmeralda de los ojos de una *schiva*, la luz de un diamante de Golconda[43], la armonía de una noche de verano y la esencia de un lirio salvaje del Himalaya; Siannah, la hermosa entre las hermosas, siguió a Pulo a través de su peregrinación en esas regiones desconocidas de las que ningún viajero vuelve.

Siannah fue la primera viuda indiana que se arrojó al fuego con el cadáver de su esposo[44].

[43] Ruinosa ciudad, antigua fortaleza de la India, situada en los dominios del Nizam. Capital en otro tiempo del reino de Golconda, poseen gran interés histórico sus ruinas, la fortaleza y el mausoleo de sus antiguos reyes. Los famosos diamantes de Golconda eran cortados y pulidos allí.

[44] Alude Bécquer a una práctica suicida en que la *sati*, nombre que se le daba a la esposa india que se quitaba la vida una vez muerto el marido, buscaba la muerte por amor y sumisión al esposo. Aunque declarada ilegal esta ceremonia en 1829 por el Gobierno inglés, todavía se siguen produciendo casos en la región del Rajastán, una de las más atrasadas.

La cruz del diablo[1]

> Que lo creas o no, me importa bien poco. Mi abuelo se
> lo narró a mi padre, mi padre me lo ha referido a mí, y yo
> te lo cuento ahora, siquiera no sea más que por pasar el
> rato.

I

El crepúsculo comenzaba a extender sus ligeras alas de va-
por sobre las pintorescas orillas del Segre, cuando, después de
una fatigosa jornada, llegamos a Bellver[2], término de nuestro
viaje.

[1] Publicada en *La crónica de Ambos Mundos* el 21 y 28 de octubre y el 11 de
noviembre de 1860, es la primera leyenda becqueriana de asunto español. Los
motivos desarrollados (cruz del diablo, *mal caballero*, armadura encantada y ora-
ción milagrosa) son frecuentes en las tradiciones populares y similares a los de
las narraciones tradicionales, estando los tres primeros más relacionados con la
tradición europea y española, y el último más específicamente con tradiciones
catalanas. La denominación *cruz del diablo* es similar a otras *(cueva del diablo,
puente del diablo)* utilizadas por la fantasía popular en Cataluña para designar lu-
gares, signos u objetos en los que la superstición advierte la fuerza de lo sobre-
natural diabólico.

En lo que respecta al motivo del *mal caballero*, no es aventurado asegurar que
en él resuenan ecos del mito del comte Arnau. Bécquer pudo leer en crónicas
catalanas historias de nobles parecidas a la del señor del Segre, historias que
pueblan durante el siglo XIX la tradición oral y literaria de Europa y España. El
motivo de la armadura encantada, frecuente en tradiciones europeas, pertenece
a la novela gótica o de *conte noir*.

La localización geográfica y la ambientación histórica, la reiteración de fór-
mulas propias del relato oral y la imitación de motivos desarrollados en las tra-
diciones populares confieren a *La cruz del diablo* indudable carácter de relato tra-
dicional. (Cfr. Rubén Benítez, *op. cit.*, págs. 183-193.)

[2] Villa situada a la izquierda del río Segre. Tuvo su origen en un castillo

Bellver es una pequeña población situada a la falda de una colina, por detrás de la cual se ven elevarse, como las gradas de un colosal anfiteatro de granito, las empinadas y nebulosas crestas de los Pirineos.

Los blancos caseríos que la rodean, salpicados aquí y allá sobre una ondulante sábana de verdura, parecen a lo lejos un bando de palomas que han abatido su vuelo para apagar su sed en las aguas de la ribera.

Una pelada roca, a cuyos pies tuercen éstas su curso, y sobre cuya cima se notan aún remotos vestigios de construcción, señala la antigua línea divisoria entre el condado de Urgel[3] y el más importante de sus feudos.

A la derecha del tortuoso sendero que conduce a este punto, remontando la corriente del río y siguiendo sus curvas y frondosas márgenes, se encuentra una cruz.

El asta y los brazos son de hierro; la redonda base en que se apoya, de mármol, y la escalinata que a ella conduce, de oscuros y mal unidos fragmentos de sillería.

La destructora acción de los años, que ha cubierto de orín el metal, ha roto y carcomido la piedra de este monumento, entre cuyas hendiduras crecen algunas plantas trepadoras que suben enredándose hasta coronarlo, mientras una vieja y corpulenta encina la sirve de dosel.

Yo había adelantado algunos minutos a mis compañeros de viaje y, deteniendo mi escuálida cabalgadura, contemplaba en silencio aquella cruz, muda y sencilla expresión de las creencias y la piedad de otros siglos.

Un mundo de ideas se agolpó a mi imaginación en aquel instante. Ideas ligerísimas sin forma determinada, que unían entre sí, como un invisible hilo de luz, la profunda soledad de

construido por los reyes de Aragón para apoyar su política expansiva en la Cerdaña, y contener los ataques de las fuerzas enemigas.

[3] Antiguo condado de Cataluña formado en los comienzos de la Reconquista, aunque quizá ya existiera en tiempo de Carlomagno. Se extendía por la comarca que aún hoy se llama de Urgel o del Urgellet, siendo desde 1106 su capital la ciudad de Balaguer. La historia del condado termina con la rendición de Jaime II en Balaguer, ocurrida el 1 de noviembre de 1413, fecha a partir de la cual quedó unido a la Corona de Aragón.

aquellos lugares, el alto silencio de la naciente noche y la vaga melancolía de mi espíritu.

Impulsado de un sentimiento religioso, espontáneo e indefinible, eché maquinalmente pie a tierra, me descubrí y comencé a buscar en el fondo de mi memoria una de aquellas oraciones que me enseñaron cuando niño; una de aquellas oraciones que, cuando más tarde se escapan involuntarias de nuestros labios, parece que aligeran el pecho oprimido y, semejantes a las lágrimas, alivian el dolor, que también toma estas formas para evaporarse.

Ya había comenzado a murmurarla, cuando de improviso sentí que me sacudían con violencia por los hombros. Volví la cara: un hombre estaba al lado mío.

Era uno de nuestros guías, natural del país, el cual, con una indescriptible expresión de terror pintada en el rostro, pugnaba por arrastrarme consigo y cubrir mi cabeza con el fieltro que aún tenía en mis manos.

Mi primera mirada, mitad de asombro, mitad de cólera, equivalía a una interrogación enérgica, aunque muda.

El pobre hombre, sin cejar en su empeño de alejarme de aquel sitio, contestó a ella con estas palabras, que entonces no pude comprender, pero en las que había un acento de verdad que me sobrecogió:

—¡Por la memoria de su madre! ¡Por lo más sagrado que tenga en el mundo, señorito, cúbrase usted la cabeza y aléjese más que de prisa de esta cruz! ¡Tan desesperado está usted que, no bastándole la ayuda de dios, recurre a la del demonio!

Yo permanecí un rato mirándole en silencio. Francamente, creí que estaba loco; pero él prosiguió con igual vehemencia:

—Usted busca la frontera; pues bien: si delante de esa cruz le pide usted al cielo que le preste ayuda, las cumbres de los montes vecinos se levantarán en una sola noche hasta las estrellas invisibles, sólo porque no encontremos la raya en toda nuestra vida.

Yo no pude menos de sonreírme.

—¿Se burla usted?... ¿Cree acaso que ésa es una cruz santa, como la del porche de nuestra iglesia?...

—¿Quién lo duda?

—Pues se engaña usted de medio a medio; porque esa cruz,

159

salvo lo que tiene de Dios, está maldita...; esa cruz pertenece a un espíritu maligno, y por eso la llaman *La cruz del Diablo*[4].

—¡La cruz del Diablo! —repetí, cediendo a sus instancias, sin darme cuenta a mí mismo del involuntario temor que comenzó a apoderarse de mi espíritu, y que me rechazaba como una fuerza desconocida de aquel lugar—. ¡La cruz del Diablo! ¡Nunca ha herido mi imaginación una amalgama más diparatada de dos ideas tan absolutamente enemigas!... ¡Una cruz... y del diablo! ¡Vaya, vaya! ¡Fuerza será que en llegando a la población me expliques este monstruoso absurdo.

Durante este corto diálogo, nuestros camaradas, que habían picado sus cabalgaduras, se nos reunieron al pie de la cruz; yo les expliqué en breves palabras lo que acababa de sucederme: monté nuevamente en mi rocín, y las campanas de la parroquia llamaban lentamente a la oración cuando nos apeamos en el más escondido y lóbrego de los paradores de Bellver.

II

Las llamas rojas y azules se enroscaban chisporroteando a lo largo del grueso tronco de encina que ardía en el ancho hogar; nuestras sombras, que se proyectaban temblando sobre los ennegrecidos muros, se empequeñecían o tomaban formas gigantescas, según la hoguera despedía resplandores más o menos brillantes; el vaso de saúco, ora vacío, ora lleno, y no de agua como cangilón de noria había dado tres veces la vuelta en derredor del círculo que formábamos junto al fuego, y todos esperaban con impaciencia la historia de *La cruz del Diablo*, que a guisa de postres de la frugal cena que acabábamos de consumir se nos había prometido, cuando nuestro guía tosió por dos veces, se echó al coleto un último trago de vino, limpióse con el revés de la mano la boca y comenzó de este modo:

[4] No son infrecuentes en la zona prepirenaica las denominaciones que contienen términos relacionados con el diablo (piedra del demonio, cueva del diablo, valle del infierno, etc.) recordando acontecimientos trágicos o maravillosos, en los que tuvieron participación supuesta, según tradiciones populares, fuerzas sobrenaturales o espíritus malignos. (Cfr. Rubén Benítez, *op. cit.*, págs. 183-193.)

—Hace mucho tiempo, mucho tiempo, yo no sé cuánto, pero los moros ocupaban aún la mayor parte de España, se llamaban condes nuestros reyes, y las villas y aldeas pertenecían en feudo a ciertos señores que, a su vez, prestaban homenaje a otros más poderosos, cuando acaeció lo que voy a referir a ustedes.

Concluida esta breve introducción histórica, el héroe de la fiesta guardó silencio durante algunos segundos, como para coordinar sus recuerdos, y prosiguió así:

—Pues es el caso que en aquel tiempo remoto esta villa y algunas otras formaban parte del patrimonio de un noble barón, cuyo castillo señorial se levantó por muchos siglos sobre la cresta de un peñasco que baña el Segre, del cual toma su nombre.

Aún testifican la verdad de mi relación algunas informes ruinas que, cubiertas de jaramago[5] y musgo, se alcanzan a ver sobre su cumbre desde el camino que conduce a este pueblo.

No sé si, por ventura o desgracia, quiso la suerte que este señor, a quien por su crueldad detestaban sus vasallos, y por sus malas cualidades ni el rey admitía en la corte, ni sus vecinos en el hogar, se aburriese de vivir solo con su mal humor y sus ballesteros en lo alto de la roca en que sus antepasados colgaron su nido de piedra.

Devanábase noche y día los sesos en busca de alguna distracción propia de su carácter, lo cual era bastante difícil después de haberse cansado, como ya lo estaba, de mover guerra a sus vecinos, apalear a sus servidores y ahorcar a sus súbditos.

En esta ocasión, cuentan las crónicas que se le ocurrió, aunque sin ser ejemplar[6], una idea feliz.

Sabiendo que los cristianos de otras poderosas naciones se aprestaban a partir juntos en una formidable armada a un país maravilloso para conquistar el sepulcro de Nuestro Señor Jesu-

[5] Planta herbácea de tallo enhiesto, hojas grandes y flores amarillas. Es pobladora de ruinas y escombros.

[6] *sin ser ejemplar: sin ejemplar* (RB). A pesar de que en la versión periodística no figura el verbo, el sentido de la oración exige restituirlo, corrigiendo así un error del periódico o del manuscrito becqueriano.

cristo, que los moros tenían en su poder, se determinó a marchar en su seguimiento[7].

Si realizó esta idea con objeto de purgar sus culpas, que no eran pocas, derramando su sangre en tan justa empresa, o con el de trasplantarse a un punto donde sus malas mañas no conociesen, se ignora; pero la verdad del caso es que, con gran contentamiento de grandes y chicos, de vasallos y de iguales, allegó cuanto dinero pudo, redimió a sus pueblos del señorío mediante una gruesa cantidad, y no conservando de propiedad suya más que el peñón del Segre y las cuatro torres del castillo, herencia de sus padres, desapareció de la noche a la mañana.

La comarca entera respiró en libertad durante algún tiempo, como si despertara de una pesadilla.

Ya no colgaban de los árboles de sus sotos, en vez de frutos, racimos de hombres; las muchachas del pueblo no temían al salir con su cántaro en la cabeza a tomar agua de la fuente del camino, ni los pastores llevaban sus rebaños al Segre por sendas impracticables y ocultas, temblando encontrar a cada revuelta de la trocha a los ballesteros de su muy amado señor.

Así transcurrió el espacio de tres años; la historia del *Mal caballero*[8], que sólo por este nombre se le conocía, comenzaba a pertenecer al exclusivo dominio de las viejas, que en las eternas veladas del invierno la[9] relataban con voz hueca y temerosa a los asombrados chicos: las madres asustaban a los pequeñuelos incorregibles o llorones diciéndoles: «¡Que viene el señor del Segre!», cuando he aquí que no sé si un día o una noche, si caído del cielo o abortado de los profundos, el temido señor apareció efectivamente y, como suele decirse, en carne y hueso, en mitad de sus antiguos vasallos.

[7] Las cruzadas, expediciones de carácter religioso-militar integradas por voluntarios, tenían por objeto rescatar los Santos Lugares del poder musulmán. En total fueron ocho las organizadas, la primera en 1096-1100, por Pedro de Amiens, y la última en 1270, por el rey de Francia Luis el Santo. Bécquer puede referirse muy probablemente a la quinta (1217-1221), promovida por Inocencio III, a la que acudieron muchos caballeros españoles.

[8] Subrayado en el original.

[9] *la: las* (RC y RB). Ya que Bécquer se refiere a la historia del *Mal caballero,* en singular, creemos que también debe preferirse el mismo número en el pronombre.

Renuncio a describir el efecto de esta agradable sorpresa. Ustedes se lo podrán figurar, mejor que yo pintarlo, sólo con decirles que tornaba reclamando sus vendidos derechos; que si malo se fue, peor volvió, y si pobre y sin crédito se encontraba antes de partir a la guerra, ya no podía contar con más recursos que su despreocupación, su lanza y una media docena de aventureros tan desalmados y perdidos como su jefe.

Como era natural, los pueblos se resistieron a pagar tributos que a tanta costa habían redimido; pero el señor puso fuego a sus heredades, a sus alquerías y a sus mieses.

Entonces apelaron a la justicia del rey; pero el señor se burló de las cartas-leyes de los condes soberanos, las clavó en el postigo de sus torres y colgó a los farautes[10] de una encina.

Exasperados, y no encontrando otra vía de salvación, por último, se pusieron de acuerdo entre sí, se encomendaron a la Divina Providencia y tomaron las armas; pero el señor reunió a sus secuaces, llamó en su ayuda al diablo, se encaramó a su roca y se preparó a la lucha.

Ésta comenzó terrible y sangrienta. Se peleaba con todas armas, en todos sitios y a todas horas, con la espada y el fuego, en la montaña y en la llanura, en el día y durante la noche. Aquello no era pelear para vivir: era vivir para pelear.

Al cabo, triunfó la causa de la justicia. Oigan ustedes cómo: Una noche oscura, muy oscura, en que no se oía ni un rumor en la tierra ni brillaba un solo astro en el cielo, los señores de la fortaleza, engreídos por una reciente victoria, se repartían el botín y, ebrios con el vapor de los licores, en mitad de la loca y estruendosa orgía, entonaban sacrílegos cantares en loor de su infernal patrono.

Como dejo dicho, nada se oía en derredor del castillo, excepto el eco de las blasfemias, que palpitaban perdidas en el sombrío seno de la noche, como palpitan las almas de los condenados envueltas en los pliegues del huracán de los infiernos.

Ya los descuidados centinelas habían fijado algunas veces sus ojos en la villa, que reposaba silenciosa, y se habían dormido sin temor a una sorpresa, apoyados en el grueso tronco de sus lanzas, cuando he aquí que algunos aldeanos, resueltos a

[10] jefes de armas de generales y grandes señores.

morir y protegidos por la sombra, comenzaron a escalar el enhiesto peñón del Segre, a cuya cima tocaron a punto de la medianoche.

Una vez en la cima, lo que faltaba por hacer fue obra de poco tiempo: los centinelas salvaron de un solo salto el valladar que separa al sueño de la muerte; el fuego, aplicado con teas de resina al puente y al rastrillo, se comunicó con la rapidez del relámpago a los muros, y los escaladores, favorecidos por la confusión y abriéndose paso entre las llamas, dieron fin con los habitantes de aquella guarida en un abrir y cerrar de ojos. Todos perecieron.

Cuando el cercano día comenzó a blanquear las altas copas de los enebros, humeaban aún los calcinados escombros de las desplomadas torres; y a través de sus anchas brechas, chispeando al herirla la luz, y colgada de uno de los negros pilares de la sala del festín, era fácil divisar la armadura del temido jefe, cuyo cadáver, cubierto de sangre y de polvo, yacía entre los desgarrados tapices y las calientes cenizas, confundido con los de[11] sus oscuros compañeros.

El tiempo pasó; comenzaron los zarzales a rastrear por los desiertos patios, la hiedra a enredarse en los oscuros machones y las campanillas azules a mecerse colgadas de las ruinosas almenas. Los desiguales soplos de la brisa, el graznido de las aves nocturnas y el rumor de los reptiles que se deslizaban entre las altas hierbas, turbaban sólo de vez en cuando el silencio de muerte de aquel lugar maldecido; los insepultos huesos de sus antiguos moradores blanqueaban al rayo de la luna, y aún podía verse el haz de armas del señor del Segre colgado del negro pilar de la sala del festín.

Nadie osaba tocarle; pero corrían mil fábulas acerca de aquel abandonado objeto, causa incesante de hablillas y terrores para los que le miraban llamear durante el día, herido por la luz del sol, o creían percibir en las altas horas de la noche el

[11] *con los de: con los de* (RC y RB). A pesar de que en *La Crónica de Ambos Mundos* figura *con el de,* es evidente que debe ser el plural la opción correcta.

metálico son de sus piezas, que chocaban entre sí cuando las movía el viento, con un gemido prolongado y triste.

A pesar de todos los cuentos que a propósito de la armadura se fraguaron, y que en voz baja se repetían unos a otros los habitantes de los alrededores, no pasaban de cuentos, y el único mal positivo[12] que de ello resultó se redujo entonces a una dosis de miedo más que regular, que cada uno de por sí se esforzaba en disimular lo posible, haciendo, como decirse suele, de tripas corazón.

Si de aquí no hubiera pasado la cosa, nada se habría perdido. Pero el diablo, que a lo que parece no se encontraba satisfecho de su obra, sin duda con el permiso de Dios, y a fin de hacer purgar a la comarca algunas culpas, volvió a tomar cartas en el asunto.

Desde este momento las fábulas, que hasta aquella época no pasaron de un rumor vago y sin viso alguno de verosimilitud, comenzaron a tomar consistencia y a hacerse de día en día más probables.

En efecto, hacía algunas noches que todo el pueblo había podido observar un extraño fenómeno.

Entre las sombras, a lo lejos, ya subiendo las retorcidas cuestas del peñón del Segre, ya vagando entre las ruinas del castillo, ya cerniéndose, al parecer, en los aires, se veían correr, cruzarse, esconderse y tornar a aparecer para alejarse en distintas direcciones, unas luces misteriosas y fantásticas, cuya procedencia nadie sabía explicar.

Esto se repitió por tres o cuatro noches durante el intervalo de un mes, y los confusos aldeanos esperaban, ansiosos, el resultado de aquellos conciliábulos diabólicos que ciertamente no se hizo aguardar mucho, cuando tres o cuatro alquerías incendiadas, varias reses desaparecidas y los cadáveres de algunos caminantes despeñados en los precipicios pusieron en en alarma todo el territorio en diez leguas a la redonda.

Ya no quedó duda alguna. Una banda de malhechores se albergaba en los subterráneos del castillo.

[12] *mal positivo: más positivo* (RC), *mal positivo* (RB). La corrección del texto periodístico fue inicialmente afectuada por la ed. Ag y aceptada posteriormente por RB.

Éstos, que sólo se presentaban al principio, muy de tarde en tarde y en determinados puntos del bosque que aún en el día se dilata a lo largo de la ribera, concluyeron por ocupar casi todos los desfiladeros de las montañas, emboscarse en los caminos, saquear los valles y descender como un torrente a la llanura, donde, a éste quiero, a éste no quiero, no dejaban títere con cabeza.

Los asesinatos se multiplicaban, las muchachas desaparecían, los niños eran arrancados de las cunas, a pesar de los lamentos de sus madres, para servirlos en diabólicos festines, en que, según la creencia general, los vasos sagrados sustraídos de las profanadas iglesias servían de copa.

El terror llegó a apoderarse de los ánimos en un grado tal, que al toque de oraciones nadie se aventuraba a salir de su casa, en la que no siempre se creían seguros de los bandidos del peñón.

Mas ¿quiénes eran éstos? ¿De dónde habían venido? ¿Cuál era el nombre de su misterioso jefe? He aquí el enigma que todos querían explicar y que nadie podía resolver hasta entonces, aunque se observase, desde luego, que la armadura del señor feudal había desaparecido del sitio que antes ocupara y posteriormente varios labradores hubiesen afirmado que el capitán de aquella desalmada gavilla marchaba a su frente, cubierto con una que, de no ser la misma, se le asemejaba en un todo.

Cuanto queda repetido, si se le despoja de esa parte de fantasía con que el miedo abulta y completa sus creaciones favoritas, nada tiene en sí de sobrenatural y extraño.

¿Qué cosa más corriente en unos bandidos que las ferocidades con que éstos se distinguían, ni más natural que el apoderarse su jefe de las abandonadas armas del señor del Segre?

Sin embargo, algunas revelaciones hechas antes de morir por uno de sus secuaces, prisionero en las últimas refriegas, acabaron de colmar la medida, preocupando el ánimo de los más incrédulos. Poco más o menos, el contenido de su confesión fue éste:

«—Yo —dijo— pertenezco a una noble familia. Los extravíos de mi juventud, mis locas prodigalidades y mis crímenes, por último, atrajeron sobre mi cabeza la cólera de mis deudos y la maldición de mi padre, que me desheredó al expirar. Hallán-

dome solo y sin recursos de ninguna especie, el diablo, sin duda, debió sugerirme la idea de reunir algunos jóvenes que se encontraban en una situación idéntica a la mía, los cuales, seducidos con la promesa de un porvenir de disipación, libertad y abundancia, no vacilaron un instante en suscribir a mis designios. Éstos se reducían a formar una banda de jóvenes de buen humor, despreocupados y poco temerosos del peligro, que desde allí en adelante vivirían alegremente del producto de su valor y a costa del país, hasta tanto que Dios se sirviera disponer de cada uno de ellos conforme a su voluntad, según hoy a mí me sucede. Con este objeto, señalamos esta comarca para teatro de nuestras expediciones futuras y escogimos como punto el más a propósito para nuestras reuniones el abandonado castillo del Segre, lugar seguro no tanto por su posición fuerte y ventajosa como por hallarse defendido contra el vulgo por las supersticiones y el miedo. Congregados una noche bajo sus ruinosas arcadas, alrededor de una hoguera que iluminaba con su rojizo resplandor las desiertas galerías, trabóse una acalorada disputa sobre cuál de nosotros había de ser elegido jefe. Cada uno alegó sus méritos: yo expuse mis derechos; ya los unos murmuraban entre sí con ojeadas amenazadoras, ya los otros, con voces descompuestas por la embriaguez, habían puesto la mano sobre el pomo de sus puñales para dirimir la cuestión, cuando de repente oímos un extraño crujir de armas acompañado de pisadas huecas y sonantes, que de cada vez se hacían más distintas. Todos arrojamos a nuestro alrededor una inquieta mirada de desconfianza; nos pusimos de pie y desnudamos nuestros aceros, determinados a vender caras las vidas; pero no pudimos por menos de permanecer inmóviles al ver adelantarse con paso firme e igual un hombre de elevada estatura, completamente armado de la cabeza al pie y cubierto el rostro con la visera del casco, el cual, desnudando su montante, que dos hombres podrían apenas manejar, y poniéndole sobre uno de los carcomidos fragmentos de las rotas arcadas, exclamó con una voz hueca y profunda, semejante al rumor de una caída de aguas subterráneas: "Si alguno de vosotros se atreve a ser el primero mientras yo habite en el castillo del Segre, que tome esa espada, signo de poder." Todos guardamos silencio, hasta que, transcurrido el primer momento de estu-

por, le proclamamos a grandes voces nuestro capitán, ofreciéndole una copa de nuestro vino, la cual rehusó por señas acaso por no descubrirse la faz, que en vano procuramos distinguir a través de las rejillas de hierro que la ocultaba a nuestros ojos. No obstante, aquella noche pronunciamos el más formidable de los juramentos, y a la siguiente dieron principio nuestras nocturnas correrías. En ellas, nuestro misterioso jefe marcha siempre delante de todos. Ni el fuego le ataja, ni los peligros le intimidan, ni las lágriman le conmueven. Nunca despliega sus labios; pero cuando la sangre humea en nuestras manos, como cuando los templos se derrumban calcinados por las llamas; cuando las mujeres huyen espantadas entre las ruinas, y los niños arrojan gritos de dolor, y los ancianos perecen a nuestros golpes, contesta con una carcajada de feroz alegría a los gemidos, las imprecaciones y los lamentos. Jamás se desnuda de sus armas ni abate la visera de su casco después de la victoria, ni participa del festín, ni se entrega al sueño. Las espadas que le hieren se hunden entre las piezas de su armadura, y ni le causan la muerte ni se retiran teñidas en sangre; el fuego enrojece su espaldar y su cota, y aún prosigue impávido entre las llamas, buscando nuevas víctimas; desprecia el oro, aborrece la hermosura y no le inquieta la ambición. Entre nosotros, unos le creen un extravagante; otros, un noble arruinado, que por un resto de pudor se tapa la cara, y no falta quien se encuentra convencido de que es el mismo diablo en persona.»

El autor de estas revelaciones murió con la sonrisa de la mofa en los labios y sin arrepentirse de sus culpas. Varios de sus iguales le siguieron en diversas épocas al suplicio; pero el temible jefe, a quien continuamente se unían nuevos prosélitos, no cesaba en sus desastrosas empresas.

Los infelices habitantes de la comarca, de cada vez más[13] aburridos y desesperados, no acertaban ya con la determinación que debería tomarse para concluir de un todo con aquel orden de cosas, cada día más insoportable y triste.

Inmediato a la villa, y oculto en el fondo de un espeso bos-

[13] *de cada vez: cada vez más* (RC), *y de cada vez más* (RB). Mantenemos el giro popular, pero sin la conjunción copulativa. Así figura en otras páginas de la prosa becqueriana.

que, vivía a esta sazón, en una pequeña ermita dedicada a San Bartolomé[14], un santo hombre, de costumbres piadosas y ejemplares, a quien el pueblo tuvo siempre en olor de santidad merced a sus saludables consejos y acertadas predicciones.

Este venerable ermitaño, a cuya prudencia y proverbial sabiduría encomendaron los vecinos de Bellver la resolución de este difícil problema, después de implorar la misericordia divina por medio de su santo patrono, que, como ustedes no ignorarán, conoce al diablo muy de cerca y en más de una ocasión le ha atado bien corto, les aconsejó que se emboscasen durante la noche al pie del pedregoso camino que sube serpenteando por la roca en cuya cima se encontraba el castillo, encargándoles al mismo tiempo que, ya allí, no hiciesen uso de otras armas para aprehenderlo que de una maravillosa oración que les hizo aprender de memoria, y con la cual aseguraban las crónicas que San Bartolomé había hecho al diablo su prisionero.

Púsose en planta el proyecto, y su resultado excedió a cuantas esperanzas se habían concebido, pues aún no iluminaba el sol del otro día la alta torre de Bellver, cuando sus habitantes, reunidos en grupos en la plaza mayor, se contaban unos a otros, con aire de misterio, cómo aquella noche, fuertemente atado de pies y manos, y a lomos de una poderosa mula, había entrado en la población el famoso capitán de los bandidos del Segre.

De qué artes se valieron los acometedores de esta empresa para llevarla a término, ni nadie se lo acertaba a explicar ni ellos mismos podían decirlo; pero el hecho era que, gracias a la oración del santo o al valor de sus devotos, la cosa había sucedido tal como se refería.

Apenas la novedad comenzó a extenderse de boca en boca y de casa en casa, la multitud se lanzó a las calles con ruidosa algazara y corrió a reunirse a las puertas de la prisión. La campana de la parroquia llamó a consejo, y los vecinos más respeta-

[14] Uno de los doce apóstoles. Predicó el Evangelio en Armenia, donde fue desollado vivo el año 71. Su fiesta se celebra el 24 de agosto. También en *La corza blanca* aparece este popular santo, de quien se pondera su eficacia para —mediante las oraciones a él dirigidas— contrarrestar las fuerzas del maligno y ahuyentar su presencia.

bles se juntaron en capítulo, y todos aguardaban ansiosos la hora en que el reo había de comparecer ante sus improvisados jueces[15].

Éstos, que se encontraban autorizados por los condes de Urgel para administrarse por sí mismos pronta y severa justicia sobre aquellos malhechores, deliberaron un momento, pasado el cual mandaron comparecer al delincuente a fin de notificarle su sentencia.

Como dejo dicho, así en la plaza mayor como en las calles por donde el prisionero debía atravesar para dirigirse al punto en que sus jueces se encontraban, la impaciente multitud hervía como un apiñado enjambre de abejas. Especialmente en la puerta de la cárcel, la conmoción popular tomaba de cada vez mayores proporciones. Y ya los animados diálogos, los sordos murmullos y los amenazadores gritos comenzaban a poner en cuidado a sus guardas, cuando, afortunadamente, llegó la orden de sacar al reo.

Al aparecer éste bajo el macizo arco de la portada de su prisión, completamente vestido de todas armas y cubierto el rostro con la visera, un sordo y prolongado murmullo de admiración y de sorpresa se elevó de entre las compactas masas del pueblo, que se abrían con dificultad para dejarle paso.

Todos habían reconocido en aquella armadura la del señor del Segre; aquella armadura objeto de las más sombrías tradiciones mientras se la vio suspendida de los arruinados muros de la fortaleza maldita.

Las armas eran aquéllas, no cabía duda alguna. Todos habían visto flotar el negro penacho de su cimera en los combates que en un tiempo trabaron contra su señor; todos lo habían visto agitarse al soplo de la brisa del crepúsculo, a par de la hiedra del calcinado pilar en que quedaron colgadas a la muerte de su dueño. Mas ¿quién podría ser el desconocido personaje que entonces las llevaba? Pronto iba a saberse. Al menos, así se creía. Los sucesos dirán cómo esta esperanza quedó frustra-

[15] Según afirma Rubén Benítez, los consejos que forman los vecinos están descritos por Bécquer «con los rasgos generales de la vieja institución del Consejo o Brazo de Justicia que administraba entonces, y todavía hoy, los problemas de las villas pirenaicas». (Rubén Benítez, *op. cit.*, pág. 185).

da a la manera de otras muchas y por qué de este solemne acto de justicia, del que debía aguardarse el completo esclarecimiento de la verdad, resultaron nuevas y más inexplicables confusiones.

El misterioso bandido penetró al fin en la sala del Concejo, y un silencio profundo sucedió a los rumores que se elevaran de entre los circunstantes al oír resonar bajo las altas bóvedas de aquel recinto el metálico son de sus acicates de oro. Uno de los que componían el tribunal, con voz lenta e insegura, le preguntó su nombre, y todos prestaron el oído con ansiedad para no perder una sola palabra de su respuesta; pero el guerrero se limitó a encoger sus hombros ligeramente, con un aire de desprecio e insulto que no pudo menos de irritar a sus jueces, los que se miraron entre sí sorprendidos.

Tres veces volvió a repetirle la pregunta, que otras tantas obtuvo semejante o parecida contestación.

—¡Que se levante la visera! ¡Que se descubra! ¡Que se descubra! —comenzaron a gritar los vecinos de la villa presentes al acto—. ¡Que se descubra! ¡Veremos si se atreve entonces a insultarnos con su desdén como ahora lo hace protegido por el incógnito!

—Descubríos —repitió el mismo que anteriormente le dirigiera la palabra.

El guerrero permaneció impasible.

—Os lo mando en el nombre de nuestra autoridad.

La misma contestación.

—En el de los condes soberanos.

Ni por ésas.

La indignación llegó a su colmo, hasta el punto que uno de sus guardas, lanzándose sobre el reo, cuya pertinacia en callar bastaría a apurar la paciencia de un santo, le abrió violentamente la visera. Un grito de general sorpresa se escapó del auditorio, que permaneció por un instante herido de un inconcebible estupor.

La cosa no era para menos. El casco, cuya férrea visera se veía en parte levantada hasta la frente, en parte caída sobre la brillante gola de acero, estaba vacío..., completamente vacío.

Cuando pasado ya el primer momento de terror, quisieron tocarle, la armadura se estremeció ligeramente y, descompo-

niéndose en piezas, cayó al suelo con un ruido sordo y extra-

La mayor parte de los espectadores, a la vista del nuevo prodigio, abandonaron tumultuosamente la habitación y salieron despavoridos a la plaza.

La nueva se divulgó con la rapidez del pensamiento entre la multitud que aguardaba impaciente el resultado del juicio, y fue tal la alarma, la revuelta y la vocería, que ya a nadie cupo duda sobre lo que de pública voz se aseguraba; esto es, que el diablo, a la muerte del señor del Segre, había heredado los feudos de Bellver.

Al fin se apaciguó el tumulto y decidióse volver a un calabozo la maravillosa armadura.

Ya en él, despacháronse cuatro emisarios que, en representación de la atribulada villa, hiciesen presente el caso al conde de Urgel y al arzobispo, los que no tardaron muchos días en tornar con la resolución de estos personajes, resolución que, como suele decirse, era breve y compendiosa.

—Cuélguese —les dijeron— la armadura en la plaza mayor de la villa, que si el diablo la ocupa, fuerza le será el abandonarla o ahorcarse con ella.

Encantados los habitantes de Bellver con tan ingeniosa solución, volvieron a reunirse en concejo, mandaron levantar una horca en la plaza y cuando ya la multitud ocupaba sus avenidas, se dirigieron a la cárcel por las armas, en corporación y con toda la solemnidad que la importancia del caso requería.

Cuando la respetable [comitiva][16] llegó al macizo arco que daba entrada al edificio, un hombre pálido y descompuesto se arrojó al suelo en presencia de los aturdidos circunstantes, exclamando con las lágrimas en los ojos:

—¡Perdón, señores, perdón!

—¡Perdón! ¿Para quién? —dijeron algunos—. ¿Para el diablo que habita dentro de la armadura del señor del Segre?

—Para mí —prosiguió con voz trémula el infeliz, en quien todos reconocieron al alcaide de las prisiones—, para mí... Porque las armas... han desaparecido.

Al oír estas palabras, el asombro se pintó en el rostro de

[16] *comitiva:* falta en el texto periodístico. RC introdujo el término, aceptado por las ediciones posteriores.

cuantos se encontraban en el pórtico, que, mudos e inmóviles, hubieran permanecido en la posición en que se encontraban Dios sabe hasta cuándo si la siguiente relación del aterrado guardián no les hubiera hecho agruparse en su alrededor para escuchar con avidez.

—Perdonadme, señores —decía el pobre alcaide—, perdonadme y yo no os ocultaré nada; siquiera sea en contra mía.

Todos guardaban silencio, y él prosiguió así:

—Yo no acertaré nunca a dar la razón; pero es el caso que la historia de las armas vacías me pareció siempre una fábula tejida en favor de algún noble personaje a quien tal vez altas razones de conveniencia pública no permitían descubrir ni castigar. En esta creencia estuve siempre, creencia en que no podía menos de confirmarme la inmovilidad en que se encontraban desde que por segunda vez tornaron a la cárcel traídas del Concejo. En vano una noche y otra, deseando sorprender su misterio, si misterios en ellas había, me levantaba poco a poco y aplicaba el oído a los intersticios de la ferrada puerta de su calabozo; ni un rumor se percibía. En vano procuré observarlas a través de un pequeño agujero producido en el muro. Arrojadas sobre un poco de paja, y en uno de los más oscuros rincones, permanecían un día y otro descompuestas e inmóviles. Una noche, por último, aguijoneado por la curiosidad y deseando convencerme por mí mismo de que aquel objeto de terror nada tenía de misterioso, encendí una linterna, bajé a las prisiones, levanté sus dobles aldabas y, no cuidando siquiera (tanta era mi fe en que todo no pasaba de un cuento) de cerrar las puertas tras mí, penetré en el calabozo. Nunca lo hubiera hecho. Apenas anduve algunos pasos, la luz de mi linterna se apagó por sí sola y mis dientes comenzaron a chocar y mis cabellos a erizarse. Turbando el profundo silencio que me rodeaba, había oído como un ruido de hierros que se removían y chocaban al unirse entre las sombras. Mi primer movimiento fue arrojarme a la puerta para cerrar el paso; pero al asir sus hojas sentí sobre mis hombros una mano formidable cubierta con un guantelete, que después de sacudirme con violencia, me derribó sobre el dintel[17]. Allí permanecí hasta la mañana

[17] *dintel:* es frecuente, como en este caso, la confusión becqueriana de *dintel* por *umbral.*

siguiente, que me encontraron mis servidores falto de sentido y recordando sólo que después de mi caída había creído percibir confusamente como unas pisadas sonoras, al compás de las cuales resonaba un rumor de espuelas que poco a poco se fue alejando hasta perderse.

Cuando concluyó el alcaide reinó un silencio profundo, al que se siguió luego un infernal concierto de lamentaciones, gritos y amenazas.

Trabajo costó a los más pacíficos el contener al pueblo que, furioso con la novedad, pedía a grandes voces la muerte del curioso autor de su nueva desgracia.

Al cabo logróse apaciguar el tumulto y comenzaron a disponerse a una nueva persecución. Ésta obtuvo también un resultado satisfactorio.

Al cabo de algunos días, la armadura volvió a encontrarse en poder de sus perseguidores. Conocida la fórmula, y mediante la ayuda de San Bartolomé, la cosa no era ya muy difícil.

Pero aún quedaba algo por hacer, pues en vano, a fin de sujetarla, la colgaron de una horca; en vano emplearon la más exquisita vigilancia con el objeto de quitarle toda ocasión de escaparse por esos mundos. En cuanto las desunidas armas veían dos dedos de luz se encajaban y, pian pianito[18], volvían a tomar el trote y a emprender de nuevo sus excursiones por montes y llanos, que era una bendición del cielo. Aquello era el cuento de nunca acabar.

En tan angustiosa situación, los vecinos se repartieron entre sí las piezas de la armadura, que acaso por centésima vez se encontraba en sus manos, y rogaron al piadoso eremita que un día los iluminó con sus consejos decidiera lo que debía hacerse con ella.

El santo varón ordenó al pueblo una penitencia general. Se encerró por tres días en el fondo de la caverna que le servía de asilo, y al cabo de ellos dispuso que se fundiesen las diabólicas armas, y con ellas y algunos sillares del castillo del Segre se levantase una cruz.

La operación se llevó a término, aunque no sin que nuevos

[18] En italiano, despacio. Se emplea familiarmente para indicar un movimiento lento, pero constante.

y aterradores prodigios llenasen de pavor al ánimo de los consternados habitantes de Bellver.

En tanto que las piezas arrojadas a las llamas comenzaban a enrojecerse, largos y profundos gemidos parecían escaparse de la ancha hoguera, de entre cuyos troncos saltaban como si estuvieran vivas y sintiesen la acción del fuego. Una tromba de chispas rojas, verdes y azules danzaban en la cúspide de sus encendidas lenguas, y se retorcían crujiendo como si una legión de diablos, cabalgando sobre ellas, pugnasen por libertar a su señor de aquel tormento.

Extraña, horrible fue la operación en tanto que la candente armadura perdía su forma para tomar la de una cruz. Los martillos caían resonando con un espantoso estruendo sobre el yunque, al que veinte trabajadores vigorosos sujetaban las barras del hirviente metal, que palpitaba y gemía al sentir los golpes.

Ya se extendían los brazos del signo de nuestra redención, ya comenzaba a formarse la cabecera, cuando la diabólica y encendida masa se retorcía de nuevo como en una convulsión espantosa y, rodeándose al cuerpo de los desgraciados que pugnaban por desasirse de sus abrazos de muerte, se enroscaba en anillos como una culebra o se contraía en zigzag como un relámpago.

El constante trabajo, la fe, las oraciones y el agua bendita consiguieron, por último, vencer al espíritu infernal, y la armadura se convirtió en una cruz.

Esa cruz es la que hoy habéis visto, y a la cual se encuentra sujeto el diablo, que le presta su nombre. Ante ella, ni las jóvenes colocan en el mes de mayo ramilletes de lirios, ni los pastores se descubren al pasar, ni los ancianos se arrodillan, bastando apenas las severas amonestaciones del clero para que los muchachos no la apedreen.

Dios ha cerrado sus oídos a cuantas plegarias se le dirigen en su presencia. En el invierno, los lobos se reúnen en manadas junto al enebro que la protege para lanzarse sobre las reses; los bandidos esperan a su sombra a los caminantes, que entierran a su pie después que los asesinan, y cuando la tempestad se desata, los rayos tuercen su camino para liarse, silbando, al asta de esa cruz y romper los sillares de su pedestal.

La Creación[1]

(POEMA INDIO)

I

Los aéreos picos del Himalaya se coronan de nieblas oscuras, en cuyo seno hierve el rayo, y sobre las llanuras que se extienden a sus pies flotan nubes de ópalo, que derraman sobre las flores un rocío de perlas.

Sobre la onda pura del Ganges se mece la simbólica flor del loto, y en la ribera aguarda su víctima el cocodrilo, verde como las hojas de las plantas acuáticas que lo esconden a los ojos del viajero.

En las selvas del Indostán hay árboles gigantescos, cuyas ramas ofrecen un pabellón al cansado peregrino, y otros cuya sombra letal lo llevan desde el sueño a la muerte[2].

El amor es un caos de luz y de tinieblas; la mujer, una amalgama de perjurios y ternura; el hombre, un abismo de grandeza y pequeñez; la vida, en fin, puede compararse a una larga cadena con eslabones de hierro y de oro.

[1] Aunque fue publicada en 1861, pertenece al ciclo narrativo influido por las lecturas preparatorias de la *Historia de los templos de España*. En su intento de recorrer la historia moral de los países y los pueblos, Bécquer leyó libros de diversas religiones. Le atrajeron los grandes poemas indios, su religión llena de maravillas y mitos emblemáticos y «la extraña y salvaje poesía de los vedas» *(El Cristo de la Luz, O. C.,* 1981, pág. 902).

[2] Véase la nota 30 de *El caudillo de las manos rojas*.

II

El mundo es un absurdo animado que rueda en el vacío para asombro de sus habitantes.

No busquéis su explicación en los *Vedas*, testimonios de las locuras de nuestros mayores, ni en los *Puranas*[3], donde, vestidos con las deslumbradoras galas de la poesía, se acumulan disparates sobre disparates acerca de su origen.

Oíd la historia de la creación tal como fue revelada a un piadoso brahmín, después de pasar tres meses en ayunas, inmóvil en la contemplación de sí mismo y con los índices levantados hacia el firmamento.

III

Brahma es el punto de la circunferencia: de él parte y a él converge todo. No tuvo principio, ni tendrá fin. Cuando no existían ni el espacio ni el tiempo, Maya[4] flotaba a su alrededor como una niebla confusa, pues, absorto en la contemplación de sí mismo, aún no la había fecundado con sus deseos.

Como todo cansa, Brahma se cansó de contemplarse, y levantó los ojos en una de sus cuatro caras y se encontró consigo mismo, y abrió airado los de otra y tornó a verse, porque él lo ocupaba todo, y todo era él.

La mujer hermosa, cuando pule el acero y contempla su imagen, se deleita en sí misma: pero al cabo busca otros ojos donde fijar los suyos, y si no los encuentra, se aburre.

Brahma no es vano como la mujer, porque es perfecto. Fi-

[3] Véase la nota 39 de *El caudillo de las manos rojas*, para los *Vedas*.

La teogonía y cosmogonía de la India, las leyendas mitológicas y el ritual de los Vedas se hallan en los *Puranas*, conjunto de dieciocho poemas sánscritos que sirven de fundamento al hinduismo.

[4] En la mitología india, personificación del principio femenino de la divinidad creadora. La Maya, madre del Universo, es representada como una hermosa joven con velo, en cuyos pliegues aparece la imagen de todos los seres creados.

guraos si se aburriría de hallarse solo, solo en medio de la eternidad y con cuatro pares de ojos para verse.

IV

Brahma deseó por primera vez, y su deseo, fecundando a la creadora Maya que lo envolvía, hizo brotar de su seno millones de puntos de luz, semejantes a esos átomos microscópicos y encendidos que nadan en el rayo del sol que penetra por entre la copa de los árboles.

Aquel polvo de oro llenó el vacío, y al agitarse produjo miríadas de seres, destinados a entonar himnos de gloria a su creador.

Los *gandharvas*[5], o cantores celestes, con sus rostros hermosísimos, sus alas de mil colores, sus carcajadas sonoras y sus juegos infantiles, arrancaron a Brahma la primera sonrisa, y de ella brotó el Edén. El Edén con sus ocho círculos, las tortugas y los elefantes que los sostienen, y su santuario en la cúspide.

V

Los chiquillos fueron siempre chiquillos: bulliciosos, traviesos e incorregibles, comienzan por hacer gracia; una hora después aturden y concluyen por fastidiar. Una cosa muy parecida debió de acontecerle a Brahma cuando, apeándose del gigantesco cisne que como un corcel de nieve lo paseaba por el cielo, dejó aquella turbamulta de *gandharvas* en los círculos inferiores y se retiró al fondo de su santuario.

Allí, donde no llega ni un eco perdido, ni se percibe el rumor más leve; donde reina el augusto silencio de la soledad, y su profunda calma convida a las meditaciones, Brahma, buscando una distracción con que matar su eterno fastidio, des-

[5] Especie de demonios o espíritus inferiores a los dioses. Según la doctrina brahmánica, se les suele representar en forma de músicos divinos viviendo en el cielo de Indra. Su vinculación con la música es debida a que la voz sánscrita *gandharva* (música) se deriva de ellos.

pués de cerrar la puerta con dos vueltas de llave, entregóse a la alquimia.

VI

Los sabios de la tierra, que pasan su vida encorvados sobre antiguos pergaminos, que se rodean de mil objetos misteriosos y conocen las extrañas propiedades de las piedras preciosas, los metales y las palabras cabalísticas, hacen, por medio de esta ciencia, transformaciones increíbles. El carbón lo convierten en diamante, la arcilla en oro; descomponen el agua y el aire, analizan la llama y arrancan al fuego el secreto de la vitalidad y la luz.

Si todo esto consigue un mortal miserable con el reflejo de su saber, figuraos por un instante lo que haría Brahma, que es el principio de toda ciencia.

VII

De un golpe creó los cuatro elementos, y creó también sus guardianes: Agnis, que es el espíritu de las llamas; Vajous, que aúlla montado en el huracán; Varunas, que se revuelve en los abismos del Océano, y Prithivi, que conoce todas las cavernas subterráneas de los mundos y vive en el seno de la creación[6].

Después encerró en redomas transparentes y de una materia nunca vista gérmenes de cosas inmateriales e intangibles, pasiones, deseos, facultades, virtudes, principios de dolor y de

[6] En la mitología india, *Agni*, una de las divinidades más importantes de las creaciones védicas, es el dios del fuego, del hogar y de la familia. *Vayu* es divinidad naturalista que representa al viento. *Varuna*, uno de los grandes dioses del ciclo védico, es celebrado como creador omnisciente y regidor del mundo, fomentador del bien y castigador del mal. Santo, justo y misericordioso, representa el firmamento con el sol oculto. *Prithivi*, divinidad india, es personificación de la Tierra o madre de ésta, apareciendo en sus imágenes con cuatro brazos y el cuerpo de color verde. Unas veces se muestra sobre un tigre que lleva en su boca una serpiente y otras acompañada de una mujer puesta de rodillas a su lado.

gozo, de muerte y de vida, de bien y de mal. Y todo lo subdividió en especies y lo clasificó con diligencia exquisita, poniéndole un rótulo escrito a cada una de las redomas.

VIII

La turba de rapaces, que ensordecía en tanto con sus voces y sus ruidosos juegos los círculos inferiores del Paraíso, echó de ver la falta de su señor. «¿Dónde estará», exclamaban los unos. «¿Qué hará?», decían entre sí los otros; y no eran parte a disminuir el afán de los curiosos las columnas de negro humo que veían salir en espirales inmensas del laboratorio de Brahma, ni los globos de fuego que desde el mismo punto se lanzaban volteando al vacío, y allí giraban como en una ronda luminosa y magnífica.

IX

La imaginación de los muchachos es un corcel, y la curiosidad, la espuela que lo aguijonea y lo arrastra a través de los proyectos más imposibles. Movidos por ella, los microscópicos cantores comenzaron a trepar por las piernas de los elefantes que sustentan los círculos del cielo, y de uno en otro se encaramaron hasta el misterioso recinto donde Brahma permanecía aún absorto en sus especulacones científicas.

Una vez en la cúspide, los más atrevidos se agruparon alrededor de la puerta, y unos por el ojo de la llave y otros por entre las rendijas y claros de los mal unidos tableros, penetraron con la mirada en el inmenso laboratorio objeto de su curiosidad.

El espectáculo que se ofreció a sus ojos no pudo menos de sorprenderles.

X

Allí había diseminadas, sin orden ni concierto, vasijas y redomas colosales de todas hechuras y colores. Esqueletos de

mundos, embriones de astros y fragmentos de lunas yacían confundidos con hombres a medio modelar, proyectos de animales monstruosos sin concluir, pergaminos oscuros, libros en folio e instrumentos extraños. Las paredes estaban llenas de figuras geométricas, signos cabalísticos y fórmulas mágicas, y en medio del aposento, en una gigantesca marmita colocada sobre una lumbre inextinguible, hervían con ruido sordo mil y mil ingredientes sin nombre, de cuya sabia combinación habían de resultar las creaciones perfectas.

XI

Brahma, a quien apenas bastaban sus ocho brazos y sus dieciséis manos para tapar y destapar vasijas, agitar líquidos y remover mixturas, tomaba algunas veces un gran canuto, a manera de cerbatana, y así como los chiquillos hacen pompas de jabón valiéndose de las cañas del trigo seco, le sumergía en el licor, se inclinaba después sobre los abismos del cielo y soplaba en la una punta, apareciendo en la otra un globo candente, que, al lanzarse, comenzaba a girar sobre sí mismo, y al compás de los otros que ya flotaban en el espacio.

XII

Inclinado sobre el abismo sin fondo, el creador les seguía con una mirada satisfecha, y aquellos mundos luminosos y perfectos, poblados de seres felices y hermosísimos sobre toda ponderación, que son esos astros que, semejantes a los soles, vemos aún en las noches serenas, entonaban un himno de alegría a su dios, girando sobre sus ejes de diamante y oro con una cadencia majestuosa y solemne.

Los pequeñuelos *gandharvas*, sin atreverse ni aun a respirar, se miraban espantados entre sí, llenos de estupor y miedo ante aquel espectáculo grandioso.

XIII

Cansóse Brahma de hacer experimentos, y abandonando el laboratorio, no sin haberle echado, al salir la llave, y guardándola en el bolsillo, tornó a montar sobre su cisne con objeto de tomar el aire. Pero ¡cuál no sería su preocupación cuando él, que todo lo ve y todo lo sabe, no advirtió que, abstraído en sus ideas, había echado la llave en falso! No le pasó lo mismo a la inquieta turba de rapaces que, notando el descuido, le siguiera a larga distancia con la vista, y cuando se creyeron solos, uno empuja poquito a poco la puerta, éste asoma la cabeza, aquél adelanta un pie, acabaron por invadir el laboratorio, tardando muy poco en encontrarse en él como en su casa.

XIV

Pintar la escena que entonces se verificó en aquel recinto será imposible.

Primeramente examinaron todos los objetos con el mayor asombro; luego se atrevieron a tocarlos, y al fin terminaron por no dejar títere con cabeza. Echaron pergaminos en la lumbre para que sirvieran de pasto a las llamas; destaparon las redomas, no sin quebrar algunas; removieron las vasijas, derramando su contenido, y después de oler, probar y revolverlo todo, los unos se colgaron de los soles y estrellas aún no concluidos y pendientes de las bóveda para secarse; los otros se subían por las osamentas de los gigantescos animales cuyas formas no habían agradado al señor. Y arrancaron las hojas de los libros para hacer mitras de papel, y se colocaron los compases entre las piernas, a guisa de caballo, y rompieron las varas de virtudes misteriosas, alanceándose[7] con ellas.

Por último, cansados de enredar, decidieron hacer un mundo tal y como lo habían visto hacer.

[7] Atacándose con lanzas.

XV

Aquí comenzó el gran bullicio, la confusión y las carcajadas. La marmita estaba candente. Llegó el uno, vertió un líquido en ella y se levantó una columna de humo. Luego vino otro, arrojó sobre aquél un elixir misterioso que contenía una redoma, con la que llegó casi sin aliento hasta el borde del receptáculo: tan grande era la vasija y tan rapazuelo su conductor. A cada nuevo ingrediente que arrojaban en la marmita se elevaban de su fondo llamaradas azules y rojas, que saludaba la alegre muchedumbre con gritos de júbilo y risotadas interminables.

XVI

Allí mezclaron y confundieron todos los elementos del bien y del mal, el dolor y la alegría, la fealdad y la hermosura, la abnegación y el egoísmo, los gérmenes del hielo, destinados a mundos hechos de manera que el frío causase una fruición deleitosa en sus habitantes, y los del calor, compuestos para globos cuyos seres se habían de gozar en las llamas, y revolvieron los principios de la divinidad, el espíritu con la grosera materia, la arcilla y el fango, confundiendo en un mismo brebaje la impotencia y los deseos, la grandeza y la pequeñez, la vida y la muerte.

Aquellos elementos tan contrarios rabiaban al verse juntos en el fondo de la marmita.

XVII

Hecha la operación, uno de ellos se arrancó una pluma de las alas, le cortó las barbas con los dientes y, mojando lo restante en el líquido, fue a inclinarse sobre el abismo sin fondo, y sopló, y apareció un mundo. Un mundo deforme, raquítico, oscuro, aplastado por los polos, que volteaba de medio gan-

chete, con montañas de nieve y arenales encendidos, con fuego en las entrañas y océanos en la superficie, con una humanidad frágil y presuntuosa, con aspiraciones de dios y flaquezas de barro. El principio de muerte, destruyendo cuanto existe, y el principio de la vida, con conatos de eternidad, reconstruyéndole con sus mismos despojos: un mundo disparatado, absurdo, inconcebible: nuestro mundo en fin.

Los chiquillos que lo habían formado, al mirarle rodar en el vacío de un modo tan grotesco, le saludaron con una inmensa carcajada, que resonó en los ocho círculos del Edén.

XVIII

Brahma, al escuchar aquel ruido, volvió en sí y vio cuanto pasaba, y lo comprendió todo. La indignación llameó en sus pupilas. Su airado acento atronó el cielo y amedrentó a la turba de muchachos, que huyó sobrecogida y dispersa a puntapiés, y ya tenía levantada la mano sobre aquella deforme creación para destruirla; ya el solo amago había producido en ella esa gran catástrofe que aún recordamos con el nombre del Diluvio, cuando uno de los *gandharvas*, el más travieso, pero el más mono, se arrojó a sus plantas, diciendo entre sollozos:

—¡Señor, Señor, no nos rompas nuestro juguete!

XIX

Brahma es grave, porque es dios, y sin embargo, tuvo que hacer un gran esfuerzo al oír estas palabras para no dejar reventar la risa que le retozaba en los ojos. Al cabo, reponiéndose, exclamó:

—¡Id, turba desalmada e incorregible! Marchaos donde no os vea con vuestra deforme criatura. Ese mundo no debe, no puede existir, porque en él hasta los átomos pelean con los átomos; pero marchad, os repito. Mi esperanza es que en poder vuestro no durará mucho.

Dijo Brahma, y los chiquillos, dándose empellones y riéndose descompasadamente y arrojando gritos descomunales, se

lanzaron en pos de nuestro globo, y éste le da por aquí, el otro le hurga por allá... Desde entonces ruedan con él por el cielo, para asombro de los otros mundos y desesperación de sus habitantes.

Por fortuna nuestra, Brahma lo dijo, y sucederá así. Nada hay más delicado ni más temible que las manos de los chiquillos; en ellas, el juguete no puede durar mucho.

La ajorca de oro[1]

(LEYENDA TOLEDANA)[2]

I

Ella era hermosa, hermosa con esa hermosura que inspira el vértigo, hermosa con esa hermosura que no se parece en nada a la que soñamos en los ángeles y que, sin embargo, es sobrenatural; hermosura diabólica, que tal vez presta el demonio a algunos seres para hacerlos sus instrumentos en la tierra.

Él la amaba; la amaba con ese amor que no conoce freno ni límites; la amaba con ese amor en que se busca un goce y sólo se encuentran martirios, amor que se asemeja a la felicidad y

[1] El motivo de la animación de las estatuas, desarrollado por Bécquer en otras páginas de su obra, es muy frecuente en la tradición popular europea y española, y pertenece a un amplio ciclo de tradiciones sobre estatuas o imágenes religiosas que castigan irreverencias, sacrilegios y otras osadías. Ya en la *Historia de los templos de España*, ante los ojos soñadores de Bécquer se vivifican las marmóreas imágenes de los claustros: los guerreros se levantan de sus tumbas a enarbolar otra vez ideales y espadas, y los monjes recorren lentamente sus anchurosas ensimismaciones. En *La ajorca de oro* parece revivirse parcialmente el mismo clima animador. Pero aquí las estatuas bajan de sus nichos y altares, y cumplen una función intimidadora. Forman casi una sociedad celeste y terrena, humana y empíreal, que se completa con la fauna quimérica y deforme de reptiles y alimañas.

[2] Algo hay de verdad, al menos como eco o premonición, en lo que respecta al hecho del robo. Según afirma Vidal Benito Revuelta, tras el examen de las *Actas Capitulares* de la catedral de Toledo (tomo 112, años 1876-1882) se consigna un *Robo de alhajas* en 1876. (Cfr. Vidal Benito, *Bécquer y Toledo*, Madrid, Publicaciones del Instituto Provincial de Investigaciones y Estudios Toledanos, 1971, págs. 45-48.)

que, no obstante, diríase que lo infunde el cielo para la expiación de una culpa.

Ella era caprichosa, caprichosa y extravagante, como todas las mujeres del mundo; él, supersticioso, supersticioso y valiente, como todos los hombres de su época. Ella se llamaba María Antúnez; él, Pedro Alfonso de Orellana. Los dos eran toledanos, y los dos vivían en la misma ciudad que los vio nacer.

La tradición que refiere esta maravillosa historia, acaecida hace muchos años, no dice nada más acerca de los personajes que fueron sus héroes.

Yo, en mi calidad de cronista verídico, no añadiré ni una sola palabra de mi cosecha para caracterizarlos mejor.

II

Él la encontró un día llorando, y le preguntó:

—¿Por qué lloras?

Ella se enjugó los ojos, lo miró fijamente, arrojó un suspiro y volvió a llorar.

Pedro, entonces, acercándose a María le tomó una mano, apoyó el codo en el pretil árabe desde donde la hermosa miraba pasar la corriente del río y tornó a decirle:

—¿Por qué lloras?

El Tajo se retorcía gimiendo al pie del mirador, entre las rocas sobre que se asienta la ciudad imperial. El sol transponía los montes vecinos; la niebla de la tarde flotaba como un velo de gasa azul, y sólo el monótono ruido del agua interrumpía el alto silencio.

María exclamó:

—No me preguntes por qué lloro, no me lo preguntes, pues ni yo sabré contestarte ni tú comprenderme. Hay deseos que se ahogan en nuestra alma de mujer, sin que los revele más que un suspiro; ideas locas que cruzan por nuestra imaginación, sin que ose formularlas el labio; fenómenos incomprensibles de nuestra naturaleza misteriosa, que el hombre no puede ni aun concebir. Te lo ruego, no me preguntes la causa de mi dolor; si te la revelase, acaso te arrancaría una carcajada.

Cuando estas palabras expiraron, ella tornó a inclinar la frente y él a reiterar sus preguntas.

La hermosa, rompiendo al fin su obstinado silencio, dijo a su amante con voz sorda y entrecortada:

—Tú lo quieres; es una locura que te hará reír, pero no importa; te lo diré, puesto que lo deseas. Ayer estuve en el templo. Se celebraba la fiesta de la Virgen: su imagen, colocada en el altar mayor sobre un escabel de oro, resplandecía como un ascua de fuego; las notas del órgano temblaban, dilatándose de eco en eco por el ámbito de la iglesia, y en el coro los sacerdotes entonaban el *Salve, Regina*[3]. Yo rezaba, rezaba absorta en mis pensamientos religiosos, cuando maquinalmente levanté la cabeza y mi vista se dirigió al altar. No sé por qué mis ojos se fijaron, desde luego, en la imagen; digo mal; en la imagen no; se fijaron en un objeto que, hasta entonces, no había visto, un objeto que, sin que pudiese explicármelo, llamaba sobre sí toda la atención... No te rías...; aquel objeto era la ajorca de oro que tiene la madre de Dios en uno de los brazos en que descansa su divino Hijo[4]... Yo aparté la vista y torné a rezar... ¡Imposible! Mis ojos se volvían involuntariamente al mismo punto. Las luces de altar, reflejándose en las mil facetas de sus diamantes, se reproducían de una manera prodigiosa. Millones de chispas de luz rojas y azules, verdes y amarillas, volteaban alrededor de las piedras como un torbellino de átomos de fuego, como una vertiginosa ronda de esos espíritus de las llamas que fascinan con su brillo y su increíble inquietud... Salí del templo, vine a casa, pero vine con aquella idea fija en la imagina-

[3] Una de las más importantes antífonas de la Iglesia católica, dedicada a la Virgen. Se ha atribuido la autoría del texto y de la música a Hernán Contractus (1013-1054), célebre monje, compositor y tratadista de Sankt Gallen.

[4] Las riquezas de la imagen de la Virgen del Sagrario han sido descritas y ponderadas por varios escritores, desde Teophile Gautier hasta el Vizconde de Palazuelos, quien se refiere a la presea en los siguientes términos: «una gran ajorca de oro con ricos esmaltes y profusión de piedras preciosas, labrada (...) por el orfebre Julián Honrado a principios del siglo XVIII». *(Toledo. Guía artística-práctica,* 1890, pág. 404.) Es curioso constatar que eran dos, y no una, las ajorcas o manillas, y con ambas aparece así la Virgen en 1869. Los datos sobre el valor de piedras y perlas de las ajorcas o manillas de Nuestra Señora han sido consignados en *Datos documentales inéditos para la historia del arte español,* Madrid, Centro de Estudios Históricos, 1914, págs. 77 y 78.

ción. Me acosté para dormir; no pude... Pasó la noche, eterna, con aquel pensamiento... Al amanecer se cerraron mis párpados, y, ¿lo creerás?, aún en el sueño veía cruzar, perderse y tornar de nuevo una mujer, una mujer morena y hermosa, que llevaba la joya de oro y pedrería; una mujer, sí, porque no era ya la Virgen que yo adoro y ante quien me humillo; era una mujer, otra mujer como yo, que me miraba y se reía mofándose de mí. «¿La ves? —parecía decirme, mostrándome la joya—. ¡Cómo brilla! parece un círculo de estrellas arrancadas del cielo de una noche de verano. ¿La ves? Pues no es tuya, no lo será nunca, nunca... Tendrás acaso otras mejores, más ricas, si es posible; pero ésta, ésta, que resplandece de un modo tan fantástico, tan fascinador..., nunca..., nunca...» Desperté; pero con la misma idea fija aquí, entonces como ahora, semejante a un clavo ardiendo, diabólica, incontrastable, inspirada sin duda por el mismo Satanás... ¿Y qué?... Callas, callas y doblas la frente... ¿No te hace reír mi locura?

Pedro, con un movimiento convulsivo, oprimió el puño de su espada, levantó la cabeza que, en efecto, había inclinado, y dijo con voz sorda:

—¿Qué Virgen tiene esa presea?

—La del Sagrario —murmuró María.

—¡La del Sagrario! —repitió el joven con acento de terror—. ¡La del Sagrario de la Catedral!...[5]

Y en sus facciones se retrató un instante el estado de su alma, espantada de una idea.

—¡Ah! ¿Por qué no la posee otra Virgen? —prosiguió con acento enérgico y apasionado—. ¿Por qué no la tiene el arzobispo en su mitra, el rey en su corona o el diablo entre sus garras? Yo se la arrancaría para ti, aunque me costase la vida o la condenación. Pero a la Virgen del Sagrario, a nuestra Santa Patrona, yo... yo, que he nacido en Toledo, imposible, imposible.

[5] La imagen de la Virgen del Sagrario, patrona de Toledo, se halla cobijada en la capilla del mismo nombre. De origen y antigüedad muy discutidos, la arcaica talla en madera va recubierta de chapa de plata toda ella, a excepción de manos y rostro. Adornada con riquísimo manto bordado en perlas, se halla en posición sedente, sosteniendo en sus brazos al Divino Niño.

—¡Nunca! —murmuró María con voz casi imperceptible— ¡Nunca!

Y siguió llorando.

Pedro fijó una mirada estúpida en la corriente del río; en la corriente, que pasaba y pasaba sin cesar ante sus extraviados ojos, quebrándose al pie del mirador, entre las rocas sobre que se asienta la ciudad imperial.

III

¡La catedral de Toledo![6]. Figuraos un bosque de gigantescas palmeras de granito que al entrelazar sus ramas forman una bóveda colosal y magnífica, bajo la que se guarece y vive, con la vida que le ha prestado el genio, toda una creación de seres imaginarios y reales.

Figuraos un caos incomprensible de sombra y luz, en donde se mezclan y confunden con las tinieblas de las naves los rayos de colores de las ojivas, donde lucha y se pierde con la oscuridad del santuario el fulgor de las lámparas.

Figuraos un mundo de piedra, inmenso como el espíritu de nuestra religión, sombrío como sus tradiciones, enigmático como sus parábolas, y todavía no tendréis una idea remota de ese eterno monumento del entusiasmo y la fe de nuestros mayores, sobre el que los siglos han derramado a porfía el tesoro de sus creencias, de su inspiración y de sus artes.

En su seno viven el silencio, la majestad, la poesía del misticismo y un santo horror que defiende sus umbrales contra los pensamientos mundanos y las mezquinas pasiones de la tierra. La consunción material se alivia respirando el aire puro de las montañas; el ateísmo debe curarse respirando su atmósfera de fe.

Pero si grande, si imponente se presenta la catedral a nues-

[6] Fernando II el Santo y el arzobispo Rodrigo Ximénez de Rada ordenaron la construcción de la catedral, cuya primera piedra se colocó en 1226 y la última en el siglo XVI. Los planos fueron trazados por el arquitecto Pedro Pérez, quien estuvo al frente de las obras durante más de medio siglo. Es una de las obras maestras de la arquitectura gótica europea.

tros ojos a cualquiera hora que se penetra en su recinto misterioso y sagrado, nunca produce una impresión tan profunda como en los días en que despliega[7] todas las galas de su pompa religiosa, en que sus tabernáculos se cubren de oro y pedrería; sus gradas, de alfombras, y sus pilares, de tapices.

Entonces, cuando arden despidiendo un torrente de luz sus mil lámparas de plata; cuando flota en el aire una nube de incienso, y las voces del coro y la armonía de los órganos y las campanas de la torre estremecen el edificio desde sus cimientos más profundos hasta las más altas agujas que le coronan, entonces es cuando se comprende, al sentirla, la tremenda majestad de Dios, que vive en él, y lo anima con su soplo, y lo llena con el reflejo de su omnipotencia.

El mismo día en que tuvo lugar la escena que acabamos de referir se celebraba en la catedral de Toledo el último de la magnífica octava[8] de la Virgen.

La fiesta religiosa había traído a ella una multitud inmensa de fieles; pero ya ésta se había dispersado en todas direcciones, ya se habían apagado las luces de las capillas y del altar mayor, y las colosales puertas del templo habían rechinado sobre sus goznes para cerrarse detrás del último toledano, cuando de entre las sombras, y pálido, tan pálido como la estatua de la tumba en que se apoyó un instante mientras dominaba su emoción, se adelantó un hombre que vino deslizándose con el mayor sigilo hasta la verja del crucero. Allí, la claridad de una lámpara permitía distinguir sus facciones.

Era Pedro.

¿Qué había pasado entre los dos amantes para que se arrestara, al fin, a poner por obra una idea que sólo al concebirla se habían erizado sus cabellos de horror? Nunca pudo saberse. Pero él estaba allí, y estaba allí para llevar a cabo su criminal propósito. En su mirada inquieta, en el temblor de sus rodillas, en el sudor que corría en anchas gotas por su frente, llevaba escrito su pensamiento.

[7] *despliega:* aunque en el texto periodístico figura *desplega,* en todas las ediciones ha sido correctamente conjugado el verbo.

[8] Espacio de ocho días durante el cual la Iglesia católica celebra una fiesta solemne dedicada a la Virgen o algún santo, o conmemora su figura o milagros.

La catedral estaba sola, completamente sola y sumergida en un silencio profundo. No obstante, de cuando en cuando se percibían como unos rumores confusos: chasquidos de madera tal vez, o murmullos del viento, o, ¿quién sabe?, acaso ilusión de la fantasía, que oye y ve y palpa en su exaltación lo que no existe; pero la verdad era que ya cerca, ya lejos, ora a sus espaldas, ora a su lado mismo, sonaban como sollozos que se comprimen, como roce de telas que se arrastran, como rumor de pasos que van y vienen sin cesar.

Pedro hizo un esfuerzo para seguir en su camino; llegó a la verja y subió la primera grada de la capilla mayor. Alrededor de esta capilla están las tumbas de los reyes, cuyas imágenes de piedra, con la mano en la empuñadura de la espada, parecen velar noche y día por el santuario, a cuya sombra descansan todos por toda una eternidad[9]. «¡Adelante!», murmuró en voz baja, y quiso andar y no pudo. Parecía que sus pies se habían clavado en el pavimento. Bajó los ojos, y sus cabellos se erizaron de horror: el suelo de la capilla lo formaban anchas y oscuras losas sepulcrales.

Por un momento creyó que una mano fría y descarnada lo sujetaba en aquel punto con una fuerza invencible. Las moribundas lámparas, que brillaban en el fondo de las naves como estrellas perdidas entre las sombras, oscilaron a su vista, y oscilaron las estatuas de los sepulcros y las imágenes del altar, y osciló el templo todo, con sus arcadas de granito y sus machones de sillería.

«¡Adelante!», volvió a exclamar Pedro como fuera de sí, y se acercó al ara; y trepando por ella, subió hasta el escabel de la imagen. Todo alrededor suyo se revestía de formas quiméricas y horribles; todo era tinieblas o luz dudosa, mas imponente aun que la oscuridad. Sólo la reina de los cielos, suavemente

[9] La capilla del Sagrario fue construida a finales del siglo XVI por encargo del arzobispo Quiroga, siendo el arquitecto Nicolás de Vergara quien trazó los planos. Hay en ella abundantes muestras de arquitectura en arcos, pilastras, columnas, capiteles, contrafuertes y cornisas, así como estatuas de apóstoles y santos, y altorrelieves con decoración escultórica. Los muros izquierdo y derecho guardan enterramientos con los restos del cardenal Mendoza y de sus padres y hermanos.

iluminada por una lámpara de oro, parecía sonreír tranquila, bondadosa y serena en medio de tanto horror.

Sin embargo, aquella sonrisa muda e inmóvil que le tranquilizaba un instante concluyó por infundirle temor, un temor más extraño, más profundo que el que hasta entonces había sentido.

Tornó empero a dominarse, cerró los ojos para no verla, extendió la mano, con un movimiento convulsivo, y le arrancó la ajorca; la ajorca de oro, piadosa ofrenda de un santo arzobispo; la ajorca de oro cuyo valor equivalía a una fortuna.

Ya la presea estaba en su poder; sus dedos crispados la oprimían con un fuerza sobrenatural; sólo restaba huir, huir con ella; pero para esto era preciso abrir los ojos, y Pedro tenía miedo de ver, de ver la imagen, de ver los reyes de las sepulturas, los demonios de las cornisas, los endriagos[10] de los capiteles, las fajas de sombras y los rayos de luz que, semejantes a blancos y gigantescos fantasmas, se movían lentamente en el fondo de las naves, pobladas de rumores temerosos y extraños.

Al fin abrió los ojos, tendió una mirada, y un grito agudo se escapó de sus labios.

La catedral estaba llena de estatuas; estatuas que, vestidas con luengos y no vistos ropajes, habían descendido de sus huecos y ocupaban todo el ámbito de la iglesia y le miraban con sus ojos sin pupila.

Santos, monjes, ángeles, demonios, guerreros, damas, pajes, cenobitas y villanos se rodeaban y confundían en las naves y en el altar. A sus pies oficiaban, en presencia de los reyes, de hinojos sobre sus tumbas, los arzobispos de mármol que él había visto otras veces inmóviles sobre sus lechos mortuorios, mientras que, arrastrándose por las losas, trepando por los machones, acurrucados en los doseles, suspendidos en las bóvedas, pululaban, como los gusanos de un inmenso cadáver, todo un mundo de reptiles y alimañas de granito, quiméricos, deformes, horrorosos.

Ya no pudo resistir más. Las sienes le latieron con una vio-

[10] Monstruos fabulosos, en cuyos elementos constitutivos intervienen rasgos pertenecientes a facciones humanas y a ciertas fieras.

lencia espantosa; una nube de sangre oscureció sus pupilas; arrojó un segundo grito, un grito desgarrador y sobrehumano, y cayó desvanecido sobre el ara.

Cuando al otro día los dependientes de la iglesia lo encontraron al pie del altar, tenía aún la ajorca de oro entre sus manos, y al verlos aproximarse exclamó con una estridente carcajada:

—¡Suya, suya!

El infeliz estaba loco.

El monte de las ánimas

(LEYENDA SORIANA)

La noche de difuntos me despertó a no sé qué hora el doble de las campanas. Su tañido monótono y eterno me trajo a las mientes esta tradición que oí hace poco en Soria.

Intenté dormir de nuevo. ¡Imposible! Una vez aguijoneada, la imaginación es un caballo que se desboca y al que no sirve tirarle de la rienda. Por pasar el rato, me decidí a escribirla, como en efecto lo hice.

A las doce de la mañana, después de almorzar bien, y con un cigarro en la boca, no le hará mucho efecto a los lectores de *El Contemporáneo*[2]. Yo la oí en el mismo lugar en que acaeció, y la he escrito volviendo algunas veces la cabeza con miedo, cuando sentía crujir los cristales de mi balcón, estremecidos por el aire frío de la noche.

Sea de ella lo que quiera, *allá* va, como el caballo de copas.

[1] El tema del cazador maldito (caballero —noble o clérigo— condenado por sus pecados sacrílegos a vagar eternamente sobre cabalgadura sobrenatural, persiguiendo a una presa si su sacrilegio ha consistido en interrumpir, llevado de la pasión por la caza, oficios divinos o celebraciones litúrgicas), tan frecuente en el folklore europeo, es incorporado por Bécquer en *El monte de las ánimas* como motivo accesorio, centrado en torno a la actuación de los templarios y sus cacerías fantásticas, y fundido con el resto de elementos de la leyenda, en la que son muy visibles las manifestaciones de la imaginación de Bécquer, su creatividad literaria personalizada y la maestría de sus técnicas narrativas.

[2] Con el título de *El Contemporáneo. Periódico Político* se editó en Madrid un diario desde el año 1860 hasta 1865. En este periódico colaboró activamente Bécquer y publicó muchas de sus leyendas.

I

—Atad los perros, haced la señal con las trompas para que se reúnan los cazadores y demos la vuelta a la ciudad. La noche se acerca, es día de Todos los Santos y estamos en el Monte de las Ánimas[3].

—¡Tan pronto!

—A ser otro día, no dejara yo de concluir con ese rebaño de lobos que las nieves del Moncayo[4] han arrojado de sus madrigueras; pero hoy es imposible. Dentro de poco sonará la oración en los Templarios[5], y las ánimas de los difuntos comenzarán a tañer su campana en la capilla del monte.

—¡En esa capilla ruinosa! ¡Bah! ¿Quieres asustarme?

—No, hermosa prima. Tú ignoras cuanto sucede en este país, porque aún no hace un año que has venido a él desde muy lejos. Refrena tu yegua, yo también pondré la mía al paso, y mientras dure el camino te contaré esa historia.

Los pajes se reunieron en alegres y bulliciosos grupos. Los condes de Borges y de Alcudiel montaron en sus magníficos caballos, y todos juntos siguieron a sus hijos Beatriz y Alonso, que precedían la comitiva a bastante distancia.

Mientras duraba el camino, Alonso narró en estos términos la prometida historia:

—Ese monte que hoy llaman de las Ánimas pertenecía a los Templarios, cuyo convento ves allí, a la margen del río. Los

[3] Según Heliodoro Carpintero, había en Soria desde tiempo inmemorial una Cofradía de Ánimas que disponía para su religioso cometido de los aprovechamientos del monte citado, situado en una de las orillas del Duero. Con la desamortización de Mendizábal, la Cofradía se vio privada de aquellos ingresos y languideció. Pero el monte conservó su nombre. *(Geografía literaria soriana en Gustavo Adolfo Bécquer, en Bécquer y Soria, Madrid, C. S. I. C., 1970, pág. 39.)*

[4] Este pico, de 2.315 metros de altitud, forma desde 1204 la línea divisoria entre Soria y Zaragoza, entre Castilla y Aragón. Desde su cumbre se divisa grandioso panorama.

[5] Hubo un antiguo monasterio de los caballeros Templarios, que fue abandonado por ellos en 1312, por ser suprimida la orden en toda Europa. De los Templarios pasó a ser propiedad de los Hospitalarios de San Juan de Duero. Hoy sólo queda la iglesia, de ábside rectangular, y dos bóvedas de crucería.

templarios eran guerreros y religiosos a la vez[6]. Conquistada Soria a los árabes[7], el rey los hizo venir de lejanas tierras para defender la ciudad por la parte del puente, haciendo en ello notable agravio a sus nobles de Castilla, que así hubieran solos sabido defenderla como solos la conquistaron. Entre los caballeros de la nueva y poderosa orden y los hidalgos de la ciudad fermentó por algunos años, y estalló al fin, un odio profundo. Los primeros tenían acotado ese monte, donde reservaban caza abundante para satisfacer sus necesidades y contribuir a sus placeres. Los segundos determinaron organizar una gran batida en el coto, a pesar de las severas prohibiciones de los *clérigos con espuelas,* como llamaban a sus enemigos. Cundió la voz del reto, y nada fue parte a detener a los unos en su manía de cazar y a los otros en su empeño de estorbarlo. La proyectada expedición se llevó a cabo. No se acordaron de ellas las fieras. Antes la tendrían presente tantas madres como arrastraron sendos lutos por sus hijos. Aquello no fue una cacería. Fue una batalla espantosa: el monte quedó sembrado de cadáveres. Los lobos, a quienes se quiso exterminar, tuvieron un sangriento festín. Por último, intervino la autoridad del rey: el monte, maldita ocasión de tantas desgracias, se declaró abandonado, y la capilla de los religiosos, situada en el mismo monte, y en cuyo atrio se enterraron juntos amigos y enemigos, comenzó a arruinarse. Desde entonces dicen que cuando llega la noche de difuntos se oye doblar sola la campana de la capilla, y que las ánimas de los muertos envueltas en jirones de sus sudarios, corren como en una cacería fantástica por entre las breñas y los zarzales. Los ciervos braman espantados, los lobos aúllan, las culebras dan horrorosos silbidos, y al otro día se han visto impresas en la nieve las huellas de los descarnados

[6] Caballeros de la Orden del Temple, fundada en 1118. Tenía como misión el asegurar los caminos a los visitantes y peregrinos de los Santos Lugares. Alcanzó en el siglo XIII su esplendor y un siglo más tarde fue abolida, a causa, en vez de la templanza, de la vida relajada y la disipación. En España se pone fin a la presencia de la orden entre 1307 y 1312. Por bula del papa Juan XXII, sus bienes pasaron a la orden de San Juan de Jerusalén.

[7] Intervinieron en la conquista navarros, aragoneses y castellanos, pero fue en el reinado de Alfonso VII, concretamente en 1134, cuando se consiguió la ocupación definitiva. Este mismo rey repobló la ciudad y la engrandeció.

pies de los esqueletos. Por eso en Soria lo llamamos el Monte de las Ánimas, y por eso he querido salir de él antes que cierre la noche.

La relación de Alonso concluyó justamente cuando los dos jóvenes llegaban al extremo del puente que da paso a la ciudad por aquel lado. Allí esperaron al resto de la comitiva, la cual, después de incorporársele[8] los dos jinetes, se perdió por entre las estrechas y oscuras calles de Soria.

II

Los servidores acababan de levantar los manteles; la alta chimenea gótica del palacio de los condes de Alcudiel despedía un vivo resplandor, iluminando algunos grupos de damas y caballeros que alrededor de la lumbre conversaban familiarmente, y el viento azotaba los emplomados vidrios de las ojivas del salón.

Solas dos personas parecían ajenas a la conversación general: Beatriz y Alonso. Beatriz seguía con los ojos, y absorta en un vago pensamiento, los caprichos de la llama. Alonso miraba el reflejo de la hoguera chispear en las azules pupilas de Beatriz.

Ambos guardaban hacía rato un profundo silencio.

Las dueñas[9] se referían, a propósito de la noche de difuntos, cuentos temerosos, en que los espectros y los aparecidos representaban el principal papel; y las campanas de las iglesias de Soria doblaban a lo lejos con un tañido monótono y triste.

—Hermosa prima —exclamó, al fin Alonso, rompiendo el largo silencio en que se encontraban—, pronto vamos a separarnos, tal vez para siempre; las áridas llanuras de Castilla, sus costumbres toscas y guerreras, sus hábitos sencillos y patriarcales, sé que no te gustan; te he oído suspirar varias veces, acaso por algún galán de tu lejano señorío.

[8] *incorporársele:* corregimos el plural erróneo de la versión periodística *(incorporárseles).*

[9] Mujeres viudas que había en las casas principales para dar apariencia de autoridad y respeto y para vigilar y dirigir a las demás criadas.

200

Beatriz hizo un gesto de fría indiferencia: todo un carácter de mujer se reveló en aquella desdeñosa contracción de sus delgados labios.

—Tal vez por la pompa de la corte francesa, donde hasta aquí has vivido —se apresuró a añadir el joven—. De un modo o de otro, presiento que no tardaré en perderte... Al separarnos, quisiera que llevases una memoria mía... ¿Te acuerdas cuando fuimos al templo a dar gracias a Dios por haberte devuelto la salud que viniste a buscar a esa tierra? El joyel que sujetaba la pluma de mi gorra cautivó tu atención. ¡Qué hermoso estaría sujetando un velo sobre tu oscura cabellera! Ya ha prendido el de una desposada, mi padre se lo regaló a la que me dio el ser, y ella lo llevó al altar... ¿Lo quieres?

—No sé en el tuyo —contestó la hermosa—; pero en mi país una prenda recibida compromete una voluntad. Sólo en un día de ceremonia debe aceptarse un presente de manos de un deudo..., que aún puede ir a Roma sin volver con las manos vacías.

El acento helado con que Beatriz pronunció estas palabras turbó un momento al joven que, después de serenarse, dijo con tristeza:

—Lo sé, prima; pero hoy se celebran Todos los Santos, y el tuyo entre todos; hoy es día de ceremonias y presentes. ¿Quieres aceptar el mío?

Beatriz se mordió ligeramente los labios y extendió la mano para tomar la joya, sin añadir una palabra.

Los dos jóvenes volvieron a quedarse en silencio, y volvióse a oír la cascada voz de las viejas que hablaban de brujas y de trasgos, y el zumbido del aire que hacía crujir los vidrios de las ojivas, y el triste y monótono doblar de las campanas.

Al cabo de algunos minutos, el interrumpido diálogo tornó a anudarse de este modo:

—Y antes que concluya el día de Todos los Santos, en que así como el tuyo se celebra el mío, y puedes, sin atar tu voluntad dejarme un recuerdo, ¿no lo harás? —dijo él, clavando una mirada en la de su prima, que brilló como un relámpago, iluminada por un pensamiento diabólico.

—¿Por qué no? —exclamó ésta, llevándose la mano al hombro derecho como para buscar alguna cosa entre los pliegues

201

de su ancha manga de terciopelo bordado de oro. Después, con una infantil expresión de sentimiento, añadió—: ¿Te acuerdas de la banda azul que llevé hoy a la cacería, y que por no sé qué emblema de su color me dijiste que era la divisa de tu alma?

—Sí.

—¡Pues... se ha perdido! Se ha perdido, y pensaba dejártela como un recuerdo.

—¡Se ha perdido! ¿Y dónde? —preguntó Alonso, incorporándose de su asiento y con una indescriptible expresión de temor y esperanza.

—No sé... En el monte, acaso.

—¡En el Monte de las Ánimas! —murmuró, palideciendo y dejándose caer sobre el sitial!—. ¡En el Monte de las Ánimas! —luego prosiguió, con voz entrecortada y sorda—: Tú lo sabes, porque lo habrás oído mil veces. En la ciudad, en toda Castilla, me llaman el rey de los cazadores. No habiendo aún podido probar mis fuerzas en los combates, como mis ascendientes, he llevado a esa diversión, imagen de la guerra, todos los bríos de mi juventud, todo el ardor hereditario en mi raza. La alfombra que pisan tus pies son despojos de fieras que he muerto por mi mano. Yo conozco sus guaridas y sus costumbres, yo he combatido con ellas de día y de noche, a pie y a caballo, solo y en batida, y nadie dirá que me ha visto huir el peligro en ninguna ocasión. Otra noche volaría por esa banda, y volaría gozoso como a una fiesta; y, sin embargo, esta noche... esta noche, ¿a qué ocultártelo?, tengo miedo. ¿Oyes? Las campanas doblan, la oración ha sonado en San Juan del Duero[10], las ánimas del monte comenzarán ahora a levantar sus amarillentos cráneos de entre las malezas que cubren sus fosas... ¡Las ánimas!, cuya sola vista puede helar de horror la sangre del más valiente, tornar sus cabellos blancos o arrebatarle en el torbellino de su fantástica carrera como una hoja que arrastra el viento sin que se sepa adónde.

[10] Llamado inicialmente San Juan del Hospital, por ser monasterio perteneciente a los caballeros Hospitalarios, poseyó iglesia erigida en el siglo XII, claustro anejo y otras dependencias. Consérvanse noticias de sus abades del siglo XIV. Hoy quedan en pie la iglesia y el sorprendente claustro.

Mientras el joven hablaba, una sonrisa imperceptible se dibujó en los labios de Beatriz, que, cuando hubo concluido, exclamó en un tono indiferente y mientras atizaba el fuego del hogar, donde saltaba y crujía la leña, arrojando chispas de mil colores:

—¡Oh! Eso, de ningún modo. ¡Qué locura! ¡Ir ahora al monte por semejante friolera! ¡Una noche tan oscura, noche de difuntos y cuajado el camino de lobos!

Al decir esta última frase la recargó de un modo tan especial, que Alonso no pudo menos de comprender toda su amarga ironía; movido como por un resorte se puso de pie, se pasó la mano por la frente, como para arrancarse el miedo que estaba en su cabeza y no en su corazón, y con voz firme exclamó, dirigiéndose a la hermosa, que estaba aún inclinada sobre el hogar, entreteniéndose en revolver el fuego:

—Adiós, Beatriz, adiós. Hasta... pronto.

—¡Alonso, Alonso! —dijo ésta, volviéndose con rapidez; pero cuando quiso o aparentó querer detenerle, el joven había desaparecido.

A los pocos minutos se oyó el rumor de un caballo que se alejaba al galope. La hermosa, con una radiante expresión de orgullo satisfecho que coloreó sus mejillas, prestó atento oído a aquel rumor que se debilitaba, que se perdía, que se desvaneció por último.

Las viejas, en tanto, continuaban en sus cuentos de ánimas aparecidas; el aire zumbaba en los vidrios del balcón, y las campanas de la ciudad doblaban a lo lejos.

III

Había pasado una hora, dos, tres; la medianoche estaba a punto de sonar, cuando Beatriz se retiró a su oratorio. Alonso no volvía, no volvía, y, a querer, en menos de una hora pudiera haberlo hecho.

—¡Habrá tenido miedo! —exclamó la joven, cerrando su libro de oraciones y encaminándose a su lecho, después de haber intentado inútilmente murmurar algunos de los rezos que la iglesia consagra en el día de difuntos a los que ya no existen.

Después de haber apagado la lámpara y cruzado las dobles cortinas de seda, se durmió; se durmió con un sueño inquieto, ligero, nervioso.

Las doce sonaron en el reloj del Postigo[11]. Beatriz oyó entre sueños las vibraciones de la campana, lentas, sordas, tristísimas, y entreabrió los ojos. Creía haber oído, a par de ellas, pronunciar su nombre; pero lejos, muy lejos, y por una voz ahogada y doliente. El viento gemía en los vidrios de la ventana.

—Será el viento —dijo, y poniéndose la mano sobre el corazón procuró tranquilizarse.

Pero su corazón latía cada vez con más violencia, las puertas de alerce del oratorio habían crujido sobre sus goznes con un chirrido agudo, prolongado y estridente.

Primero unas y luego las otras más cercanas, todas las puertas que daban paso a su habitación iban sonando por su orden; éstas con un ruido sordo y grave, aquéllas con un lamento largo y crispador. Después, silencio; un silencio lleno de rumores extraños, el silencio de la medianoche; con un murmullo monótono de agua distante, lejanos ladridos de perros, voces confusas, palabras ininteligibles; eco de pasos que van y vienen, crujir de ropas que se arrastran, suspiros que se ahogan, respiraciones fatigosas que casi se sienten, estremecimientos involuntarios que anuncian la presencia de algo que no se ve, y que no obstante se nota su aproximación en la oscuridad.

Beatriz, inmóvil, temblorosa, adelantó la cabeza fuera de las cortinas y escuchó un momento. Oía mil ruidos diversos; se pasaba la mano por la frente, tornaba a escuchar; nada, silencio.

Veía, con esa fosforescencia de la pupila en las crisis nerviosas, como bultos que se movían en todas direcciones, y cuando dilatándolas las fijaba en un punto, nada; osuridad, las sombras impenetrables.

—¡Bah! —exclamó, volviendo a recostar su hermosa cabeza

[11] En tiempo de Bécquer, la del Postigo era una de las más monumentales salidas de la ciudad amurallada. Entre los dos tambores que defendían la entrada se alzaba una espadaña, con un vano ocupado por la campana de un reloj. Debajo se veía la esfera, que en caracteres antiguos marcaba las horas.

sobre la almohada de raso azul del lecho——. ¿Soy yo tan miedosa como estas pobres gentes cuyo corazón palpita de terror bajo una armadura al oír una conseja de aparecidos?

Y cerrando los ojos, intentó dormir...; pero en vano había hecho un esfuero sobre sí misma. Pronto volvió a incorporarse, más pálida, más inquieta, más aterrada. Ya no era una ilusión: las colgaduras de brocado de la puerta habían rozado al separarse, y unas pisadas lentas sonaban sobre la alfombra; el rumor de aquellas pisadas era sordo, casi imperceptible, pero continuado, y a su compás se oía crujir una cosa como madera o hueso. Y se acercaban, se acercaban, y se movió el reclinatorio que estaba a la orilla de su lecho. Beatriz lanzó un grito agudo, y rebujándose en la ropa que la cubría escondió la cabeza y contuvo el aliento.

El aire azotaba los vidrios del balcón; el agua de la fuente lejana caía y caía con un rumor eterno y monótono; los ladridos de los perros se dilataban en las ráfagas del aire, y las campanas de la ciudad de Soria, unas cerca, otras distantes, doblaban tristemente por las ánimas de los difuntos.

Así pasó una hora, dos, la noche, un siglo, porque la noche aquella pareció eterna a Beatriz. Al fin, despuntó la aurora. Vuelta de su temor, entreabrió los ojos a los primeros rayos de la luz. Después de una noche de insomnio y de terrores, ¡es tan hermosa la luz clara y blanca del día! Separó las cortinas de seda del lecho, tendió una mirada serena a su alrededor, y ya se disponía a reírse de sus temores pasados, cuando de repente un sudor frío cubrió su cuerpo, sus ojos de desencajaron y una palidez mortal descoloró sus mejillas: sobre el reclinatorio había visto, sangrienta y desgarrada, la banda azul que perdiera en el monte, la banda azul que fue a buscar Alonso.

Cuando sus servidores llegaron, despavoridos, a noticiarle la muerte del primogénito de Alcudiel, que a la mañana había aparecido devorado por los lobos entre las malezas del Monte de las Ánimas, la encontraron inmóvil, crispada, asida con ambas manos a una de las columnas de ébano del lecho, desencajados los ojos, entreabierta la boca, blancos los labios, rígidos los miembros, muerta, muerta de horror.

IV

Dicen que después de acaecido este suceso, un cazador extraviado que pasó la noche de Difuntos sin poder salir del Monte de las Ánimas, y que al otro día, antes de morir, pudo contar lo que viera, refirió cosas horribles. Entre otras, se asegura que vio a los esqueletos de los antiguos templarios y de los nobles de Soria enterrados en el atrio de la capilla levantarse al punto de la oración con un estrépito horrible, y caballeros sobre osamentas de corceles, perseguir como a una fiera a una mujer hermosa, pálida y desmelenada que, con los pies desnudos y sangrientos, y arrojando gritos de horror, daba vueltas alrededor de la tumba de Alonso.

Los ojos verdes[1]

(LEYENDA)

Hace mucho tiempo que tenía ganas de escribir cualquier cosa con este título. Hoy, que se me ha presentado ocasión, lo he puesto con letras grandes en la primera cuartilla de papel, y luego he dejado a capricho volar la pluma.

Yo creo que he visto unos ojos como los que he pintado en

[1] Podemos considerar que la leyenda es una recreación de un tema perteneciente al folklore europeo, que en sus formulaciones concretas posee diversas formas y variantes. Es el tema de la *dama del lago,* hermosa mujer que encarna un espíritu maléfico, seduce a quien se aproxima a las orillas y lo arrastra consigo hacia la profundidad de las aguas y la muerte.

Como posible fuente española, debemos mencionar la leyenda de la *dama del lago* que aparece en el *Caballero Cifar* (mujer de gran belleza sale de las aguas para seducir al caballero, llevándolo hasta el fondo del lago, donde existe un reino encantado), aunque quizá esté más cerca el romance de Manuel José Quintana *La fuente de la mora encantada (Poesías,* Madrid, La Lectura, 1927, páginas 249-253).

José Pedro Díaz propone que, aunque este tema tradicional pudo llegarle a Bécquer por diferentes vías, la lectura de una síntesis del mismo, hallada en uno de los textos con que Nerval acompañó sus traducciones de Heine *(Préface* a *La mer du Nord),* pudo ser la vía concreta. (José Pedro Díaz, *op. cit.,* pág. 427.)

Henry Charles Turk subraya los puntos de coincidencia entre el tema de *Los ojos verdes* y la balada *Der Fischer* de Goethe, que trata de la atracción de un pescador por un espíritu del agua. *(German Romanticism in Gustavo Adolfo Bécquer's Short Stories,* Lawrence, Kansas, 1959, págs. 23-24.)

Finalmente, J. Gulsoy intenta demostrar que *Los ojos verdes* es una reelaboración del relato *La ondina del lago azul,* perteneciente a la poetisa cubana Gertrudis Gómez de Avellaneda. («La fuente común de *Los ojos verdes* y *El rayo de luna* de G. A. Bécquer», cit., págs. 96-104.)

esta leyenda. No sé si en sueños, pero yo los he visto. De seguro no los podré describir tal cual ellos eran: luminosos, transparentes como las gotas de la lluvia que se resbalan sobre las hojas de los árboles después de una tempestad de verano. De todos modos, cuento con la imaginación de mis lectores para hacerme comprender en éste que pudiéramos llamar boceto de un cuadro que pintaré algún día.

I

—Herido va el ciervo.., herido va; no hay duda. Se ve el rastro de la sangre entre las zarzas del monte, y al saltar uno de esos lentiscos[2] han flaqueado sus piernas... Nuestro joven señor comienza por donde otros acaban... En cuarenta años de montero no he visto mejor golpe... Pero, ¡por San Saturio, patrón de Soria![3], cortadle el paso por esas carrascas, azuzad los perros, soplad en esas trompas hasta echar los hígados, y hundidle a los corceles una cuarta de hierro en los ijares: ¿no veis que se dirige hacia la fuente de los Álamos y si la salva antes de morir podemos darle por perdido?

Las cuencas del Moncayo repitieron de eco en eco el bramido de las trompas, el latir de la jauría desencadenada, y las voces de los pajes resonaron con nueva furia, y el confuso tropel de hombres, caballos y perros se dirigió al punto que Íñigo, el montero mayor de los marqueses de Almenar[4], señalara como el más a propósito para cortarle el paso a la res.

[2] Arbustos de verdura perenne, muy abundantes en España, cuya madera, dura y aromática, se usa para trabajos de ebanistería. De su fruto se obtenía aceite para el alumbrado.

[3] Situada la ermita en la machadiana ballesta del Duero, pocos datos se conocen del patrón soriano. Fue anacoreta que quizá vivió en el siglo VI. En el siglo XII se encontraron los restos del santo cuerpo tanto tiempo ignorado. En 1646 ya consta que San Saturio era el patrono de Soria. La actual ermita fue reedificada de nueva planta en 1698. Para Bécquer, es «más notable por su pintoresca situación que por el mérito artístico de su fábrica». *(La ermita de San Saturio, patrón de Soria, O. C.,* 1981, pág. 995.)

[4] Almenar, pueblo soriano situado cerca de la orilla derecha del río Rituerto, fue plaza fuerte árabe antes de la ocupación castellana de la línea del Duero. Su castillo fronterizo, existente desde el siglo XIII, perteneció a los condes de Gómara.

Pero todo fue inútil. Cuando el más ágil de los lebreles llegó a las carrascas, jadeante y cubiertas las fauces de espuma, ya el ciervo, rápido como una saeta, las había salvado de un solo brinco, perdiéndose entre los matorrales de una trocha que conducía a la fuente.

—¡Alto!... ¡Alto todo el mundo! —gritó Íñigo entonces—. Estaba de Dios que había de marcharse.

Y la cabalgata se detuvo, y enmudecieron las trompas[5], y los lebreles dejaron refunfuñando la pista a la voz de los cazadores.

En aquel momento se reunía a la comitiva el héroe de la fiesta, Fernando de Argensola, el primogénito de Almenar.

—¿Qué haces? —exclamó, dirigiéndose a su montero, y en tanto, ya se pintaba el asombro en sus facciones, ya ardía la cólera en sus ojos—. ¿Qué haces, imbécil? Ves que la pieza está herida, que es la primera que cae por mi mano, y abandonas el rastro y la dejas perder para que vaya a morir en el fondo del bosque. ¿Crees acaso que he venido a matar ciervos para festines de lobos?

—Señor —murmuró Íñigo entre dientes—, es imposible pasar de este punto.

¡Imposible! ¿Y por qué?

—Porque esa trocha —prosiguió el montero— conduce a la fuente de los Álamos: la fuente de los Álamos, en cuyas aguas habita un espíritu del mal. El que osa enturbiar su corriente paga caro su atrevimiento. Ya la res habrá salvado sus márgenes. ¿Cómo las salvaréis vos sin atraer sobre vuestra cabeza alguna calamidad horrible? Los cazadores somos reyes del Moncayo, pero reyes que pagan un tributo. Pieza que se refugia en esa fuente misteriosa, pieza perdida.

—¡Pieza perdida! Primero perderé yo el señorío de mis padres, y primero perderé el ánima en manos de Satanás que permitir que se me escape ese ciervo, el único que ha herido mi venablo, la primicia de mis excursiones de cazador... ¿Lo ves?... ¿Lo ves?... Aún se distingue a intervalos desde aquí: las piernas le faltan, su carrera se acorta; déjame..., déjame; suelta

[5] *las trompas: los trompas* (RB). Aceptamos la versión de Ag. Creemos incorrecto mantener el masculino, tal como aparece el *El Contemporáneo*.

esa brida o te revuelco en el polvo... ¿Quién sabe si no le daré lugar para que llegue a la fuente? Y si llegase, al diablo ella, su limpidez y sus habitadores. ¡Sus, *Relámpago!;* ¡sus, caballo mío! Si lo alcanzas, mando engarzar los diamantes de mi joyel en tu serreta de oro.

Caballo y jinete partieron como un huracán. Íñigo los siguió con la vista hasta que se perdieron en la maleza; después volvió los ojos en derredor suyo; todos, como él, permanecían inmóviles y consternados.

El montero exclamó al fin:

—Señores, vosotros lo habéis visto: me he expuesto a morir entre los pies de su caballo por detenerlo. Yo he cumplido con mi deber. Con el diablo no sirven valentías. Hasta aquí llega el montero con su ballesta; de aquí en adelante, que pruebe a pasar el capellán con su hisopo.

II

—Tenéis la color quebrada; andáis mustio y sombrío. ¿Qué os sucede? Desde el día, que yo siempre tendré por funesto, en que llegasteis a la fuente de los Álamos en pos de la res herida, diríase que una mala bruja os ha encanijado con sus hechizos. Ya no vais a los montes precedido de la ruidosa jauría ni el clamor de vuestras trompas despierta sus ecos. Sólo con esas cavilaciones que os persiguen, todas las mañanas tomáis la ballesta para enderezaros a la espesura y permanecer en ella hasta que el sol se esconde. Y cuando la noche oscurece y volvéis pálido y fatigado al castillo, en balde busco en la bandolera los despojos de la caza. ¿Qué os ocupa tan largas horas lejos de los que más os quieren?

Mientras Íñigo hablaba, Fernando, absorto en sus ideas, sacaba maquinalmente astillas de su escaño de ébano con el cuchillo de monte.

Después de un largo silencio, que sólo interrumpía el chirrido de la hoja al resbalarse[6] sobre la pulimentada madera, el jo-

 [6] *resbalarse: al resbalar* (RB). No creemos justificada la corrección de RB. En el texto periodístico y RC figura el reflexivo.

ven exclamó, dirigiéndose a su servidor, como si no hubiera escuchado una sola de sus palabras:

—Íñigo, tú que eres viejo, tú que conoces todas las guaridas del Moncayo, que has vivido en sus faldas persiguiendo a las fieras, y en tus errantes excursiones de cazador subiste más de una vez á su cumbre, dime: ¿has encontrado, por acaso, una mujer que vive entre sus rocas?

—¡Una mujer! —exclamó el montero con asombro y mirándole de hito en hito.

—Sí —dijo el joven—; es una cosa extraña lo que me sucede, muy extraña... Creí poder guardar este secreto eternamente, pero no es ya posible, rebosa en mi corazón y asoma a mi semblante. Voy, pues, a revelártelo... Tú me ayudarás a desvanecer el misterio que envuelve a esa criatura que, al parecer, sólo para mí existe, pues nadie la conoce, ni la ha visto, ni puede darme razón de ella.

El montero, sin despegar los labios, arrastró su banquillo hasta colocarse junto al escaño de su señor, del que no apartaba un punto los espantados ojos. Éste, después de coordinar sus ideas, prosiguió así:

—Desde el día en que, a pesar de tus funestas predicciones, llegué a la fuente de los Álamos y, atravesando sus aguas, recobré el ciervo que vuestra superstición hubiera dejado huir, se llenó mi alma del deseo de la soledad.

»¿Tú no conoces aquel sitio? Mira: la fuente brota escondida en el seno de una peña, y cae, resbalándose gota a gota, por entre las verdes y flotantes hojas de las plantas que crecen al borde de su cuna. Aquellas gotas, que al desprenderse brillan como puntos de oro y suenan como las notas de un instrumento, se reúnen entre los céspedes y, susurrando, surrurando, con un ruido semejante al de las abejas que zumban en torno de las flores, se alejan por entre las arenas y forman un cauce, y luchan con los obstáculos que se oponen a su camino, y se repliegan sobre sí mismas, y saltan, y huyen, y corren, unas veces con risas; otras, con suspiros, hasta caer en un lago. En el lago caen con un rumor indescriptible. Lamentos, palabras, nombres, cantares, yo no sé lo que he oído en aquel rumor cuando me he sentado solo y febril sobre el peñasco a cuyos pies saltan las aguas de la fuente misteriosa, para estancarse en

una balsa profunda, cuya inmóvil superficie apenas riza el viento de la tarde.

»Todo allí es grande. La soledad, con sus mil rumores desconocidos, vive en aquellos lugares y embriaga el espíritu en su inefable melancolía. En las plateadas hojas de los álamos, en los huecos de las peñas, en las ondas del agua, parece que nos hablan los invisibles espíritus de la naturaleza, que reconocen un hermano en el inmortal espíritu del hombre.

»Cuando al despuntar la mañana me veías tomar la ballesta y dirigirme al monte, no fue nunca para perderme entre sus matorrales en pos de la caza, no; iba a sentarme al borde de la fuente a buscar en sus ondas... no sé qué, ¡una locura! El día que salté sobre ella con mi *Relámpago*, creí haber visto brillar en su fondo una cosa extraña..., muy extraña: los ojos de una mujer.

»Tal vez sería un rayo del sol que serpeó fugitivo entre su espuma; tal vez una de esas flores que flotan entre las algas de su seno y cuyos cálices parecen esmeraldas...; no sé; yo creí ver una mirada que se clavó en la mía, una mirada que encendió en mi pecho un deseo absurdo, irrealizable; el de encontrar una persona con unos ojos como aquéllos. En su busca fui un día y otro a aquel sitio.

»Por último, una tarde... yo me creí juguete de un sueño...; pero no, es verdad; la he hablado ya muchas veces como te hablo a ti ahora...; una tarde encontré sentada en mi puesto, y vestida con unas ropas que llegaban hasta las aguas y flotaban sobre su haz, una mujer hermosa sobre toda ponderación. Sus cabellos eran como el oro; sus pestañas brillaban como hilos de luz, y entre las pestañas volteaban inquietas una pupilas que yo había visto..., sí, porque los ojos de aquella mujer eran los ojos que yo tenía clavados en la mente, unos ojos de un color imposible, unos ojos...

—¡Verdes! —exclamó Íñigo con un acento de profundo terror e incorporándose de un salto en su asiento.

Fernando le miró a su vez como asombrado de que concluyese lo que iba a decir, y le preguntó con una mezcla de ansiedad y alegría:

—¿La conoces?

—¡Oh, no! —dijo el montero—. ¡Líbreme Dios de conocer-

la! Pero mis padres, al prohibirme llegar hasta esos lugares, me dijeron mil veces que el espíritu, trasgo, demonio o mujer que habita en sus aguas tiene los ojos de ese color. Yo os conjuro por lo que más améis en la tierra a no volver a la fuente de los Álamos. Un día u otro os alcanzará su venganza y expiaréis, muriendo, el delito de haber encenegado sus ondas.

—¡Por lo que más amo! —murmuró el joven con una triste sonrisa.

—Sí —prosiguió el anciano—; por vuestros padres, por vuestros deudos, por las lágrimas de la que el cielo destina para vuestra esposa[7], por las de un servidor, que os ha visto nacer.

—¿Sabes tú lo que más amo en este mundo? ¿Sabes tú por qué daría yo el amor de mi padre, los besos de la que me dio la vida y todo el cariño que pueden atesorar todas las mujeres de la tierra? Por una mirada, por una sola mirada de esos ojos... ¡Mira cómo podré yo dejar de buscarlos!

Dijo Fernando estas palabras con tal acento, que la lágrima que temblaba en los párpados de Íñigo se resbaló silenciosa por su mejilla, mientras exclamó con acento sombrío:

—¡Cúmplase la voluntad del cielo!

III

—¿Quién eres tú? ¿Cuál es tu patria? ¿En dónde habitas? Yo vengo un día y otro en tu busca, y ni veo el corcel que te trae a estos lugares ni a los servidores que conducen tu litera. Rompe de una vez el misterioso velo en que te envuelves como en una noche profunda. Yo te amo, y, noble o villana, seré tuyo, tuyo siempre...

El sol había traspuesto la cumbre del monte; las sombras bajaban a grandes pasos por su falda; la brisa gemía entre los álamos de la fuente, y la niebla, elevándose poco a poco de la

[7] *para vuestra esposa: para vuestra esposa* (RC), *por vuestra esposa* (RB). Preferimos la versión de RC. Consideramos que el «por» de *El Contemporáneo* —que sólo proporciona ambigüedad y cacofonía— es errata periodística o simple error de redacción.

superficie del lago, comenzaba a envolver las rocas de su margen.

Sobre una de estas rocas, sobre una que parecía próxima a desplomarse en el fondo de las aguas, en cuya superficie se retrataba, temblando, el primogénito de Almenar, de rodillas a los pies de su misteriosa amante, procuraba en vano arrancarle el secreto de su existencia.

Ella era hermosa, hermosa y pálida como una estatua de alabastro, uno de sus rizos caía sobre sus hombros, deslizándose entre los pliegues del velo como un rayo de sol que atraviesa las nubes, y en el cerco de sus pestañas rubias brillaban sus pupilas como dos esmeraldas sujetas en una joya de oro.

Cuando el joven acabó de hablarle, sus labios se removieron como para pronunciar algunas palabras; pero sólo exhalaron un suspiro, un suspiro débil, doliente, como el de la ligera onda que empuja una brisa al morir entre los juncos.

—¡No me respondes! —exclamó Fernando al ver burlada su esperanza—. ¿Querrás que dé crédito a lo que de ti me han dicho? ¡Oh, no!... Háblame; yo quiero saber si me amas; yo quiero saber si puedo amarte, si eres una mujer...

—O un demonio... ¿Y si lo fuese?

El joven vaciló un instante; un sudor frío corrió por sus miembros; sus pupilas se dilataron al fijarse con más intensidad en las de aquella mujer, y fascinado por su brillo fosfórico, demente casi, exclamó en un arrebato de amor:

—Si lo fueses..., te amaría... te amaría como te amo ahora, como es mi destino amarte, hasta más allá de esta vida, si hay algo más allá de ella.

—Fernando —dijo la hermosa entonces con una voz semejante a una música—, yo te amo más aún que tú me amas; yo, que desciendo hasta un mortal siendo un espíritu puro. No soy una mujer como las que existen en la tierra; soy una mujer digna de ti, que eres superior a los demás hombres. Yo vivo en el fondo de estas aguas, incorpórea como ellas, fugaz y transparente: hablo con sus rumores y ondulo con sus pliegues[8]. Yo no castigo al que osa turbar la fuente donde moro; antes le pre-

[8] Este pasaje ha sido relacionado con la rima XI (51). Cfr. Edmund L. King, *op. cit.*, págs. 125-135.

mío con mi amor, como un mortal superior a las supersticio- nes del vulgo, como a un amante capaz de comprender mi ca- riño extraño y misterioso.

Mientras ella hablaba así, el joven, absorto en la contempla- ción de su fantástica hermosura, atraído como por una fuerza desconocida, se aproximaba más y más al borde de la roca. La mujer de los ojos verdes prosiguió así:

—¿Ves, ves el límpido fondo de ese lago? ¿Ves esas plantas de largas y verdes hojas que se agitan en su fondo?... Ellas nos darán un lecho de esmeraldas y corales..., y yo..., yo te daré una felicidad sin nombre, esa felicidad que has soñado en tus horas de delirio y que no puede ofrecerte nadie... Ven; la nie- bla del lago flota sobre nuestras fuentes como un pabellón de lino...; las ondas nos llaman con sus voces incomprensibles; el viento empieza entre los álamos sus himnos de amor; ven..., ven...

La noche comenzaba a extender sus sombras; la luna rielaba en la superficie del lago; la niebla se arremolinaba al soplo del aire, y los ojos verdes brillaban en la oscuridad como los fue- gos fatuos que corren sobre el haz de las aguas infectas... «Ven, ven...» Estas palabras zumbaban en los oídos de Fernan- do como un conjuro. «Ven...», y la mujer misteriosa lo llamaba al borde del abismo donde estaba suspendida, y parecía ofre- cerle un beso..., un beso...

Fernando dio un paso hacia ella..., otro, y sintió unos brazos delgados y flexibles que se liaban a su cuello, y una sensación fría en sus labios ardorosos, un beso de nieve..., y vaciló..., y perdió pie, y cayó al agua con un rumor sordo y lúgubre.

Las aguas saltaron en chispas de luz y se cerraron sobre su cuerpo, y sus círculos de plata fueron ensanchándose, ensan- chándose, hasta expirar en las orillas.

Maese Pérez el organista[1]

(LEYENDA SEVILLANA)

En Sevilla, en el mismo atrio de Santa Inés[2], y mientras esperaba a que comenzase la misa del gallo, oí esta tradición a una demandadera[3] del convento.

Como era natural, después de oírla aguardé impaciente a que comenzara la ceremonia, ansioso de asistir a un prodigio.

Nada menos prodigioso, sin embargo, que el órgano de Santa Inés, ni nada más vulgar que los insulsos motetes con que nos regaló su organista aquella noche.

Al salir de la misa no pude por menos de decirle a la demandadera con aire de burla:

[1] La leyenda es una recreación, con abundantes incrustaciones líricas y costumbristas, de una tradición sevillana probablemente escuchada por Bécquer antes de su partida a Madrid o en la visita efectuada a Sevilla antes de componer el relato. En la primavera de 1861 Bécquer estuvo en Sevilla y se asombró del progreso material de la ciudad, de la irrupción de *lo nuevo* en la arquitectura hispalense y la destrucción de *lo viejo*. En esa visita pudo Bécquer revivir «los recuerdos íntimos de la niñez, cuando oía sonar con más frecuencia los órganos de las grandes capillas». (Rica Brown, *op. cit.*, pág. 179.) De tal reviviscencia de los tiempos pretéritos o de la atención puntual a las tradiciones del presente, pudo nacer la leyenda sonora del órgano y su maese.

[2] Débese la fundación del convento a doña María Fernández Coronel, mujer de Juan de la Cerda, quien en 1375 consiguió la facultad de fundar el monasterio en el solar de sus mayores. (Para esta y otras notas relacionadas con calles, edificios o personajes sevillanos, cfr. Rogelio Reyes Cano, *Sevilla en la obra de Bécquer*, Sevilla, Biblioteca de Temas Sevillanos, 1980, pág. 64.)

[3] Persona que hace fuera del convento los recados de los monjes.

—¿En qué consiste que el órgano de maese Pérez suena ahora tan mal?

—¡Toma —me contestó la vieja—, en que ése no es el suyo!

—¿No es el suyo? ¿Pues qué ha sido de él?

—Se cayó a pedazos de puro viejo hace una porción de años.

—¿Y el alma del organista?

—No ha vuelto a aparecer desde que colocaron el que ahora le sustituye.

Si a alguno de mis lectores se le ocurriese hacerme la misma pregunta después de leer esta historia, ya sabe el por qué no se ha continuado el milagroso portento hasta nuestros días.

I

—¿Veis ese de la capa roja y la pluma blanca en el fieltro, que parece que trae sobre su justillo todo el oro de los galeones de Indias? ¿Aquel que baja en este momento de su litera para dar la mano a esa otra señora que, después de dejar la suya, se adelanta hacia aquí, precedida de cuatro pajes con hachas? Pues ese es el marqués de Moscosso, galán de la condesa viuda de Villapineda[4]. Se dice que antes de poner sus ojos sobre esta dama había pedido en matrimonio a la hija de un opulento señor; mas el padre de la doncella, de quien se murmura que es un poco avaro... Pero, ¡calle!, en hablando del ruin de Roma, cátale aquí que asoma. ¿Veis aquel que viene por debajo del arco de San Felipe[5], a pie, embozado en una capa oscura y precedido de un solo criado con una linterna? Ahora llega frente al retablo.

»¿Reparasteis, al desembozarse para saludar a la imagen, en la encomienda que brilla en su pecho? A no ser por ese noble

[4] Según afirma A. de la Banda y Vargas, son dos títulos nobiliarios estrechamente relacionados con la historia de Sevilla. («Sevilla en la obra de GAB», en *Archivo Hispalense*, 165, 1971.)

[5] Este arco y el convento de San Felipe Neri, que estaban situados en la calle actualmente llamada de doña María Coronel, fueron derribados con motivo de las reformas urbanísticas introducidas tras la revolución de 1868. El coro del convento se hallaba encima del arco, que ocupaba el ancho de la calle.

distintivo, cualquiera le creería un lonjista de la calle de Cule-bras[6]... Pues ése es el padre en cuestión. Mirad cómo la gente del pueblo le abre paso y le saluda. Toda Sevilla le conoce por su colosal fortuna. Él solo tiene más ducados de oro en sus arcas que soldados mantiene nuestro señor el rey don Felipe, y con sus galeones podría formar una escuadra suficiente a resistir a la del Gran Turco...

»Mirad, mirad ese grupo de señores graves; ésos son los caballeros veinticuatro[7]. ¡Hola, hola! También está aquí el flamencote, a quien se dice que no han echado ya el guante los señores de la cruz verde[8] merced a su influjo con los magnates de Madrid... Éste no viene a la iglesia más que a oír música... No, pues si maese Pérez no le arranca con su órgano lágrimas como puños, bien se puede asegurar que no tiene su alma en su armario, sino friyéndose[9] en las calderas de Pedro Botero[10]... ¡Ay, vecina! Malo..., malo... Presumo que vamos a tener jarana. Yo me refugio en la iglesia. Pues, por lo que veo, aquí van a andar más de sobra los cintarazos que los *paternoster*. Mirad, mirad: las gentes del duque de Alcalá doblan la esquina de la plaza de San Pedro, y por el callejón de las Dueñas se me figura que he columbrado a las del de Medina Sidonia[11]. ¿No os lo dije?

»Ya se han visto, ya se detienen unos y otros, sin pasar de sus puestos... Los grupos se disuelven... Los ministriles, a quienes en estas ocasiones apalean amigos y enemigos, se retiran... Hasta el señor asistente, con su vara y todo, se refugia en el atrio... Y luego dicen que hay justicia. Para los pobres...

»Vamos, vamos, ya brillan los broqueles en la oscuridad...

[6] Corresponde actualmente a la calle Villegas.

[7] Con este nombre se conocía a los regidores de la ciudad.

[8] Bécquer alude a los inquisidores, que llevaban en los hábitos una cruz verde.

[9] Ciertos términos como *friyéndose, armario* (y no almario), etc., las inflexiones marcadas por los puntos suspensivos, los aumentativos, las advocaciones religiosas, las exclamaciones, las construcciones sintácticas y el tono coloquial son elementos característicos del habla popular de la feligresa de Santa Inés.

[10] Expresión familiar para nombrar el infierno.

[11] En la sociedad sevillana del siglo XVI tuvieron mucho relieve las rencillas, viejos pleitos y enfrentamientos entre las familias nobles de Alcalá y Medina-Sidonia, querellas que se remontan al siglo XV.

¡Nuestro Señor del Gran Poder nos asista! Ya comienzan los golpes... ¡Vecina, vecina! Aquí..., antes que cierren las puertas. Pero ¡calle! ¿Qué es eso? Aún no han comenzado, cuando lo dejan... ¿Qué resplandor es aquél?... ¡Hachas encendidas! ¡Literas! Es el señor arzobispo.

»La Vigen Santísima del Amparo[12], a quien invocaba ahora mismo con el pensamiento, lo trae en mi ayuda... ¡Ay! ¡Si nadie sabe lo que yo le debo a esta Señora!... ¡Con cuánta usura me paga las candelillas que le enciendo los sábados!... Vedlo qué hermosote está con sus hábitos morados y su birrete rojo... Dios le conserve en su silla tantos siglos como yo deseo de vida para mí. Si no fuera por él media Sevilla hubiera ya ardido con estas disensiones de los duques. Vedlos, vedlos, los hipocritones, cómo se acercan ambos a la litera del prelado para besarle el anillo... Cómo le siguen y le acompañan confundiéndose con sus familiares. Quién diría que esos dos que parecen tan amigos si dentro de media hora se encuentran en una calle oscura... Es decir, ¡ellos, ellos!... Líbreme Dios de creerlos cobardes. Buena muestra han dado de sí peleando en algunas ocasiones contra los enemigos de Nuestro Señor... Pero es la verdad que si se buscaran... Y se buscaran con ganas de encontrarse, se encontrarían, poniendo fin de una vez a estas continuas reyertas, en las cuales los que verdaderamente se baten el cobre de firme son sus deudos, sus allegados y su servidumbre.

»Pero vamos, vecina, vamos a la iglesia, antes que se ponga de bote en bote..., que algunas noches como ésta suele llenarse de modo que no cabe ni un grano de trigo... Buena ganga tienen las monjas con su organista... ¿Cuándo se ha visto el convento tan favorecido como ahora?... De las otras comunidades puedo decir que le han hecho a maese Pérez proposiciones magníficas. Verdad que nada tiene de extraño, pues hasta el señor arzobispo le ha ofrecido montes de oro por llevarle a la catedral... Pero él, nada... Primero dejaría la vida que abandonar su órgano favorito... ¿No conocéis a maese Pérez? Verdad es que sois nueva en el barrio... Pues es un santo varón, pobre

[12] Es imagen que se venera en el grandioso templo barroco de la parroquia de la Magdalena. En el siglo XIX hubo gran devoción en Sevilla por esta efigie.

sí, pero limosnero cual no otro... Sin más parientes que su hija ni más amigo que su órgano, pasa su vida entera en velar por la inocencia de la una y componer los registros del otro... ¡Cuidado que el órgano es viejo!... Pues nada; él se da tal maña en arreglarlo y cuidarle, que suena que es una maravilla... Como que le conoce de tal modo, que a tientas... Porque no sé si os lo he dicho, pero el pobre señor es ciego de nacimiento... ¡Y con qué paciencia lleva su desgracia!... Cuando le preguntan que cuánto daría por ver, responde: "Mucho, pero no tanto como creéis, porque tengo esperanzas." "¿Esperanzas de ver?" "Sí, y muy pronto —añade, sonriendo como un ángel—[13]. Ya cuento setenta y seis años. Por muy larga que sea mi vida, pronto veré a Dios."

»¡Pobrecito! Y sí lo verá..., porque es humilde como las piedras de la calle, que se dejan pisar de todo el mundo. Siempre dice que no es más que un pobre organista de convento, y puede dar lecciones de solfa al mismo maestro de la capilla de la Primada[14]. Como que echó los dientes en el oficio... Su padre tenía la misma profesión que él. Yo no le conocí, pero mi señora madre, que santa gloria haya, dice que le llevaba siempre al órgano consigo para darle a los fuelles. Luego, el muchacho mostró tales disposiciones, que, como era natural, a la muerte de su padre heredó el cargo... ¡Y qué manos tiene! ¡Dios se las bendiga! Merecía que se las llevaran a la calle de Chicarreros[15] y se las engarzasen en oro... Siempre toca bien, siempre; pero en semejante noche como ésta es un prodigio... Él tiene una gran devoción por esta ceremonia de la misa del Gallo, y cuando levantan la Sagrada Forma, al punto y hora de las doce, que

[13] *ángel:* corregimos la evidente errata *(argel)* del texto periodístico.

[14] Erigida en el emplazamiento de la Mezquita Mayor, que fue derribada en el siglo XV, la construcción de la catedral de Sevilla se inició a principios del mismo siglo. El templo, de cinco espaciosas naves góticas, es por sus dimensiones el tercero del orbe cristiano.

[15] Según Félix González de León, *«Chicarreros de Grados* era su antiguo nombre, porque los que vivían en ella eran los maestros y alcaldes del gremio de Chicarreros, ante quien se sustanciaban los litigios y se sufrían los exámenes. En el día todas sus casas son tiendas de joyerías y platerías, y algunas tiendas de mercader». *(Noticia histórica del origen de los nombres de las calles de esta M. N. ciudad de Sevilla,* Sevilla, 1839, pág. 230.)

es cuando vino al mundo Nuestro Señor Jesucristo... las voces de su órgano son voces de ángeles.

»En fin, ¿para qué tengo de ponderarle lo que esta noche oirá? Baste el ver cómo todo lo más florido de Sevilla, hasta el mismo señor arzobispo, vienen a un humilde convento para escucharle. Y no se crea que sólo la gente sabida, y a la que se le alcanza esto de la solfa, conocen su mérito, sino que hasta el populacho. Todas esas bandadas que veis llegar con teas encendidas, entonando villancicos con gritos desaforados al compás de los panderos, las sonajas y las zambombas, contra su costumbre, que es la de alborotar las iglesias, callan como muertos cuando pone maese Pérez las manos en el órgano...; y cuando alzan... cuando alzan no se siente una mosca...: de todos los ojos caen lagrimones tamaños, y al concluir se oye como un suspiro inmenso, que no es otra cosa que la respiración de los circunstantes, contenida mientras dura la música... Pero vamos, vamos; ya han dejado de tocar las campanas, y va a comenzar la misa. Vamos adentro... Para todo el mundo es esta noche Nochebuena, pero para nadie mejor que para nosotros.

Esto diciendo, la buena mujer que había servido de *cicerone* [16] a su vecina atravesó el atrio del convento de Santa Inés y, codazo en éste, empujón en aquél, se internó en el templo perdiéndose entre la muchedumbre que se agolpaba en la puerta.

II

La iglesia estaba iluminada con una profusión asombrosa. El torrente de luz que se desprendía de los altares para llenar sus ámbitos chispeaba en los ricos joyeles de las damas que, arrodillándose sobre los cojines de terciopelo que tendían los pajes y tomando el libro de oraciones de manos de sus dueñas, vinieron a formar un brillante círculo alrededor de la verja del presbiterio.

Junto a aquella verja, de pie, envueltos en sus capas de color

[16] *cicerone:* subrayado en el original.

galoneadas de oro, dejando entrever con estudiado descuido las encomiendas rojas y verdes, en la una mano el fieltro, cuyas plumas besaban los tapices; la otra sobre los bruñidos gavilanes del estoque o acariciando el pomo del cincelado puñal, los caballeros veinticuatro, con gran parte de lo mejor de la nobleza sevillana, parecían formar un muro destinado a defender a sus hijas y [a] sus esposas del contacto con la plebe. Ésta, que se agitaba en el fondo de las naves con un rumor parecido al del mar cuando se alborota, prorrumpió en una aclamación de júbilo, acompañada del discordante sonido de las sonajas y los panderos, al mirar aparecer al arzobispo, el cual, después de sentarse junto al altar mayor, bajo un solio de grana que rodearon sus familiares, echó por tres veces la bendición al pueblo.

Era hora de que comenzase la misa. Transcurrieron, sin embargo, algunos minutos sin que el celebrante apareciese. La multitud comenzaba a rebullirse demostrando su impaciencia; los caballeros cambiaban entre sí algunas palabras a media voz, el arzobispo mandó a la sacristía a uno de sus familiares a inquirir el por qué no comenzaba la ceremonia.

—Maese Pérez se ha puesto malo, muy malo, y será imposible que asista esta noche a la misa de medianoche.

Esa fue la respuesta del familiar.

La noticia cundió instantáneamente entre la muchedumbre. Pintar el efecto desagradable que causó en todo el mundo sería cosa imposible. Baste decir que comenzó a notarse tal bullicio en el templo, que el asistente se puso de pie y los alguaciles entraron a imponer silencio confundiéndose entre las apiñadas olas de la multitud.

En aquel momento, un hombre mal trazado, seco, huesudo y bisojo por añadidura, se adelantó hasta el sitio que ocupaba el prelado.

—Maese Pérez está enfermo —dijo—. La ceremonia no puede empezar. Si queréis, yo tocaré el órgano en su ausencia, que ni maese Pérez es el primer organista del mundo, ni a su muerte dejará de usarse este instrumento por falta de inteligentes.

El arzobispo hizo una señal de asentimiento con la cabeza, y ya algunos de los fieles, que conocían a aquel personaje extraño por un organista envidioso, enemigo del de Santa Inés, co-

menzaban a prorrumpir en exclamaciones de disgusto, cuando de improviso se oyó en el atrio un ruido espantoso.

—¡Maese Pérez está aquí!... ¡Maese Pérez está aquí!...

A estas voces de los que estaban apiñados en la puerta, todo el mundo volvió la cara.

Maese Pérez, pálido y desencajado, entraba, en efecto, en la iglesia, conducido en un sillón, que todos se disputaban el honor de llevar en sus hombros.

Los preceptos de los doctores, las lágrimas de su hija nada había sido bastante a detenerle en el lecho.

—No —había dicho—. Ésta es la última, lo conozco. Lo conozco, y no quiero morir sin visitar mi órgano, y esta noche sobre todo, la Nochebuena. Vamos, lo quiero, lo mando. Vamos a la iglesia.

Sus deseos se habían cumplido. Los concurrentes lo subieron en brazos a la tribuna y comenzó la misa. En aquel punto sonaban las doce en el reloj de la catedral.

Pasó el introito, y el evangelio, y el ofertorio, y llegó el instante solemne en que el sacerdote, después de haberla consagrado, toma con la extremidad de sus dedos la Sagrada Forma y comienza a elevarla.

Una nube de incienso que se desenvolvía en ondas azuladas llenó el ámbito de la iglesia. Las campanillas repicaron con un sonido vibrante y maese Pérez puso sus crispadas manos sobre las teclas del órgano.

Las cien voces de sus tubos de metal resonaron en un acorde majestuoso y prolongado, que se perdió poco a poco, como si una ráfaga de aire hubiese arrebatado sus últimos ecos.

A este primer acorde, que parecía una voz que se elevaba desde la tierra al cielo, respondió otro lejano y suave, que fue creciendo, creciendo, hasta convertirse en un torrente de atronadora armonía. Era la voz de los ángeles que, atravesando los espacios, llegaba al mundo.

Después comenzaron a oírse como unos himnos distantes que entonaban las jerarquías de serafines. Mil himnos a la vez, que al confundirse formaban uno solo que, no obstante, sólo era el acompañamiento de una extraña melodía, que parecía flotar sobre aquel océano de acordes misteriosos, como un jirón de niebla sobre las olas del mar.

Luego fueron perdiéndose unos cuantos; después, otros. La combinación se simplificaba. Ya no eran más que dos voces, cuyos ecos se confundían entre sí; luego quedó una aislada, sosteniendo una nota brillante como un hilo de luz. El sacerdote inclinó la frente, y por encima de su cabeza cana, y como a través de una gasa azul que fingía el humo del incienso, apareció la hostia a los ojos de los fieles. En aquel instante, la nota que maese Pérez sostenía tremando[17] se abrió, se abrió, y una explosión de armonía gigante estremeció la iglesia, en cuyos ángulos zumbaba el aire comprimido y cuyos vidrios de colores se estremecían en sus angostos ajimeces.

De cada una de las notas que formaban aquel magnífico acorde se desarrolló un tema, y unos cerca, otros lejos, éstos brillantes, aquéllos sordos, diríase que las aguas y los pájaros, las brisas y las frondas, los hombres y los ángeles, la tierra y los cielos, cantaban, cada cual en su idioma, un himno al nacimiento del Salvador.

La multitud escuchaba atónita y suspendida. En todos los ojos había una lágrima; en todos los espíritus, un profundo recogimiento.

El sacerdote que oficiaba sentía temblar sus manos, porque Aquel que levantaba en ellas, Aquel a quien saludaban hombres y arcángeles, era su Dios, era su Dios, y le parecía haber visto abrirse los cielos y transfigurarse la hostia.

El órgano proseguía sonando; pero sus voces se apagaban gradualmente, como una voz que se pierde de eco en eco y se aleja y se debilita al alejarse, cuando sonó un grito en la tribuna, un grito desgarrador, agudo, un grito de mujer.

El órgano exhaló un sonido discorde y extraño, semejante a un sollozo, y quedó mudo.

La multitud se agolpó a la escalera de la tribuna, hacia la que, arrancados de su éxtasis religioso, volvieron la mirada con ansiedad todos los fieles.

—¿Qué ha sucedido? ¿Qué pasa? —se decían unos a otros, y nadie sabía responder, y todos se empeñaban en adivinarlo, y crecía la confusión, y el alboroto comenzaba a subir de punto,

[17] Temblando.

amenazando turbar el orden y el recogimiento propios de la iglesia.

—¿Qué ha sido eso? —preguntaron las damas al asistente que, precedido de los ministriles, fue uno de los primeros a subir a la tribuna y que, pálido y con muestras de profundo pesar, se dirigía al puesto en donde le esperaba el arzobispo, ansioso, como todos, por saber la causa de aquel desorden.

—¿Qué hay?

—Que maese Pérez acaba de morir.

En efecto, cuando los primeros fieles, después de atropellarse por la escalera, llegaron a la tribuna, vieron al pobre organista caído de boca sobre las teclas de su viejo instrumento, que aún vibraba sordamente, mientras su hija, arrodillada a sus pies, lo llamaba en vano entre suspiros y sollozos.

III

—Buenas noches, mi señora doña Baltasara. ¿También usarced viene esta noche a la misa del Gallo? Por mi parte, tenía hecha intención de irla a oír a la parroquia; pero, lo que sucede... ¿Dónde va Vicente? Donde va la gente. Y eso que, si he de decir la verdad, desde que murió maese Pérez parece que me echan una losa sobre el corazón cuando entro en Santa Inés... ¡Pobrecito! ¡Era un santo!... Yo de mí sé decir que conservo un pedazo de su jubón como una reliquia, y lo merece. Pues en Dios y en mi ánima que si el señor arzobispo tomara mano en ello, es seguro que nuestros nietos le verían en altares... Mas ¿cómo ha de ser?... A muertos y a idos no hay amigos... Ahora lo que priva es la novedad..., ya me entiende usarced. ¡Qué! ¿No sabe nada de lo que pasa? Verdad que nosotras nos parecemos en eso: de nuestra casita a la iglesia y de la iglesia a nuestra casita, sin cuidarnos de lo que se dice o se deja de decir... Sólo que yo, así... al vuelo..., una palabra de acá, otra de acullá..., sin ganas de enterarme siquiera, suelo estar al corriente de algunas novedades.

»Pues sí, señor. Parece cosa hecha que el organista de San Román[18], aquel bisojo que siempre está echando pestes de los

[18] Esta iglesia, reedificada por Pedro I a instancias del arzobispo Nuño, se

226

otros organistas, aquel perdulariote, que más parece jifero de la Puerta de la Carne[19] que maestro de solfa, va a tocar esta Nochebuena en lugar de maese Pérez. Ya sabrá usarced, porque esto lo ha sabido todo el mundo y es cosa pública en Sevilla, que nadie quería comprometerse a hacerlo. Ni aun su hija, que es profesora, y después de la muerte de su padre entró en el convento de novicia.

»Y era natural: acostumbrados a oír aquellas maravillas, cualquiera otra cosa había de parecernos mala, por más que quisieran evitarse las comparaciones. Pues cuando ya la comunidad había decidido que en honor del difunto, y como muestra de respeto a su memoria, permanecería callado el órgano en esta noche, hete aquí que se presenta nuestro hombre diciendo que él se atreve a tocarle... No hay nada más atrevido que la ignorancia... Cierto que la culpa no es suya, sino de los que le consienten esta profanación. Pero así va el mundo... Y digo... No es cosa la gente que acude... Cualquiera diría que nada ha cambiado de un año a otro. Los mismos personajes, el mismo lujo, los mismos empellones en la puerta, la misma animación en el atrio, la misma multitud en el templo... ¡Ay, si levantara el muerto la cabeza! Se volvía a morir por no oír su órgano tocado por manos semejantes.

»Lo que tiene que, si es verdad lo que me han dicho, las gentes del barrio le preparan una buena al intruso. Cuando llegue el momento de poner la mano sobre las teclas, va a comenzar una algarabía de sonajas, panderos y zambombas que no haya más que oír... Pero, ¡calle!, ya entra en la iglesia el héroe de la función. ¡Jesús, qué ropilla de colorines, qué gorguera de cañutos, qué aires de personaje! Vamos, vamos, que ya hace rato que llegó el arzobispo y va a comenzar la misa... Vamos, que me parece que esta noche va a darnos que contar para muchos días.

Esto diciendo, la buena mujer, que ya conocen nuestros lectores por sus exabruptos de locuacidad, penetró en Santa Inés,

encuentra en la plaza del mismo nombre y ofrece en su portada principal caracteres arquitectónicos de estilo mudéjar. Posee tres naves y en el retablo del altar mayor puede verse una buena imagen de San Román, obra de Montañés.

[19] Jifero es quien ejerce el oficio de matar reses y descuartizarlas. El matadero de Sevilla estaba situado precisamente en la Puerta de la Carne.

abriéndose, según costumbre, un camino entre la multitud a fuerza de empellones y codazos.

Ya se había dado principio a la ceremonia. El templo estaba tan brillante como el año anterior.

El nuevo organista, después de atravesar por en medio de los fieles que ocupaban las naves para ir a besar el anillo del prelado, había subido a la tribuna, donde tocaba, unos tras otros, los registros del órgano con una gravedad tan afectada como ridícula.

Entre la gente menuda que se apiñaba a los pies de la iglesia se oía un rumor sordo y confuso, cierto presagio de que la tempestad comenzaba a fraguarse y no tardaría mucho en dejarse sentir.

—Es un truhán que, por no hacer nada bien, ni aun mira a derechas —decían los unos.

—Es un ignorantón que, después de haber puesto el órgano de su parroquia peor que una carraca, viene a profanar el de maese Pérez —decían los otros.

Y mientras éste se desembarazaba del capote para prepararse a darle de firme a su pandero, y aquel apercibía sus sonajas, y todos se disponían a hacer bulla a más y mejor, sólo alguno que otro se aventuraba a defender tibiamente al extraño personaje, cuyo porte orgulloso y pedantesco hacía tan notable contraposición con la modesta apariencia y la afable bondad del difunto maese Pérez.

Al fin llegó el esperado momento, el momento solemne en que el sacerdote, después de inclinarse y murmurar algunas palabras santas, tomó la hostia en sus manos... Las campanillas repicaron, semejando su repique una lluvia de notas de cristal. Se elevaron las diáfanas ondas del incienso y sonó el órgano.

Una estruendosa algarabía llenó los ámbitos de la iglesia en aquel instante y ahogó su primer acorde.

Zampoñas, gaitas, sonajas, panderos, todos los instrumentos del populacho alzaron sus discordantes voces a la vez; pero la confusión y el estrépito sólo duró algunos segundos. Todos a la vez, como habían comenzado, enmudecieron de pronto.

El segundo acorde, amplio, valiente, magnífico, se sostenía aún, brotando de los tubos de metal del órgano como una cascada de armonía inagotable y sonora.

Cantos celestes como los que acarician los oídos en los momentos de éxtasis, cantos que percibe el espíritu y no los puede repetir el labio, notas sueltas de una melodía lejana que suenan a intérvalos, traídas en las ráfagas del viento; rumor de hojas que se besan en los árboles con un murmullo semejante al de la lluvia, trinos de alondras que se levantan gorjeando de entre las flores como una saeta despedida a las nubes; estruendos sin nombre, imponentes como los rugidos de una tempestad; coros de serafines sin ritmo ni cadencia, ignota música del cielo que sólo la imaginación comprende, himnos alados que parecían remontarse al trono del Señor como una tromba de luz y de sonidos... todo lo expresaban las cien voces del órgano con más pujanza, con más misteriosa poesía, con más fantástico color que lo habían expresado nunca.

. .

Cuando el organista bajó de la tribuna, la muchedumbre que se agolpó a la escalera fue tanta y tanto su afán por verle y admirarle, que el asistente, temiendo, no sin razón, que le ahogaran entre todos, mandó a algunos de sus ministriles para que, vara en mano, le fueran abriendo camino hasta llegar al altar mayor, donde el prelado le esperaba.

—Ya veis —le dijo este último cuando le trajeron a su presencia—. Vengo desde mi palacio aquí sólo por escucharos. ¿Seréis tan cruel como maese Pérez que nunca quiso excusarme el viaje tocando la Nochebuena en la misa de la catedral?

—El año que viene —respondió el organista— prometo daros gusto, pues por todo el oro de la tierra no volvería a tocar este órgano.

—¿Y por qué? —interrumpió el prelado.

—Porque... —añadió el organista, procurando dominar la emoción que se revelaba en la palidez de su rostro—, porque es viejo y malo, y no puede expresar todo lo que se quiere.

El arzobispo se retiró, seguido de sus familiares. Unas tras otras, las literas de los señores fueron desfilando y perdiéndose en las revueltas de las calles vecinas; los grupos del atrio se disolvieron, dispersándose los fieles en distintas direcciones, y ya la demandadera se disponía a cerrar las puertas de la entrada

del atrio, cuando se divisaban aún dos mujeres que después de persignarse y murmurar una oración ante el retablo del arco de San Felipe, prosiguieron su camino, internándose en el callejón de las Dueñas.

—Qué quiere usarced, mi señora doña Baltasara —decía la una—. Yo soy de este genial. Cada loco con su tema... Me lo habían de asegurar capuchinos descalzos y no lo creería del todo... Ese hombre no puede haber tocado lo que acabamos de escuchar... Si yo lo he oído mil veces en San Bartolomé[20], que era su parroquia, y de donde tuvo que echarle el señor cura por malo, y era cosa de taparse lo oídos con algodones... Y luego, si no hay más que mirarle al rostro, que, según dicen, es el espejo del alma... Yo me acuerdo, pobrecito, como si la estuviera viendo[21], me acuerdo de la cara de maese Pérez cuando, en semejante noche como ésta, bajaba[22] de la tribuna, después de haber suspendido al auditorio con sus primores... ¡Qué sonrisa tan bondadosa, qué color tan animado!... Era viejo y parecía un ángel... No que éste ha bajado las escaleras a trompicones, como si le ladrase un perro en la meseta, y con un olor de difunto y unas... Vamos, mi señora doña Baltasara, créame usarced, y créame con todas veras: yo sospecho que aquí hay busilis...

Comentando las últimas palabras, las dos mujeres doblaban la esquina del callejón y desaparecían.

Creemos inútil decir a nuestros lectores quién era una de ellas.

IV

Había transcurrido un año más. La abadesa del convento de Santa Inés y la hija de maese Pérez hablaban en voz baja, me-

[20] Erigida en el lugar que ocupaba una sinagoga, fue fundada en 1483, cuando los Reyes Católicos expulsaron a los judíos de España, y reedificada a finales del siglo XVIII.

[21] *como si la estuviera viendo* (la cara). Algunas ediciones (RC, Ag) prefieren *como si lo estuviera viendo* (a Maese Pérez), alterando el sentido.

[22] *bajaba: bajada* (RB). Evidentemente, se trata de una errata de la versión de RB.

dio ocultas entre las sombras del coro de la iglesia. El esquilón llamaba a voz herida a los fieles desde la torre, y alguna que otra rara persona atravesaba el atrio, silencioso y desierto esta vez, y después de tomar el agua bendita en la puerta, escogía un puesto en un rincón de las naves, donde unos cuantos vecinos del barrio esperaban tranquilamente a que comenzara la misa del Gallo.

—Ya lo veis —decía la superiora—; vuestro temor es sobre manera pueril; nadie hay en el templo; toda Sevilla acude en tropel a la catedral esta noche. Tocad vos el órgano, y tocadle sin desconfianza de ninguna clase; estaremos en comunidad... Pero... proseguís callando, sin que cesen vuestros suspiros ¿Qué os pasa? ¿Qué tenéis?

—Tengo... miedo —exclamó la joven con un acento profundamente conmovido.

—¡Miedo! ¿De qué?

—No sé..., de una cosa sobrenatural... Anoche, mirad, yo os había oído decir que teníais empeño en que tocase el órgano en la misa y, ufana con esta distinción, pensé arreglar sus registros y templarle, a fin de que hoy os sorprendiese... Vine al coro... sola..., abrí la puerta que conduce a la tribuna... En el reloj de la catedral sonaba en aquel momento una hora..., no sé cuál..., pero las campanadas eran tristísimas y muchas..., muchas..., estuvieron sonando todo el tiempo que yo permanecí como clavada en el dintel[23], y aquel tiempo me pareció un siglo.

»La iglesia estaba desierta y oscura... Allá lejos, en el fondo, brillaba, como una estella perdida en el cielo de la noche, una luz moribunda...: la luz de la lámpara que arde en el altar mayor... A sus reflejos debilísimos, que sólo contribuían a hacer más visible todo el profundo horror de las sombras, vi..., lo vi, madre, no lo dudéis; vi un hombre que, en silencio, y vuelto de espaldas hacia el sitio en que yo estaba, recorría con una mano las teclas del órgano, mientras tocaba con la otra a sus registros..., y el órgano sonaba, pero sonaba de una manera indescriptible. Cada una de sus notas parecía un sollozo

[23] *dintel*: véase la nota 17 de *La cruz del diablo*.

ahogado dentro del tubo de metal, que vibraba con el aire comprimido en su hueco y reproducía el tono sordo, casi imperceptible, pero justo.

»Y el reloj de la catedral continuaba dando la hora, y el hombre aquel proseguía recorriendo las teclas. Yo oía hasta su respiración.

»El horror había helado la sangre de mis venas; sentía en mi cuerpo como un frío glacial, y en mis sienes fuego... Entonces quise gritar, quise gritar, pero no pude. El hombre aquel había vuelto la cara y me había mirado...; digo mal, no me había mirado, porque era ciego... ¡Era mi padre!

—¡Bah! Hermana, desechad esas fantasías con que el enemigo malo procura turbar las imaginaciones débiles... rezad un *paternoster* y un *avemaría* al arcángel San Miguel, jefe de las milicias celestiales, para que os asista contra los malos espíritus. Llevad al cuello un escapulario tocado en la reliquia de San Pacomio[24], abogado contra las tentaciones, y marchad, marchad a ocupar la tribuna del órgano; la misa va a comenzar, y ya esperan con impaciencia los fieles. Vuestro padre está en el cielo, y desde allí, antes que a daros sustos, bajará a inspirar a su hija en esta ceremonia solemne, para él objeto de tan especial devoción.

La priora fue a ocupar su sillón en el coro en medio de la comunidad. La hija de maese Pérez abrió con mano temblorosa la puerta de la tribuna para sentarse en el banquillo del órgano, y comenzó la misa.

Comenzó la misa y prosiguió sin que ocurriese nada notable hasta que llegó la consagración. En aquel momento sonó el órgano, y al mismo tiempo que el órgano, un grito de la hija de maese Pérez. La superiora, las monjas y algunos de los fieles corrieron a la tribuna.

—¡Miradle! ¡Miradle! —decía la joven, fijando sus desencajados ojos en el banquillo, de donde se había levantado, asombrada, para agarrarse con sus manos convulsas al barandal de la tribuna.

[24] Monje egipcio, nacido a finales del siglo III y muerto el año 342. Se convirtió al cristianismo a causa de la impresión que le produjo el contemplar cómo ejercían la caridad unos cristianos. Es el fundador de la vida cenobítica.

Todo el mundo fijó sus miradas en aquel punto. El órgano estaba solo, y, no obstante, el órgano seguía sonando...; sonando como sólo los arcángeles podrían imitarle en sus raptos de místico alborozo.

*

—¿No os lo dije yo una y mil veces, mi señora doña Baltasara; no os lo dije yo? ¡Aquí hay busilis! Vedlo. ¡Qué!, ¿no estuvisteis anoche en la misa del Gallo? Pero, en fin, ya sabréis lo que pasó. En toda Sevilla no se habla de otra cosa... El señor arzobispo está hecho, y con razón, una furia... Haber dejado de asistir a Santa Inés, no haber podido presenciar el portento..., ¿y para qué?... ¿Para oír una cencerrada, porque personas que lo oyeron dicen que lo que hizo el dichoso organista de San Bartolomé en la catedral no fue otra cosa... Si lo decía yo. Eso no puede haberlo tocado el bisojo, mentira...; aquí hay busilis, y el busilis era, en efecto, el alma de maese Pérez.

El Pordiosero. Tipo Toledano de Valeriano Bécquer
(La Ilustración de Madrid)

El rayo de luna[1]

(LEYENDA SORIANA)

Yo no sé si esto es una historia que parece cuento o un cuento que parece una historia; lo que puedo decir es que en su fondo hay una verdad, una verdad muy triste, de la que acaso yo seré uno de los últimos en aprovecharme, dadas mis condiciones de imaginación.

Otro, con esta idea, tal vez hubiera hecho un tomo de filosofía lacrimosa; yo he escrito esta leyenda, que, a los que nada vean en su fondo, al menos podrá entretenerles un rato.

I

Era noble; había nacido entre el estruendo de las armas, y el insólito clamor de una trompa de guerra no le hubiera hecho

[1] Mientras Rubén Benítez considera que *El rayo de Luna* es una de las leyendas menos vinculadas a tradiciones y, por tanto, una de las que más abiertamente muestra la imaginación creadora del poeta, orientada en este caso hacia la «pura fantasía lírica» *(Bécquer tradicionalista,* cit., pág. 107), Gulsoy, por su parte, defiende que la leyenda posee numerosos paralelismos con *La ondina del lago azul* (idéntico comienzo, que consiste en la caracterización de los protagonistas; semejanza entre las tendencias soñadoras de Manrique y Gabriel; idéntico objeto de los sueños: una mujer, a la que ambos dan forma concreta de acuerdo con sus aspiraciones), aunque con un desenlace diferente: mientras Gabriel, protagonista de *La ondina del lago azul,* encuentra a la mujer ideal, Manrique comprueba que la suya es tan sólo un rayo de luna. (Cfr. J. Gulsoy, «La fuente...», cit., páginas 104-106.)

levantar la cabeza un instante, ni apartar sus ojos un punto del oscuro pergamino en que leía la última cántiga[2] de un trovador.

Los que quisieran encontrarle no lo debían buscar en el anchuroso patio de su castillo, donde los palafreneros domaban los potros, los pajes enseñaban a volar a los halcones y los soldados se entretenían los días de reposo en afilar el hierro de su lanza contra una piedra.

—¿Dónde está Manrique? ¿Dónde está vuestro señor? —preguntaba algunas veces su madre.

—No sabemos —respondían sus servidores—; acaso estará en el claustro del monasterio de la Peña[3], sentado al borde de una tumba, prestando oído a ver si sorprende alguna palabra de la conversación de los muertos; o en el puente, mirando correr una tras otra las olas del río por debajo de sus arcos; o acurrucado en la quiebra de una roca y entretenido en contar las estrellas del cielo, en seguir una nube con la vista o contemplar los fuegos fatuos que cruzan como exhalaciones sobre el haz de las lagunas. En cualquiera parte estará, menos en donde esté todo el mundo.

En efecto, Manrique amaba la soledad, y la amaba de tal modo, que algunas veces hubiera deseado no tener sombra, porque su sombra no le siguiese a todas partes.

Amaba la soledad porque en su seno, dando rienda suelta a la imaginación, forjaba un mundo fantástico, habitado por extrañas creaciones, hijas de sus delirios y sus ensueños de poeta, porque Manrique era poeta; tanto, que nunca le habían satisfecho las formas en que pudiera encerrar sus pensamientos y nunca los había encerrado al escribirlos.

[2] Sobre la acentuación de *cántiga*, véase la nota 33 de *El caudillo de las manos rojas*.

[3] No está documentado que en la época en que estaba erigida San Nicolás (segunda mitad del siglo XII) hubiese en Soria o en sus proximidades el claustro de un monasterio llamado de la Peña. Tampoco creemos que Bécquer se refiera, por error, al famoso monasterio benedictino de San Juan de la Peña, situado en la provincia de Huesca, cerca de Jaca. Lo más probable es que el poeta aluda a la ermita de San Miguel de la Peña, construida en el siglo XII, en la época de repoblación de la ciudad y erección de sus iglesias, y en el mismo lugar que siglos más tarde sería llamado ermita de San Saturio.

Creía que entre las rojas ascuas del hogar habitaban espíritus de fuego de mil colores, que corrían como insectos de oro a lo largo de los troncos encendidos, o danzaban en una luminosa ronda de chispas en la cúspide de las llamas, y se pasaba las horas muertas sentado en un escabel, junto a la alta chimenea gótica, inmóvil y con los ojos fijos en la lumbre.

Creía que en el fondo de las ondas del río, entre los musgos de la fuente y sobre los vapores del lago vivían unas mujeres misteriosas, hadas, sílfides u ondinas[4], que exhalaban lamentos y suspiros o cantaban y se reían en el monótono rumor del agua, rumor que oía en silencio, intentando traducirlo.

En las nubes, en el aire, en el fondo de los bosques, en las grietas de las peñas imaginaba percibir formas o escuchar sonidos misteriosos, formas de seres sobrenaturales, palabras ininteligibles que no podía comprender.

¡Amar! Había nacido para soñar el amor, no para sentirlo. Amaba a todas las mujeres un instante: a ésta porque era rubia, a aquélla porque tenía los labios rojos, a la otra porque se cimbreaba, al andar, como un junco.

Algunas veces llegaba su delirio hasta el punto de quedarse una noche entera mirando a la luna, que flotaba en el cielo entre un vapor de plata, o [a] las estrellas, que temblaban a lo lejos como los cambiantes de las piedras preciosas. En aquellas largas noches de poético insomnio exclamaba:

—Si es verdad, como el prior de la Peña me ha dicho, que es posible que esos puntos de luz sean mundos; si es verdad que en ese globo de nácar que rueda sobre las nubes habitan gentes, ¡qué mujeres tan hermosas serán las mujeres de esas regiones luminosas! Y yo no podré verlas, y yo no podré amarlas... ¿Cómo será su hermosura?... ¿Cómo será su amor?...

Manrique no estaba aún lo bastante loco para que le siguiesen los muchachos, pero sí lo suficiente para hablar y gesticular a solas, que es por donde se empieza.

[4] Mientras la *sílfide*, según los cabalistas, es el espíritu elemental del aire, la *ondina*, según algunas mitologías, es ser fantástico o espíritu elemental del agua.

II

Sobre el Duero, que pasaba lamiendo las carcomidas y oscuras piedras de las murallas de Soria[5], hay un puente que conduce de la ciudad al antiguo convento de los Templarios[6], cuyas posesiones se extendían a lo largo de la opuesta margen del río.

En la época a que nos referimos, los caballeros de la orden habían ya abandonado sus históricas fortalezas; pero aún quedaban en pie los restos de los anchos torreones de sus muros; aún se veían, como en parte se ven hoy, cubiertos de hiedras y campanillas blancas, los macizos arcos de su claustro, las prolongadas galerías ojivales de sus patios de armas, en las que suspiraba el viento con un gemido, agitando las altas yerbas.

En los huertos y en los jardines, cuyos senderos no hollaban hacía muchos años las plantas de los religiosos, la vegetación, abandonada de sí misma, desplegaba todas sus galas, sin temor de que la mano del hombre la mutilase, creyendo embellecerla.

Las plantas trepadoras subían encaramándose por los añosos troncos de los árboles; las sombrías calles de álamos, cuyas copas se tocaban y se confundían entre sí, se habían cubierto de céspedes; los cardos silvestres y las ortigas brotaban en medio de los enarenados caminos, y en los trozos de fábrica próximos a desplomarse, el jaramago, flotando al viento como el penacho de una cimera, y las campanillas blancas y azules, balanceándose como en un columpio sobre sus largos y flexibles tallos, pregonaban la victoria de la destrucción y la ruina.

Era de noche; una noche de verano, templada, llena de perfumes y de rumores apacibles, y con una luna blanca y serena en mitad de un cielo azul, luminoso.

Manrique, presa su imaginación de un vértigo de poesía,

[5] Fueron derribadas por los propios españoles durante la guerra de la Independencia, con el objeto de impedir que los franceses pudieran beneficiarse de su utilización y sin ellas se vieran más desprotegidos frente a las guerrillas. En 1887 se derribó la última puerta abierta en la muralla, por nombre *Rabanera*.

[6] Véanse las notas 5, 6 y 10 de *El monte de las ánimas.*

después de atravesar el puente, desde donde contempló un momento la negra silueta de la ciudad que se destacaba sobre el fondo de algunas nubes blanquecinas y ligeras arrolladas en el horizonte, se internó en las desiertas ruinas de los Templarios.

La medianoche tocaba a su punto. La luna, que se había ido remontando lentamente, estaba ya en lo más alto del cielo, cuando al entrar en una oscura alameda que conducía desde el derruido claustro a la margen del Duero, Manrique exhaló un grito, un grito leve, ahogado, mezcla extraña de sorpresa, de temor y de júbilo.

En el fondo de la sombría alameda había visto agitarse una cosa blanca que flotó un momento y desapareció en la oscuridad. La orla del traje de una mujer, de una mujer que había cruzado el sendero y se ocultaba entre el follaje, en el mismo instante en que el loco soñador de quimeras e imposibles penetraba en los jardines.

—¡Una mujer desconocida!... ¡En este sitio!... ¡A estas horas! Ésa, ésa es la mujer que yo busco —exclamó Manrique; y se lanzó en su seguimiento, rápido como una saeta.

III

Llegó al punto en que había visto perderse, entre la espesura de las ramas, a la mujer misteriosa. Había desaparecido. ¿Por dónde? Allá lejos, muy lejos, creyó divisar por entre los cruzados troncos de los árboles como una claridad o una forma blanca que se movía.

—¡Es ella, es ella, que lleva alas en los pies y huye como una sombra! —dijo, y se precipitó en su busca, separando con las manos las redes de yedra que se extendían como un tapiz de unos en otros álamos. Llegó, rompiendo por entre la maleza y las plantas parásitas, hasta una especie de rellano que iluminaba la claridad del cielo... ¡Nadie!—. ¡Ah!... por aquí, por aquí va —exclamó entonces—. Oigo sus pisadas sobre las hojas secas, y el crujido de su traje, que arrastra por el suelo y roza en los arbustos —y corría y corría como un loco, de aquí para allá, y no la veía—. Pero siguen sonando sus pisadas —mur-

muró otra vez—; creo que ha hablado; no hay duda, ha habla-
do... El viento, que suspira entre las ramas; las hojas, que pare-
ce que rezan en voz baja, me han impedido oír lo que ha dicho;
pero no hay duda: va por ahí, ha hablado..., ha hablado... ¿En
qué idioma? No sé; pero es una lengua extranjera...

Y tornó a correr en su seguimiento. Afán inútil. Unas veces
creyendo verla, otras pensado oírla; ya notando que las ramas
por entre las cuales había desaparecido se movían, aún ahora
imaginando distinguir en la arena la huella de sus breves pies;
luego, firmemente persuadido de que un perfume especial, que
aspiraba a intervalos, era un aroma perteneciente a aquella
mujer, que se burlaba de él complaciéndose en huirle por entre
aquellas intrincadas malezas.

Vagó algunas horas de un lado a otro, fuera de sí, ya parán-
dose para escuchar, ya deslizándose con las mayores precaucio-
nes sobre la hierba, ya en una carrera frenética y desesperada.

Avanzando, avanzando por entre los inmensos jardines que
bordaban la margen del río, llegó al fin al pie de las rocas so-
bre las que se eleva la ermita de San Saturio[7].

—Tal vez, desde esta altura podré orientarme para seguir
mis pesquisas a través de ese confuso laberinto —exclamó, tre-
pando de peña en peña con la ayuda de su daga.

Llegó a la cima, desde ella se descubre la ciudad en lonta-
nanza y una gran parte del Duero, que se retuerce a sus pies,
arrastrando una corriente impetuosa y oscura por entre las
corvas márgenes que lo encarcelan.

Manrique, una vez en el alto de las rocas, tendió la vista a
su alrededor, pero al tenderla y fijarla al cabo en un punto, no
pudo contener una blasfemia.

La luz de la luna rielaba chispeando en la estela que dejaba
en pos de sí una barca que se dirigía a todo remo a la orilla
opuesta.

En aquella barca había creído distinguir una forma blanca y
esbelta, una mujer sin duda, la mujer que había visto en los
Templarios, la mujer de sus sueños, la realización de sus más
locas esperanzas. Se descolgó de las peñas con la agilidad de un
gamo, arrojó al suelo la gorra, cuya redonda y larga pluma po-

[7] Véase la nota 3 de *Los ojos verdes*.

día embarazarle para correr, y desnudándose del ancho capotillo de terciopelo partió como una exhalación hacia el puente.

Pensaba atravesarlo y llegar a la ciudad antes que la barca tocase en la orilla. ¡Locura! Cuando Manrique llegó, jadeante y cubierto de sudor, a la entrada, ya los que habían atravesado el Duero por la parte de San Saturio entraban en Soria por una de las puertas del muro, que en aquel tiempo llegaba hasta la margen del río, en cuyas aguas se retrataban sus pardas almenas.

IV

Aunque desvanecida su esperanza de alcanzar a los que habían entrado por el postigo de San Saturio, no por eso nuestro héroe perdió las de saber la casa que en la ciudad podía albergarlos. Fija en su mente esta idea, penetró en la población y, dirigiéndose hacia el barrio de San Juan, comenzó a vagar por sus calles a la ventura.

Las calles de Soria eran entonces, y lo son todavía, estrechas, oscuras y tortuosas. Un silencio profundo reinaba en ellas, silencio que sólo interrumpían, ora el lejano ladrido de un perro, ora el rumor de una puerta al cerrarse, ora el relincho de un corcel que piafando hacía sonar la cadena que lo sujetaba al pesebre en las subterráneas caballerizas.

Manrique, con el oído atento a estos rumores de la noche, que unas veces le parecían los pasos de alguna persona que había doblado ya la última esquina de un callejón desierto; otras, voces confusas de gentes que hablaban a sus espaldas y que a cada momento esperaba ver a su lado, anduvo algunas horas corriendo al azar de un sitio a otro.

Por último, se detuvo al pie de un caserón de piedra, oscuro y antiquísimo, y al detenerse brillaron sus ojos con una indescriptible expresión de alegría. En una de las altas ventanas ojivales de aquel que pudiéramos llamar palacio se veía un rayo de luz templada y suave, que pasando a través de unas ligeras colgaduras de seda color de rosa, se reflejaba en el negruzco y grieteado paredón de la casa de enfrente.

—No cabe duda; aquí vive mi desconocida —murmuró el

joven en voz baja y sin apartar un punto sus ojos de la ventana gótica—; aquí vive... Ella entró por el postigo de San Saturio... Por el postigo de San Saturio se viene a este barrio... En este barrio hay una casa donde, pasada la medianoche, aún hay gente en vela... En vela. ¿Quién sino ella, que vuelve de sus nocturnas excursiones, puede estarlo a estas horas?... No hay más; ésta es su casa.

En esta firme persuasión, y revolviendo en su cabeza las más locas y fantásticas imaginaciones, esperó el alba frente a la ventana gótica, de la que en toda la noche no faltó la luz ni él separó la vista un momento.

Cuando llegó el día, las macizas puertas del arco que daba entraba al caserón, y sobre cuya clave se veían esculpidos los blasones de su dueño, giraron pesadamente sobre los goznes, con un chirrido prolongado y agudo. Un escudero apareció en el dintel con un manojo de llaves en la mano, estregándose los ojos y enseñando al bostezar una caja de dientes capaces de dar envidia a un cocodrilo.

Verlo Manrique y lanzarse a la puerta, todo fue obra de un instante.

—¿Quién habita en esta casa? ¿Cómo se llama ella? ¿De dónde es? ¿A qué ha venido a Soria? ¿Tiene esposo? Responde, responde, animal —esta fue la salutación que, sacudiéndole el brazo violentamente, dirigió al pobre escudero, el cual, después de mirarle un buen espacio de tiempo con ojos espantados y estúpidos, le contestó con voz entrecortada por la sorpresa:

—En esta casa vive el muy honrado señor don Alonso de Valdecuellos, montero mayor de nuestro señor el rey, que, herido en la guerra contra moros, se encuentra en esta ciudad reponiéndose de sus fatigas.

—Pero ¿y su hija? —interrumpió el joven, impaciente—. ¿Y su hija, o su hermana, o su esposa, o lo que sea?

—No tiene ninguna mujer consigo.

—¡No tiene ninguna!... Pues ¿quién duerme allí en aquel aposento, donde toda la noche he visto arder una luz?

—¿Allí? Allí duerme mi señor don Alonso que, como se halla enfermo, mantiene encendida su lámpara hasta que amanece.

Un rayo cayendo de improviso a sus pies no le hubiera causado más asombro que el que le causaron estas palabras.

V

—Yo la he de encontrar, la he de encontrar; y si la encuentro, estoy casi seguro de que he de conocerla... ¿En qué? Eso es lo que no podré decir..., pero he de conocerla. El eco de su pisada o una sola palabra suya que vuelva a oír, un extremo de su traje, un solo extremo que vuelva a ver, me bastarán para conseguirlo. Noche y día estoy mirando flotar delante de mis ojos aquellos pliegues de una tela diáfana y blanquísima; noche y día me están sonando aquí dentro, dentro de la cabeza, el crujido de su traje, el confuso rumor de sus ininteligibles palabras. ¿Qué dijo?... ¿Qué dijo?... ¡Ah!, si yo pudiera saber lo que dijo, acaso...; pero aun sin saberlo, la encontraré...; la encontraré; me lo da el corazón, y mi corazón no me engaña nunca. Verdad es que ya he recorrido inútilmente todas las calles de Soria; que he pasado noches y noches al sereno, hecho poste de una esquina; que he gastado más de veinte doblas[8] de oro en hacer charlar a dueñas y escuderos; que he dado agua bendita en San Nicolás[9] a una vieja, arrebujada con tal arte en su manto de anascote[10], que se me figuró una deidad; y al salir de la Colegiata[11], una noche de maitines, he seguido como un tonto la litera del Arcediano, creyendo que el extremo de sus hopalandas era el del traje de mi desconocida; pero no impor-

[8] Moneda castellana de oro. Acuñada en la Edad Media, tanto su ley como su peso y valor eran variables.

[9] La iglesia se construyó en la segunda mitad del siglo XII y es de estilo románico de transición. A principios del siglo XIX ya se hallaba en mal estado y en 1858 se decidió el desmonte de la techumbre. Hoy puede colegirse la belleza de lo que falta a partir de la que todavía se mantiene en pie.

[10] El anascote era una tela delgada de lana. Empleábase para confeccionar hábitos de órdenes religiosas y vestidos para mujeres de los pueblos.

[11] La Colegiata de San Pedro, hoy Concatedral, fue inicialmente cenobio de clérigos de la regla de San Agustín, datando su fundación de 1152. En 1520 se hundió la primitiva iglesia románica, erigiéndose la actual sobre la misma superficie. Posee tres naves sustentadas por grandes pilares cilíndricos, de los que nacen las nerviaciones de la bóveda de crucería.

ta...; yo la he de encontrar, y la gloria de poseerla excederá seguramente al trabajo de buscarla.

»¿Cómo serán sus ojos?... Deben ser azules, azules y húmedos como el cielo de la noche; me gustan tanto los ojos de ese color; son tan expresivos, tan melancólicos, tan... Si..., no hay duda: azules deben ser, azules son seguramente y sus cabellos, negros, muy negros y largos para que floten... Me parece que los vi flotar aquella noche, al par que su traje, y eran negros...; no me engaño, no; eran negros.

»¡Y qué bien hacen unos ojos azules muy rasgados y adormidos, y una cabellera suelta, flotante y oscura, a una mujer alta...; porque... ella es alta, alta y esbelta como esos ángeles de las portadas de nuestras basílicas, cuyos ovalados rostros envuelven en un misterioso crepúsculo las sombras de sus doseles de granito!

»¡Su voz!... Su voz la he oído...; su voz es suave como el rumor del viento en las hojas de los álamos, y su andar acompasado y majestuoso como las cadencias de una música.

»Y esa mujer, que es hermosa como el más hermoso de mis sueños de adolescente, que piensa como yo pienso, que gusta de lo que yo gusto, que odia lo que yo odio, que es un espíritu hermano de mi espíritu, que es el complemento de mi ser, ¿no se ha de sentir conmovida al encontrarme? ¿No me ha de amar como yo la amaré, como la amo ya con todas la fuerzas de mi vida, con todas las facultades de mi alma?

»Vamos, vamos al sitio donde la vi la primera y única vez que la he visto... Quién sabe si, caprichosa como yo, amiga de la soledad y el misterio, como todas las almas soñadoras, se complace en vagar por entre las ruinas en el silencio de la noche.

*

Dos meses habían transcurrido desde que el escudero de don Alonso de Valdecuellos desengañó al iluso Manrique; dos meses durante los cuales en cada hora había formado un castillo en el aire, que la realidad desvanecía con un soplo; dos meses durante los cuales había buscado en vano a aquella mujer desconocida, cuyo absurdo amor iba creciendo en su alma,

merced a sus aún más absurdas imaginaciones, cuando, después de atravesar, absorto en estas ideas, el puente que conduce a los Templarios, el enamorado joven se perdió entre las intrincadas sendas de sus jardines.

VI

La noche estaba serena y hermosa; la luna brillaba en toda su plenitud en lo más alto del cielo, y el viento suspiraba con un rumor dulcísimo entre las hojas de los árboles.

Manrique llegó al claustro, tendió la vista por su recinto y miró a través de las macizas columnas de sus arcadas... Estaba desierto.

Salió de él, encaminó sus pasos hacia la oscura alameda que conduce al Duero, y aún no había penetrado en ella, cuando de sus labios se escapó un grito de júbilo.

Había visto flotar un instante y desaparecer, el extremo del traje blanco, del traje blanco de la mujer de sus sueños, de la mujer que ya amaba como un loco.

Corre, corre en su busca; llega al sitio en que la ha visto desaparecer; pero al llegar se detiene, fija los espantados ojos en el suelo, permanece un rato inmóvil; un ligero temblor nervioso agita sus miembros, un temblor que va creciendo, que va creciendo, y ofrece los síntomas de una verdadera convulsión, y prorrumpe, al fin, en una carcajada, en una carcajada sonora, estridente, horrible.

Aquella cosa blanca, ligera, flotante, había vuelto a brillar ante sus ojos; pero había brillado a sus pies un instante, no más que un instante.

Era un rayo de luna, un rayo de luna que penetraba a intervalos por entre la verde bóveda de los árboles cuando el viento movía las ramas.

. .

Habían pasado algunos años. Manrique, sentado en un sitial, junto a la alta chimenea gótica de su castillo, inmóvil casi, y con una mirada vaga e inquieta como la de un idiota, apenas

245

prestaba atención ni a las caricias de su madre ni a los consuelos de sus servidores.

—Tú eres joven, tú eres hermoso —le decía aquélla—. ¿Por qué te consumes en la soledad? ¿Por qué no buscas una mujer a quien ames, y que amándote pueda hacerte feliz?

—¡El amor!... El amor es un rayo de luna —murmuraba el joven.

—¿Por qué no despertáis de ese letargo? —le decía uno de sus escuderos—. Os vestís de hierro de pies a cabeza; mandáis desplegar al aire vuestro pendón de rico hombre[12], y marchamos a la guerra. En la guerra se encuentra la gloria.

—¡La gloria!... La gloria es un rayo de luna.

—¿Queréis que os diga una cántiga, la última que ha compuesto mosén Árnaldo[13], el trovador provenzal?

—¡No! ¡No! —exclamó por último el joven, incorporándose colérico en su sitial—. No quiero nada...; es decir, sí quiero: quiero que me dejéis solo... Cántigas..., mujeres..., glorias..., felicidad..., mentiras todo, fantasmas vanos que formamos en nuestra imaginación y vestimos a nuestro antojo, y los amamos y corremos tras ellos, ¿para qué?, ¿para qué? Para encontrar un rayo de luna.

Manrique estaba loco; por lo menos, todo el mundo lo creía así. A mí, por el contrario, se me figura que lo que había hecho era recuperar el juicio.

[12] Nombre que en España se daba en varios reinos a los caballeros pertenecientes a la primera nobleza. Formaban parte de esta clase, entre otros, los condes y los oficiales del rey o mandatarios suyos que gobernaban distritos administrativos o integraban su comitiva. Por derecho propio, formaban parte del Consejo Real, firmaban junto al sello del rey en los diplomas rodados, gozaban de no escasas inmunidades y estaban exentos de impuestos. En tiempos de guerra se ponían al frente de sus servidores, y recibían de ellos tributos y servicios.

[13] Arnaldo de Marsán, trovador provenzal del siglo XII. Utilizó su gran fortuna personal para auxiliar a otros colegas no tan agraciados como él en los favores de la diosa. Su obra más conocida es un *Ensenhamen de l'escudier*, en la que da consejos a escuderos y señores, y describe las costumbres de aquel periodo histórico, reflejando la elegancia y fastuosidad vestimental de los nobles.

Creed en dios [1]

(CÁNTIGA PROVENZAL)

Yo fui el verdadero Teobaldo de Montagut [2], barón de Fortcastell. Noble o villano, señor o pechero [3], tú, cualquiera que seas, que te detienes un instante al borde de mi sepultura, cree en Dios como yo he creído y ruégale por mí.

I

Nobles aventureros que, puesta la lanza en la cuja [4], caída la visera del casco y jinetes sobre un corcel poderoso, recorréis la

[1] Según refiere Florencio Moreno Godino, *Creed en Dios* formaba parte de un vasto proyecto literario de Bécquer, una especie de *Diablo Mundo*, grandioso poema que se habría de titular *El sueño de siglos*. Mas la aparición de *La leyenda de los siglos*, de Víctor Hugo, poema que guardaba cierta relación con la inicial idea literaria de Bécquer, desalentó su ánimo creativo. (Moreno Godino, *Semblanza de Bécquer*, cit. por Rica Brown, *Becquer*, cit., págs. 183-184.)

El tema de las fuentes ha sido en esta leyenda particularmente discutido. Inició las aportaciones Haggerty Krappe, quien adujo como fuente el relato *Légende du beau Pécopin et de la belle Bauldour*, recogido por Víctor Hugo en *Le Rhin*. (Alexander Haggerty Krappe, «Sur une «légende» de Gustavo A. Bécquer *(Creed en Dios)*», en *Neophilologus*, XVII, 1932, págs. 273-277. Por su parte, Lida de Malkiel, tras refutar las tesis del profesor norteamericano, propone —sin salirse del ámbito de la literatura peninsular— para el motivo del tiempo abreviado «la historia de los Siete durmientes, la de San Amaro, visitante del paraíso, y la del monje de Leyre o de San Salvador de Villar o de Villar de Frades, suspenso por el canto del pájaro paradisiaco»; y para el misterioso corcel y la sobrenatural ca-

tierra sin más patrimonio que vuestro nombre clarísimo y vuestra montante[5], buscando honra y prez en la profesión de las armas: si al atravesar el quebrado valle de Montagut os ha sorprendido en él la tormenta y la noche y habéis encontrado un refugio en las ruinas del monasterio que aún se ve en su fondo[6], oídme.

II

Pastores que seguís con lento paso vuestras blancas ovejas, que pacen derramadas por las colinas y las llanuras; si al con-

balgata, «la *Hermosura de Angélica*, de Lope de Vega y, fundamentalmente, la *Leyenda de al-Hamar*, de José Zorrilla», concluyendo que «antes bien me inclino a creer que estructuró libremente para su "cántiga provenzal" el recuerdo de los elementos hallados en éstas y sin duda en otras tradiciones y lecturas». (M.ª Rosa Lida de Malkiel, «La leyenda de Bécquer *Creed en Dios* y su presunta fuente francesa», en *Comparative Literature*, V, verano de 1953, págs. 235-246.)

José Pedro Díaz se inclina a pensar que el influjo germánico detectable en *Creed en Dios* pudo ser ejercido por los poemas de Bürger *Leonora* y *El feroz cazador*, traducidos por Nerval, y posiblemente por *El eclipse de luna*, texto de Jean-Paul. (*Gustavo Adolfo Bécquer. Vida y poesía*, cit., pág. 205.)

Finalmente, Rubén Benítez subraya la influencia de las fuentes tradicionales españolas en el tema del *cazador maldito*, extendido en supersticiones y leyendas pirenaicas por Cataluña, Navarra y Países Vascos. Respecto al motivo del tiempo abreviado, propone como fuente más posible la leyenda navarra de San Virile, concluyendo que «Bécquer debió conocer, pues, una versión tradicional —quizá catalana— en la que la cacería fantástica queda reducida a un galope sobrenatural, como ocurre en el mito del *Comte Arnau*». (Cfr. Rubén Benítez, *op. cit.*, págs. 167-176.)

[2] En el valle de Montagut y situados en la cumbre de una montaña que domina el llano y el pueblo del mismo nombre, todavía se yerguen los restos de murallas del castillo feudal y una de sus torres. El pueblo de Montagut era lugar señorial y poseía un castillo propiedad de los vizcondes de Bas. Pasó más tarde a la familia de su nombre para pertenecer en 1698 al conde de Montagut.

[3] Individuo obligado a pagar tributo al rey o al señor territorial.

[4] Anillo de hierro que, sujeto al estribo derecho, servía para que los lanceros colocaran su arma.

[5] Espadón de grandes gavilanes que, a causa de su peso y dimensiones, es debido esgrimir con ambas manos.

[6] El monasterio al que hace referencia Bécquer, el cual servirá de lugar de retiro y penitencia a Teobaldo, no puede ser otro que el monasterio cisterciense de Santes Creus, construido entre los siglos XII y XIV con las aportaciones de familias nobles catalanas.

ducirlas al borde del transparente riachuelo que corre, forcejea y salta por entre los peñascos del valle de Montagut, en el rigor del verano y en una siesta de fuego, habéis encontrado la sombra y el reposo al pie de las derruidas arcadas del monasterio, cuyos musgosos pilares besan las ondas, oídme.

III

Niñas de las cercanas aldeas, lirios silvestres que crecéis felices al abrigo de vuestra humildad: si en la mañana del santo patrono de estos lugares, al bajar al valle de Montagut a coger tréboles y margaritas con que embellecer su retablo, venciendo el temor que os inspira el sombrío monasterio que se alza entre sus peñas, habéis penetrado en su claustro mudo y desierto para vagar entre sus abandonadas tumbas, a cuyos bordes crecen las margaritas más nobles y los jacintos más azules, oídme.

IV

Tú, noble caballero, tal vez al resplandor de un relámpago; tú, pastor errante, calcinado por los rayos del sol; tú, en fin, hermosa niña, cubierta aún con gotas de rocío, semejantes a lágrimas: todos habréis visto en aquel santo lugar una tumba, una tumba humilde. Antes la componían una piedra tosca y una cruz de palo; la cruz ha desaparecido y sólo queda la piedra. En esa tumba, cuya inscripción es el mote de mi canto, reposa en paz el último barón de Fortcastell, Teobaldo de Montagut, del cual voy a referiros la peregrina historia.

*

I

Cuando la noble condesa de Montagut estaba encinta de su primogénito, Teobaldo, tuvo un ensueño misterioso y terrible. Acaso un aviso de Dios; tal vez una vana fantasía que el tiem-

po realizó más adelante. Soñó que en su seno engendraba una serpiente, una serpiente monstruosa que arrojaba agudos silbos, y ora arrastrándose entre la menuda hierba, ora replegándose sobre sí misma para saltar, huyó de su vista, escondiéndose, al fin, entre unas zarzas.

—¡Allí está, allí está! —gritaba la condesa en su horrible pesadilla, señalando a sus servidores la zarza en que se había escondido el asqueroso reptil.

Cuando sus servidores llegaron presurosos al punto que la noble dama, inmóvil y presa de un profundo terror, les señalaba aún con el dedo, una blanca paloma se levantó de entre las breñas y se remontó a las nubes.

La serpiente había desaparecido.

II

Teobaldo vino al mundo. Su madre murió al darlo a luz; su padre pereció algunos años después en una emboscada, peleando como bueno contra los enemigos de Dios.

Desde este punto, la juventud del primogénito de Fortcastell sólo puede compararse a un huracán. Por donde pasaba se veía señalando su camino un rastro de lágrimas y de sangre. Ahorcaba a sus pecheros, se batía con sus iguales, perseguía a las doncellas, daba de palos a los monjes, y en sus blasfemias y juramentos, ni dejaba santo en paz ni cosa sagrada de que no maldijese.

III

Un día que salió de caza y que, como era su costumbre, hizo entrar a guarecerse de la lluvia a toda su endiablada comitiva de pajes licenciosos, arqueros desalmados y siervos envilecidos, con perros, caballos y gerifaltes, en la iglesia de una aldea de sus dominios, un venerable sacerdote, arrostrando su cólera y sin temer los violentos arranques de su carácter impetuoso, le conjuró, en nombre del cielo y llevando una hostia consagrada en sus mamos, a que abandonase aquel lugar y fuese a

pie y con un bordón de romero a pedir al Papa la absolución de sus culpas.

—¡Déjame en paz, viejo loco! —exclamó Teobaldo al oírlo—; déjame en paz, o ya que no he encontrado una sola pieza durante el día, te suelto mis perros y te cazo como a un jabalí para distraerme.

IV

Teobaldo era hombre de hacer lo que decía. El sacerdote, sin embargo, se limitó a contestarle.

—Haz lo que quieras; pero ten presente que hay un Dios que castiga y perdona, y que si muero a tus manos borrará mis culpas del libro de su indignación para escribir tu nombre y hacerte expiar tu crimen.

—¡Un Dios que castiga y perdona! —prorrumpió el sacrílego barón con una carcajada—. Yo no creo en Dios, y para darte una prueba, voy a cumplirte lo que te he prometido, porque aunque poco rezador, soy amigo de no faltar a mis palabras. ¡Raimundo! ¡Gerardo! ¡Pedro! Azuzad la jauría, dadme el venablo, tocad el *alalí*[7] en vuestras trompas, que vamos a darle caza a este imbécil, aunque se suba a los retablos de sus altares.

V

Ya, después de dudar un instante y a una nueva orden de su señor, conmenzaban los pajes a desatar los lebreles, que aturdían la iglesia con sus ladridos; ya el barón había armado su ballesta, riendo con una risa de Satanás, y el venerable sacerdote, murmurando una plegaria, elevaba sus ojos al cielo y esperaba tranquilo la muerte, cuando se oyó fuera del sagrado recinto una vocería terrible, bramidos de trompas que hacían señales de ojeo y gritos de: «¡Al jabalí! ¡Al jabalí! ¡Por las bre-

[7] En montería, toque cinegético ejecutado con trompas de caza. De las dos variantes que presenta, *alalí de acoso* y *alalí de derribo*, el barón se refiere obviamente al primero, que indica el acoso al jabalí, el cual, de pie, resiste a la jauría.

ñas! ¡Hacia el monte!» Teobaldo, al anuncio de la deseada res, corrió a las puertas del santuario, ebrio de alegría; tras él fueron sus servidores, y con sus servidores, los caballos y los lebreles.

VI

—¿Por dónde va el jabalí? —preguntó el barón, subiendo a su corcel sin apoyarse en el estribo ni desarmar la ballesta.

—Por la cañada que se extiende al pie de esas colinas —le respondieron.

Sin escuchar la última palabra, el impetuoso cazador hundió su acicate de oro en el ijar del caballo, que partió al escape. Tras él partieron todos.

Los habitantes de la aldea, que fueron los primeros en dar la voz de alarma, y que al aproximarse el terrible animal se habían guarecido en sus chozas, asomaron tímidamente la cabeza a los quicios de las ventanas, y cuando vieron desaparecer la infernal comitiva por entre el follaje de la espesura se santiguaron en silencio.

VII

Teobaldo iba delante de todos. Su corcel, más ligero o más castigado que los de sus servidores, seguía tan de cerca a la res, que dos o tres veces, dejándole la brida sobre el cuello al fogoso bruto, se había empinado sobre los estribos y echádose al hombro la ballesta para herirlo. Pero el jabalí, al que sólo divisaba a intervalos entre los espesos matorrales, tornaba a desaparecer de su vista para mostrársele de nuevo fuera del alcance de su arma.

Así corrió muchas horas, atravesó las cañadas del valle, el pedregoso lecho del río, e internándose en un bosque inmenso, se perdió entre sus sombrías revueltas, siempre fijos los ojos en la codiciada res, siempre creyendo alcanzarla, siempre viéndose burlado por su agilidad maravillosa.

VIII

Por último, pudo encontrar una ocasión propicia; tendió el brazo y voló la saeta, que fue a clavarse temblando en el lomo del terrible animal, que dio un salto y un espantoso bufido.

—¡Muerto está! —exclama con un grito de alegría el cazador, volviendo a hundir por la centésima vez el acicate en el sangriento ijar de su caballo—. ¡Muerto está! En balde huye. El rastro de la sangre que arroja marca su camino —y esto diciendo, comenzó a hacer en la bocina la señal del triunfo para que la oyesen sus servidores.

En aquel instante, el corcel se detuvo, flaquearon sus piernas, un ligero temblor agitó sus contraídos músculos y cayó al suelo desplomado, arrojando por la hinchada nariz, cubierta de espuma, un caño de sangre.

Había muerto de fatiga, había muerto cuando la carrera del herido jabalí comenzaba a acortarse, cuando bastaba un solo esfuerzo más para alcanzarlo.

IX

Pintar la ira del colérico Teobaldo sería imposible. Repetir sus maldiciones y sus blasfemias, sólo repetirlas, fuera escandaloso e impío. Llamó a grandes voces a sus servidores, y únicamente le contestó el eco en aquellas inmensas soledades, y se arrancó los cabellos y se mesó las barbas, presa de la más espantosa desesperación.

—Lo seguiré a la carrera, aun cuando haya de reventarme —exclamó, al fin, armando de nuevo su ballesta y disponiéndose a seguir a la res; pero en aquel momento sintió ruido a sus espaldas, se entreabrieron las ramas de la espesura y se presentó a sus ojos un paje que traía del diestro un corcel negro como la noche.

—El cielo me lo envía —dijo el cazador lanzándose sobre sus lomos, ágil como un gamo.

El paje, que era delgado, muy delgado, y amarillo como la

muerte, se sonrió de una manera extraña al presentarle la brida.

X

El caballo relinchó con una fuerza que hizo estremecer el bosque; dio un bote increíble, un bote en que se levantó más de diez varas del suelo, y el aire comenzó a zumbar en los oídos del jinete como zumba una piedra arrojada por la honda. Había partido al escape; pero a un escape tan rápido, que, temeroso de perder los estribos y caer a tierra turbado por el vértigo, tuvo que cerrar los ojos y agarrarse con ambas manos a sus flotantes crines.

Y sin agitar sus riendas, sin herirle con el acicate ni animarlo con la voz, el corcel corría, corría sin detenerse. ¿Cuánto tiempo corrió Teobaldo con él sin saber por dónde, sintiendo que las ramas le abofeteaban el rostro al pasar, y los zarzales desgarraban sus vestidos, y el viento silbaba a su alrededor? Nadie lo sabe.

XI

Cuando, recobrado el ánimo, abrió los ojos un instante para arrojar en torno suyo una mirada inquieta, se encontró lejos, muy lejos de Montagut y en unos lugares para él completamente extraños. El corcel corría, corría sin detenerse, y árboles, rocas, castillos y aldeas pasaban a su lado como una exhalación. Nuevos y nuevos horizontes se abrían ante su vista; horizontes que se borraban para dejar lugar a otros más y más desconocidos. Valles angostos, erizados de colosales fragmentos de granito que las tempestades habían arrancado de la cumbre de las montañas; alegres campiñas cubiertas de un tapiz de verdura y sembradas de blancos caseríos; desiertos sin límites, donde hervían las arenas calcinadas por los rayos de un sol de fuego; vastas soledades, llanuras inmensas, regiones de eternas nieves, donde los gigantescos témpanos asemejaban, destacándose sobre un cielo gris y oscuro, blancos fantas-

mas que extendían sus brazos para asirle por los cabellos al pasar: todo esto, y mil y mil otras cosas que yo no podré deciros, vio en su fantástica carrera, y hasta tanto que, envuelto en una niebla oscura, dejó de percibir el ruido que producían los cascos del caballo al herir la tierra.

<p style="text-align:center">*</p>

I

Nobles caballeros, sencillos pastores, hermosas niñas que escucháis mi relato: si os maravilla lo que os cuento, no creáis que es una fábula tejida a mi antojo para sorprender vuestra credulidad. De boca en boca ha llegado hasta mí esta tradición, y la leyenda del sepulcro, que aún subsiste en el monasterio de Montagut, es un testimonio irrecusable de la veracidad de mis palabras.

Creed, pues, lo que he dicho, y creed lo que aún me resta por decir, que es tan cierto como lo anterior, aunque más maravilloso. Yo podré acaso adornar con algunas galas de la poesía el desnudo esqueleto de esta sencilla y terrible historia; pero nunca me apartaré un punto de la verdad a sabiendas.

II

Cuando Teobaldo dejó de percibir las pisadas de su corcel y se sintió lanzado en el vacío, no pudo reprimir un involuntario estremecimiento de terror. Hasta entonces había creído que los objetos que se representaban a sus ojos eran fantasmas de su imaginación, turbada por el vértigo, y que su corcel corría desbocado, es verdad; pero corría sin salir del término de su señorío. Ya no le quedaba duda de que era el juguete de un poder sobrenatural que le arrastraba, sin que supiese adónde, a través de aquellas nieblas oscuras, de aquellas nubes de formas caprichosas y fantásticas, en cuyo seno, que se iluminaba a veces con el resplandor de un relámpago, creía distinguir las hirvientes centellas, próximas a desprenderse.

El corcel corría, o, mejor dicho, nadaba en aquel océano de vapores caliginosos y encendidos, y las maravillas del cielo comenzaron a desplegarse, unas tras otras, ante los espantados ojos de su jinete.

III

Cabalgando sobre las nubes, vestidos de luengas túnicas con orlas de fuego, suelta al huracán la encendida cabellera y blandiendo sus espadas, que relampagueaban arrojando chispas de cárdena luz, vio a los ángeles, ministros de la cólera del Señor, cruzar como un formidable ejército sobre las alas de la tempestad.

Y subió más alto y creyó divisar a lo lejos las tormentosas nubes, semejantes a un mar de lava, y oyó mugir el trueno a sus pies como muge el Océano azotando la roca desde cuya cima le contempla el atónito peregrino.

IV

Y vio al arcángel, blanco como la nieve, que, sentado sobre un inmenso globo de cristal, lo dirige por el espacio en las noches serenas, como un bajel de plata sobre la superficie de un lago azul.

Y vio el sol volteando encendido sobre sus ejes de oro en una atmósfera de colores y de fuego, y en su foco a los ígneos espíritus que habitan incólumes entre las llamas y desde su ardiente seno, entonan al Creador himnos de alegría.

Vio los hilos de luz inperceptibles que atan los hombres a las estrellas y vio el arco iris, echado como un puente colosal sobre el abismo que separa al primer cielo del segundo.

V

Por una escala misteriosa vio bajar las almas a la tierra; vio bajar muchas y subir pocas. Cada una de aquellas almas ino-

centes iba acompañada de un arcángel purísimo, que la cubría
con la sombra de sus alas. Los que tornaban solos, tornaban
en silencio y con lágrimas en los ojos; los que no, subían can-
tando como suben las alondras en las mañanas de abril.

Después, las nieblas rosadas y zules, que flotaban en el espa-
cio como cortinas de gasa transparente, se rasgaron como el
día de gloria se rasga en nuestros templos el velo de los altares,
y el paraíso de los justos se ofreció a sus miradas deslumbrador
y magnífico.

VI

Allí estaban los santos profetas que habréis visto grosera-
mente esculpidos en las portadas de piedra de nuestras cate-
drales; allí las vírgenes luminosas, que intenta en vano copiar
de sus sueños el pintor en los vidrios de colores de las ojivas;
allí los querubines con sus largas y flotantes vestiduras y sus
nimbos de oro, como los de las tablas de los altares; allí, en fin,
coronada de estrellas, vestida de luz, rodeada de todas las jerar-
quías celestes, y hermosa sobre toda ponderación, Nuestra Se-
ñora de Montserrat, la Madre de Dios, la Reina de los arcán-
geles, el amparo de los pecadores y el consuelo de los afli-
gidos.

VII

Más allá del paraíso de los justos; más allá del trono donde
se asienta la Virgen María, el ánimo de Teobaldo se sobreco-
gió temeroso, y un hondo pavor se apoderó de su alma. La
eterna soledad, el eterno silencio, viven en aquellas regiones
que conducen al misterioso santuario del Señor. De cuando en
cuando azotaba su frente una ráfaga de aire, frío como la hoja
de un puñal, que crispaba sus cabellos de horror y penetraba
hasta la médula de sus huesos, ráfagas semejantes a las que
anunciaban a los profetas la aproximación del espíritu divino.
Al fin llegó a un punto donde creyó percibir un rumor sordo,
que pudiera compararse al zumbido lejano de un enjambre de

abejas cuando, en las tardes de otoño, revolotean en derredor de las últimas flores.

VIII

Atravesaba esa fantástica región adonde van todos los acentos de la Tierra, los sonidos que decimos que se desvanecen, las palabras que juzgamos que se pierden en el aire, los lamentos que creemos que nadie oye.

Aquí, en un círculo armónico, flotan las plegarias de los niños, las oraciones de las vírgenes, los salmos de los piadosos eremitas, las peticiones de los humildes, las castas palabras de los limpios de corazón, las resignadas quejas de los que padecen, los ayes de los que sufren y los himnos de los que esperan. Teobaldo oyó entre aquellas voces, que palpitaban aún en el éter luminoso, la voz de su santa madre, que pedía a Dios por él; pero no oyó la suya.

IX

Más allá hirieron sus oídos, con un estrépito discordante, mil y mil acentos ásperos y roncos, blasfemias, gritos de venganza, cantares de orgías, palabras lúbricas, maldiciones de la desesperación, amenazas de la impotencia y juramentos sacrílegos de la impiedad.

Teobaldo atravesó el segundo círculo con la rapidez que el meteoro cruza el cielo en una tarde de verano, por no oír su voz, que vibraba allí sonante y atronadora, sobreponiéndose a las otras voces en medio de aquel concierto infernal.

—¡No creo en Dios! ¡No creo en Dios! —decía aún su acento, agitándose en aquel océano de blasfemias; y Teobaldo comenzaba a creer.

X

Dejó atrás aquellas regiones y atravesó otras inmensidades llenas de visiones terribles, que ni él pudo comprender ni yo acierto a concebir, y llegó, al cabo, al último círculo de la espiral de los cielos, donde los serafines adoran al Señor, cubierto el rostro con las triples alas y prosternados a sus pies.

Él quiso mirarlo.

Un aliento de fuego abrasó su cara, un mar de luz oscureció sus ojos, un trueno gigante retumbó en sus oídos, y arrancado del corcel y lanzado al vacío como la piedra candente que arroja un volcán, se sintió bajar y bajar, sin caer nunca, ciego, abrasado y ensordecido, como caería el ángel rebelde cuando Dios derribó el pedestal de su orgullo con un soplo de sus labios.

*

I

La noche había cerrado y el viento gemía agitando las hojas de los árboles, por entre cuyas frondas se deslizaba un suave rayo de luna, cuando Teobaldo, incorporándose sobre el codo y estregándose los ojos como si despertara de un profundo sueño, tendió alrededor una mirada y se encontró en el mismo bosque donde hirió al jabalí, donde cayó muerto su corcel, donde le dieron aquella fantástica cabalgadura que le había arrastrado a unas regiones desconocidas y misteriosas.

Un silencio de muerte reinaba a su alrededor; un silencio que sólo interrumpía el lejano bramido de los ciervos, el temeroso murmullo de las hojas y el eco de una campana distante que de cuando en cuando traía el viento en sus ráfagas.

—Habré soñado —dijo el barón, y emprendió su camino a través del bosque, y salió, al fin, a la llanura.

II

En lontananza, y sobre las rocas de Montagut, vio destacar-
se la negra silueta de su castillo sobre el fondo azulado y trans-
parente del cielo de la noche.

—Mi castillo está lejos y estoy cansado —murmuró—;
esperaré el día en un lugar cercano —y se dirigió al lugar. Lla-
mó a una puerta.

—¿Quién sois? —le preguntaron.

—El barón de Fortcastell —respondió, y se le rieron en sus
barbas. Llamó a otra.

—¿Quién sois y qué queréis? —tornaron a preguntarle.

—Vuestro señor —insistió el caballero, sorprendido de que
no le conociesen—; Teobaldo de Montagut.

—¡Teobaldo de Montagut —dijo colérica su interlocutora,
que lo era una vieja—. ¡Teobaldo de Montagut, el del cuen-
to!... ¡Bah!... Seguid vuestro camino y no vengáis a sacar de su
sueño a las gentes honradas para decirles chanzonetas insulsas.

III

Teobaldo, lleno de asombro, abandonó la aldea y se dirigió
al castillo, a cuyas puertas llegó cuando apenas clareaba el día.
El foso estaba cegado con los sillares de las derruidas almenas;
el puente levadizo, inútil ya, se pudría colgado aún de sus fuer-
tes tirantes de hierro, cubiertos de orín por la acción de los
años; en la torre del homenaje tañía lentamente una campana;
frente al arco principal de la fortaleza, y sobre un pedestal de
granito se elevaba una cruz; en los muros no se veía un solo
soldado, y confuso y sordo, parecía que de su seno se elevaba
como un murmullo lejano, un himno religioso, grave, solemne
y magnífico.

—¡Y éste es mi castillo, no hay duda! —decía Teobaldo, pa-
seando su inquieta mirada de un punto a otro, sin acertar a
comprender lo que le pasaba—. ¡Aquel es mi escudo grabado

aún sobre la clave del arco! ¡Ese es el valle de Montagut! ¡Estas tierras que domina el señorío de Fortcastell!...

En aquel instante, las pesadas hojas de la puerta giraron sobre los goznes y apareció en su dintel un religioso.

IV

—¿Quién sois y que hacéis aquí? —le preguntó Teobaldo al monje.

—Yo soy —le contestó éste— un humilde servidor de Dios, religioso del monasterio de Montagut.

—Pero... —interrumpió el barón— Montagut ¿no es un señorío?

—Lo fue... —prosiguió el monje— hace mucho tiempo... A su último señor, según cuentan, se lo llevó el diablo, y como no tenía a nadie que lo sucediese en el feudo, los condes soberanos hicieron donación de estas tierras a los religiosos de nuestra regla, que están aquí desde habrá cosa de ciento a ciento veinte años. Y vos, ¿quién sois?

—Yo... —balbuceó el señor de Fortcastell, después de un largo rato de silencio—, yo soy... un miserable pecador que, arrepentido de sus faltas, viene a confesarlas a vuestro abad y a pedirle que lo admita en el seno de su religión.

El Miserere[1]

(LEYENDA RELIGIOSA)

Hace algunos meses que, visitando la célebre abadía de Fitero[2] y ocupándome en revolver algunos volúmenes en su abandonada biblioteca, descubrí en uno de sus rincones dos o tres cuadernos de música bastante antiguos, cubiertos de polvo y hasta comenzados a roer por los ratones.

Era un *Miserere*[3].

Yo no sé la música; pero le tengo tanta afición que, aun sin entenderla, suelo coger a veces la partitura de una ópera y me paso las horas muertas hojeando sus páginas, mirando los grupos de notas más o menos apiñadas, las rayas, los semicírculos, los triángulos y las especies de etcéteras que llaman llaves, y

[1] El motivo de los monjes resucitados que se reúnen en su iglesia para el canto pertenece al folklore europeo. En algunas versiones del folklore español pueden percibirse manifestaciones parecidas al motivo de la resurrección de los espectros. La figura del romero germánico tiene alguna semejanza con la de Mozart, quien escribió el *Miserere* en una sola noche, tras haberse aprendido de memoria el *Miserere* de Allegri, entonces prohibido, mientras lo oía en misa. (Cfr. Rubén Benítez, *op. cit.*, págs. 151-154.)

[2] Monasterio cisterciense de Santa María la Real, fundado por Alfonso VII. Derruido en 1834, su reconstrucción se debió al arzobispo de Toledo, Rodrigo, que era navarro. Es una de las abadías más grandiosas de España.

[3] Salmo 50 del Salterio y cuarto entre los Penitenciales. Fue compuesto por el rey David cuando se reconcilió con el Señor, después de haber sido reprendido por el profeta Natán a causa de los pecados de homicidio y adulterio cometidos. Sus 21 versículos están considerados como una de las piezas más hermosas y patéticas del Salterio.

todo esto sin comprender una jota ni sacar maldito el provecho[4].

Consecuente con mi manía, repasé los cuadernos, y lo primero que me llamó la atención fue que, aunque en la última página había esta palabra latina, tan vulgar en todas las obras, *finis*[5], la verdad era que el *Miserere* no estaba terminado, porque la música no alcanzaba sino hasta el décimo versículo.

Esto fue, sin duda, lo que me llamó la atención primeramente; pero luego que me fijé un poco en las hojas de música, me chocó más aún el observar que en vez de esas palabras italianas que ponen en todas[6], como *maestoso, allegro, ritardando, più vivo, a piacere*[7], había unos renglones escritos con letra muy menuda y en alemán, de los cuales algunos servían para advertir cosas tan difíciles de hacer como esto: «Crujen... crujen los huesos, y de sus médulas ha de parecer que salen los alaridos»; o esta otra: «La cuerda aúlla sin discordar, el metal atruena sin ensordecer; por eso suena todo y no se confunde nada, y todo es la humanidad que solloza y gime»; o la más original de todas, sin duda, recomendaba al pie del último versículo: «Las notas son huesos cubiertos de carne; lumbre inextinguible, los cielos y su armonía... ¡fuerza!..., fuerza y dulzura.»

—¿Sabéis qué es esto? —pregunté a un viejecito que me acompañaba, al acabar de medio traducir estos renglones, que parecían frases escritas por un loco.

El anciano me contó entonces la leyenda que voy a referiros.

[4] Sobre las inclinaciones musicales de Bécquer y su capacidad artística, véanse las notas 51 y 116 de nuestra introducción. Asimismo, cfr. Emilio Gutiérrez Gamero, *Mis primeros ochenta años*, Madrid, 1925, págs. 196-203.

[5] Voz latina que solía emplearse para señalar el fin de una obra musical o volumen impreso.

[6] *en todas:* corregimos la errata de la versión periodística *(en todos)*.

[7] Todas son palabras italianas empleadas en composiciones musicales. En el movimiento con que se ejecuta una composición, *maestoso* (majestuoso) indica un grado de lentitud más pronunciado respecto a un movimiento fijado; *allegro* (alegre, vivo) designa un grado de celeridad entre el andante y el presto; *ritardando* (retrasando) se emplea para señalar una disminución progresiva del movimiento hasta volver al primitivo; *più vivo* (más vivo), para marcar animación; *a piacere* (a placer), para dejar el movimiento a voluntad del intérprete.

I

Hace ya muchos años, en una noche lluviosa y oscura, llegó a la puerta claustral de esta abadía un romero y pidió un poco de lumbre para secar sus ropas, un pedazo de pan con que satisfacer su hambre y un albergue cualquiera donde esperar la mañana y proseguir con la luz del sol su camino.

Su modesta colación, su pobre lecho y su encendido hogar puso el hermano a quien se hizo esta demanda a la disposición del caminante, al cual, después que se hubo repuesto de su cansancio, interrogó acerca del objeto de su romería y del punto a que se encaminaba.

—Yo soy músico —respondió el interpelado—. He nacido muy lejos de aquí, y en mi patria gocé un día de gran renombre. En mi juventud hice de mi arte un arma poderosa de seducción y encendí con él pasiones que me arrastraron a un crimen. En mi vejez quiero convertir al bien las facultades que he empleado para el mal, redimiéndome por donde mismo pude condenarme.

Como las enigmáticas palabras del desconocido no pareciesen del todo claras al hermano lego, en quien ya comenzaba la curiosidad a despertarse, e instigado por ésta continuara en sus preguntas, su interlocutor prosiguió de este modo:

—Lloraba yo en el fondo de mi alma la culpa que había cometido; mas al intentar pedirle a Dios misericordia no encontraba palabras para expresar dignamente mi arrepentimiento, cuando un día se fijaron mis ojos por casualidad sobre un libro santo. Abrí aquel libro, y en una de sus páginas encontré un gigante grito de contrición verdadera, un salmo de David, el que comienza: *Miserere mei, Deus!*[8]. Desde el instante en que hube leído sus estrofas, mi único pensamiento fue hallar una forma musical tan magnífica, tan sublime, que bastase a contener el grandioso himno de dolor del Rey Profeta. Aún no la he encontrado; pero si logro expresar lo que siento en mi cora-

[8] Comienzo del versículo tercero del mencionado salmo de David. Lo podemos traducir por «Ten piedad de mí, oh Dios».

zón, lo que oigo confusamente en mi cabeza, estoy seguro de hacer un *Miserere* tal y tan maravilloso, que no hayan oído otro semejante los nacidos; tal y tan desgarrador, que al escuchar el primer acorde los arcángeles dirán conmigo, cubiertos los ojos de lágrimas y dirigiéndose al Señor: «¡Misericordia!», y el Señor la tendrá de su pobre criatura.

El romero, al llegar a este punto de su narración, calló por un instante, y después, exhalando un suspiro, tornó a coger el hilo de su discurso. El hermano lego, algunos dependientes de la abadía y dos o tres pastores de la granja de los frailes que formaban círculo alrededor del hogar, le escuchaban en un profundo silencio.

—Después —continuó— de recorrer toda Alemania, toda Italia y la mayor parte de este país clásico para la música religiosa, aún no he oído un *Miserere* en que pueda inspirarme, ni uno, ni uno, y he oído tantos, que puedo decir que los he oído todos.

—¿Todos? —dijo entonces, interrumpiéndole, uno de los rabadanes[9]— ¿A que no habéis oído aún el *Miserere de la Montaña?*

—¡El *Miserere de la Montaña!* —exclamó el músico con aire de extrañeza—. ¿Qué *Miserere* es ése?

—¿No dije? —murmuró el campesino, y luego prosiguió con una entonación misteriosa—: Ese *Miserere,* que sólo oyen por casualidad los que, como yo, andan día y noche tras el ganado por entre breñas y peñascales, es toda una historia, una historia muy antigua, pero tan verdadera como, al parecer, increíble.

»Es el caso que en lo más fragoso de esas cordilleras de montañas que limitan el horizonte del valle, en el fondo del cual se halla la abadía, hubo hace muchos años, ¡qué digo muchos años!, muchos siglos, un monasterio famoso, cuyo monasterio, a lo que parece, edificó a sus expensas un señor con los bienes que había de legarle a su hijo, al cual desheredó al morir, en pena de sus maldades. Hasta aquí todo fue bueno; pero es el caso que este hijo, que por lo que se verá más ade-

[9] Pastores que cuidan y conducen uno o varios hatos de ganado, bajo la supervisión y autoridad del mayoral.

lante debió ser de la piel del diablo, si no era el mismo diablo en persona, sabedor de que sus bienes estaban en poder de los religiosos y de que su castillo se había transformado en iglesia, reunió a unos cuantos bandoleros, camaradas suyos en la vida de perdición que emprendiera al abandonar la casa de sus padres, y una noche de Jueves Santo, en que los monjes se hallaban en el coro, y en el punto y hora en que iban a comenzar o habían comenzado el *Miserere* pusieron fuego al monasterio, entraron a saco en la iglesia[10] y a éste quiero, a aquél no, se dice que no dejaron fraile a vida. Después de esta atrocidad se marcharon los bandidos, y su instigador con ellos, a dónde no se sabe, a los profundos tal vez. Las llamas redujeron el monasterio a escombros; de la iglesia aún quedan en pie las ruinas sobre el cóncavo peñón de donde nace la cascada que, después de estrellarse de peñón en peñón, forma el riachuelo que viene a bañar los muros de esta abadía.

—Pero —interrumpió impaciente el músico— ¿y el *Miserere?*

—Aguardaos —continuó con gran sorna el rabadán—, que todo irá por partes.

Dicho lo cual, siguió así su historia:

—Las gentes de los contornos se escandalizaron del crimen: de padres a hijos y de hijos a nietos se refirió con horror en las largas noches de velada; pero lo que mantiene más viva su memoria es que todos los años, tal noche como en la que se consumó, se ven brillar luces a través de las rotas ventanas de la iglesia, y se oyen como una especie de música extraña y unos cantos lúgubres y aterradores que se perciben a intérvalos en las ráfagas del aire. Son los monjes, los cuales, muertos tal vez sin hallarse preparados para presentarse en el tribunal de Dios limpios de toda culpa, vienen aún del purgatorio a impetrar su misericordia cantando el *Miserere.*

Los circunstantes se miraron unos a otros con muestras de incredulidad; sólo el romero, que parecía vivamente preocupa-

[10] *entraron a saco en la iglesia: saquearon la iglesia* (RC), *entraron a saco la iglesia* (RB). Tal como hace Ag, restituimos la preposición que falta en el texto periodístico.

267

do con la narración de la historia, preguntó con ansiedad al que la había referido:

—¿Y decís que ese portento se repite aún?

—Dentro de tres horas comenzará sin falta alguna, porque precisamente esta noche es la del Jueves Santo y acaban de dar las ocho en el reloj de la abadía.

—¿A qué distancia se encuentra el monasterio?

—A una legua y media escasa.

—Pero ¿qué hacéis? ¿Adónde vais con una noche como ésta? ¡Estáis dejado de la mano de Dios! —exclamaron todos, al ver que el romero, levantándose de su escaño y tomando el bordón, abandonaba el hogar para dirigirse a la puerta.

—¿Adónde voy? A oír esa maravillosa música, a oír el grande, el verdadero *Miserere,* el *Miserere* de los que vuelven al mundo después de muertos y saben lo que es morir en el pecado.

Y esto diciendo, desapareció de la vista del espantado lego y de los no menos atónitos pastores.

El viento zumbaba y hacía crujir las puertas, como si una mano poderosa pugnase por arrancarlas de sus quicios; la lluvia caía en turbiones, azotando los vidrios de las ventanas, y de cuando en cuando la luz de un relámpago iluminaba por un instante todo el horizonte que desde ellas se descubría.

Pasado el primer momento de estupor:

—¡Está loco! —exclamó el lego.

—¡Está loco! —repitieron los pastores, y atizaron de nuevo la lumbre y se agruparon alrededor del hogar.

II

Después de una o dos horas de camino, el misterioso personaje que calificaron de loco en la abadía, remontando la corriente del riachuelo que le indicó el rabadán de la historia, llegó al punto en que se levantaban, negras e imponentes, las ruinas del monasterio.

La lluvia había cesado; las nubes flotaban en oscuras bandas, por entre cuyos jirones se deslizaba a veces un furtivo rayo de luz pálida y dudosa; y el aire, al azotar los fuertes ma-

chones y extenderse por los desiertos claustros, diríase que exhalaba gemidos. Sin embargo, nada sobrenatural, nada extraño venía a herir la imaginación. Al que había dormido más de una noche sin otro amparo que las ruinas de una torre abandonada o un castillo solitario; al que había arrostrado en su larga peregrinación cien y cien tormentas, todos aquellos ruidos le eran familiares.

Las gotas de agua que se filtraban por entre las grietas de los rotos arcos y caían sobre las losas con un rumor acompasado, como el de la péndola de un reloj; los gritos del búho, que graznaba refugiado bajo el nimbo de piedra de una imagen de pie aún en el hueco de un muro; el ruido de los reptiles, que, despiertos de su letargo por la tempestad, sacaban sus disformes cabezas de los agujeros donde duermen o se arrastraban por entre los jaramagos y los zarzales que crecían al pie del altar, entre las junturas de las lápidas sepulcrales que formaban el pavimento de la iglesia, todos esos extraños y misteriosos murmullos de campo, de la soledad, y de la noche, llegaban perceptibles al oído del romero, que, sentado sobre la mutilada estatua de una tumba, aguardaba ansioso la hora que debiera realizarse el prodigio.

Transcurrió tiempo y tiempo, y nada se percibió: aquellos mil confusos rumores seguían sonando y combinándose de mil maneras distintas, pero siempre los mismos.

«¡Si me habrá engañado!», pensó el músico; pero en aquel instante se oyó un ruido nuevo, un ruido inexplicable en aquel lugar, como el que produce un reloj algunos segundos antes de sonar la hora: ruido de ruedas que giran, de cuerdas que se dilatan, de maquinaria que se agita sordamente y se dispone a usar de su misteriosa vitalidad mecánica, y sonó una campanada..., dos..., tres..., hasta once.

En el derruido templo no había campana, ni reloj, ni torre ya siquiera.

Aún no había expirado, debilitándose de eco en eco, la última campanada; todavía se escuchaba su vibración temblando en el aire, cuando los doseles de granito que cobijaban las esculturas, las gradas de mármol de los altares, los sillares de las ojivas, los calados antepechos del coro, los festones de tréboles de las cornisas, los negros machones de los muros, el pavimen-

to, las bóvedas, la iglesia entera comenzó a iluminarse espontá-
neamente, sin que se viese una antorcha, un cirio o una lámpa-
ra que derramase aquella insólita claridad.

Parecía como un esqueleto de cuyos huesos amarillos se des-
prende ese gas fosfórico que brilla y humea en la oscuridad
con una luz azulada, inquieta y medrosa.

Todo pareció animarse, pero con ese movimiento galvánico
que imprime a la muerte contracciones que parodian la vida,
movimiento instantáneo, más horrible aún que la inercia del
cadáver que agita con su desconocida fuerza. Las piedras se
reunieron a las piedras; el ara, cuyos rotos fragmentos se veían
antes esparcidos sin orden, se levantó intacta, como si acabase
de dar en ella su último golpe de cincel el artífice, y a par del
ara se levantaron las derribadas capillas, los rotos capiteles y
las destrozadas e inmensas series de arcos que, cruzándose y
enlazándose caprichosamente entre sí, formaron con sus co-
lumnas un laberinto de pórfido.

Una vez reedificado el templo, comenzó a oírse un acorde
lejano que pudiera confundirse con el zumbido del aire, pero
que era un conjunto de voces lejanas y graves que parecían sa-
lir del seno de la tierra e irse elevando poco a poco, haciéndose
de cada vez más perceptible.

El osado peregrino comenzaba a tener miedo; pero con su
miedo luchaba aún su fanatismo por todo lo desusado y mara-
villoso, y alentado por él dejó la tumba sobre que reposaba, se
inclinó al borde[11] del abismo por entre cuyas rocas saltaba el
torrente, despeñándose con un trueno incesante y espantoso, y
sus cabellos se erizaron de horror.

Mal envueltos en los jirones de sus hábitos, caladas las capu-
chas, bajo los pliegues de las cuales contrastaban con sus des-
carnadas mandíbulas y los blancos dientes las oscuras cavida-
des de los ojos de sus calaveras, vio los esqueletos de los mon-
jes, que fueron arrojados desde el pretil de la iglesia a aquel
precipicio, salir del fondo de las aguas y, agarrándose con los
largos dedos de sus manos de hueso a las grietas de las peñas,
trepar por ellas hasta tocar el borde, diciendo con voz baja y

[11] *al borde:* corregimos el error *(al bordo)* de *El Contemporáneo.*

sepulcral, pero con una desgarradora expresión de dolor, el primer versículo del salmo de David:

—*Miserere mei, Deus, secundum magnan misericordiam tuam!*[12].

Cuando los monjes llegaron al peristilo[13] del templo, se ordenaron en dos hileras y, penetrando en él, fueron a arrodillarse en el coro, donde, con voz más levantada y solemne, prosiguieron entonando los versículos del salmo. La música sonaba al compás de sus voces: aquella música era el rumor distante del trueno, que, desvanecida la tempestad, se alejaba murmurando; era el zumbido del aire que gemía en la concavidad del monte; era el monótono ruido de la cascada que caía sobre las rocas, y la gota de agua que se filtraba, y el grito del búho escondido, y el roce de los reptiles inquietos. Todo esto era la música y algo más que no puede explicarse ni apenas concebirse; algo más que parecía como el eco de un órgano que acompañaba los versículos del gigante himno de contrición del rey salmista, con notas y acordes tan gigantes como sus palabras terribles.

Siguió la ceremonia; el músico, que la presenciaba absorto y aterrado, creía estar fuera del mundo real, vivir en esa región fantástica del sueño, en que todas las cosas se revisten de formas extrañas y fenomenales.

Un sacudimiento terrible vino a sacarle de aquel estupor que embargaba todas las facultades de su espíritu. Sus nervios saltaron al impulso de una conmoción fuertísima, sus dientes chocaron, agitándose con un temblor imposible de reprimir, y el frío penetró hasta en la medula de los huesos.

Los monjes pronunciaban en aquel instante estas espantosas palabras del *Miserere*:

—*In iniquitatibus conceptus sum; et in peccatis concepit me mater mea*[14].

Al resonar este versículo y dilatarse sus ecos retumbando de bóveda en bóveda, se levantó un alarido tremendo, que parecía un grito de dolor arrancado a la humanidad entera por la

12 Versículo tercero completo: «Ten piedad de mí, oh Dios, por tu gran misericordia.»

13 Galería de columnas que rodea un templo.

14 Versículo noveno: «En culpa yo nací y en pecado me concibió mi madre.»

conciencia de sus maldades; un grito horroroso, formado de todos los lamentos del infortunio, de todos los aullidos de la desesperación, de todas las blasfemias de la impiedad; concierto monstruoso, digno intérprete de los que viven en el pecado y fueron concebidos en la iniquidad.

Prosiguió el canto, ora tristísimo y profundo, ora semejante a un rayo de sol que rompe la nube oscura de una tempestad, haciendo suceder a un relámpago de terror otro relámpago de júbilo, hasta que, merced a una transformación súbita, la iglesia resplandeció bañada en luz celeste; las osamentas de los monjes se vistieron de sus carnes; una aureola luminosa brilló en derredor de sus frentes; se rompió la cúpula, y a través de ella se vio el cielo como un océano de lumbre abierto a la mirada de los justos.

Los serafines, los arcángeles, los ángeles y las jerarquías acompañaban con un himno de gloria este versículo, que subía entonces al trono del Señor como una tromba armónica, como una gigantesca espiral de sonoro incienso:

—*Auditui meo dabis gaudium el lætitiam: et exultabunt ossa humiliata* [15].

En este punto, la claridad deslumbradora cegó los ojos del romero, sus sienes latieron con violencia, zumbaron sus oídos y cayó sin conocimiento por tierra, y no oyó más.

III

Al día siguiente, los pacíficos monjes de la abadía de Fitero, a quienes el hermano lego había dado cuenta de la extraña visita de la noche anterior, vieron entrar por sus puertas, pálido y como fuera de sí, al desconocido romero.

—¿Oísteis, al cabo, el *Miserere?* —le preguntó con cierta mezcla de ironía el lego, lanzando a hurtadillas una mirada de inteligencia a sus superiores.

—Sí —respondió el músico.

—¿Y qué tal os ha parecido?

[15] Versículo décimo: «Me anunciarás el gozo y la alegría; y se alegrarán los huesos humillados.»

272

—Lo voy a escribir. Dadme un asilo en vuestra casa —prosiguió dirigiéndose al abad—, un asilo y pan por algunos meses, y voy a dejaros una obra inmortal del arte, un *Miserere* que borre mis culpas a los ojos de Dios, eternice mi memoria y eternice con ella la de esta abadía.

Los monjes, por curiosidad, aconsejaron al abad que accediese a su demanda. El abad, por compasión, aun creyéndole un loco, accedió, al fin, a ella, y el músico, instalado ya en el monasterio, comenzó su obra.

Noche y día trabajaba con un afán incesante. En mitad de su tarea se paraba y parecía como escuchar algo que sonaba en su imaginación, y se dilataban sus pupilas, saltaba en el asiento y exclamaba.

—¡Eso es; así, así no hay duda..., así! —y proseguía escribiendo notas con una rapidez febril, que dio en más de una ocasión que admirar a los que le observaban sin ser vistos.

Escribió los primeros versículos y los siguientes y hasta la mitad del salmo; pero al llegar al último que había oído en la montaña le fue imposible proseguir.

Escribió uno, dos, cien, doscientos borradores: todo inútil. Su música no se parecía a aquella música ya anotada, y el sueño huyó de sus párpados y perdió el apetito y la fiebre se apoderó de su cabeza, y se volvió loco, y se murió en fin, sin poder terminar el *Miserere*, que, como una cosa extraña, guardaron los frailes a su muerte y aún se conserva hoy en el archivo de la abadía.

*

Cuando el viejecito concluyó de contarme esta historia, no pude menos de volver otra vez los ojos al empolvado y antiguo manuscrito del *Miserere*, que aún estaba abierto sobre una de las mesas.

In pecatis concepit me mater mea...

Estas eran las palabras de la página que tenía ante mi vista, y que parecía mofarse de mí con sus notas, sus llaves y sus garabatos ininteligibles para los legos en la música.

Por haberlas podido leer hubiera dado un mundo.

¿Quién sabe si no será una locura?

El Cristo de la calavera[1]

El rey de Castilla marchaba a la guerra de moros, y para combatir con los enemigos de la religión había apelado en son de guerra a todo lo más florido de la nobleza de sus reinos. Las silenciosas calles de Toledo resonaban noche y día con el marcial rumor de los atabales y los clarines, y ya en la morisca puerta de Visagra, ya en la de Valmardón[2] o en la embocadura del antiguo puente de San Martín[3], no pasaba hora sin que se

[1] En esta leyenda resuenan los ecos de las tradiciones populares recogidas por Bécquer en su *Historia de los templos de España.* Aunque no recopiladas por el poeta y sí por Amador de los Ríos en su *Toledo pintoresca*, destacan las tradiciones sobre el Cristo de la Vega, particularmente aquella que relata la lucha, causada por rivalidad amorosa, entre dos caballeros situados cerca de la imagen del Cristo, que baja el brazo en señal de aprobación cuando uno de ellos perdona la vida de su antagonista. (*Toledo pintoresca*, Madrid, 1845, págs. 283-285.)

En la descripción de la calleja de *El Cristo de la calavera* Bécquer pudo tener en cuenta la que de la calle del Ataúd hace Espronceda en *El Estudiante de Salamanca*, con la luz de la imagen que se apaga y enciende. En la leyenda de Zorrilla *Un testigo de bronce* aparecen dos caballeros embozados luchando en una calleja de Valladolid, iluminada apenas por la luz de una imagen de Cristo, que actuará luego como denunciador de la muerte de uno de los contendientes. No pueden olvidarse tampoco las reminiscencias que de la leyenda zorrillesca *A buen juez, mejor testigo* pueden encontrarse en *El Cristo de la calavera.*

[2] Debe referirse Bécquer a la *Puerta vieja de Visagra*, construida a principios del siglo X, interesante ejemplar de arquitectura árabe militar restaurado por Alfonso VI al reconquistar Toledo. La puerta de *Valmardón* ha sufrido diversas modificaciones y cambios de nombres. Hoy consta de varios arcos consecutivos de medio punto.

[3] Puente de piedra sobre el Tajo, joya de la arquitectura militar del medioe-

oyese el ronco grito de los centinelas anunciando la llegada de algún caballero que, precedido de su pendón señorial y seguido de jinetes y peones, venía a reunirse al grueso del ejército castellano.

El tiempo que faltaba para emprender el camino de la frontera y concluir de ordenar las huestes reales discurría en medio de fiestas públicas, lujosos convites y lucidos torneos, hasta que, llegada al fin, la víspera del día señalado de antemano por su alteza para la salida del ejército, se dispuso un postrer sarao, con el que debieran terminar los regocijos.

La noche del sarao, el alcázar[4] de los reyes ofrecía un aspecto singular. En los anchurosos patios, alrededor de inmensas hogueras y diseminados sin orden ni concierto, se veía una abigarrada multitud de pajes, soldados, ballesteros y gente menuda, que, éstos aderezando sus corceles y sus armas y disponiéndolos para el combate; aquéllos saludando con gritos o blasfemias las inesperadas vueltas de la fortuna, personificada en los dados del cubilete; los otros repitiendo en coro el refrán de un romance de guerra que entonaba un juglar, acompañado de la guzla[5]; los de más allá comprando a un romero conchas, cruces y cintas tocadas en el sepulcro de Santiago, o riendo con locas carcajadas de los chistes de un bufón, o ensayando en los clarines el aire bélico para entrar en la pelea, propio de sus señores, o refiriendo antiguas historias de caballerías o aventuras de amor, o milagros recientemente acaecidos, formaban un infernal y atronador conjunto, imposible de pintar con palabras.

Sobre aquel revuelto océano de cantares de guerra, rumor de martillos que golpeaban los yunques, chirridos de limas que mordían el acero, piafar de corceles, voces descompuestas, risas inextinguibles, gritos desaforados, notas destempladas, ju-

vo. Fue construido en el siglo XIII, durante el reinado de Alfonso X. Ha sido restaurado varias veces en los siglos XIV, XVII y XVIII, muy especialmente en el primero, por orden del cardenal Tenorio.

[4] Su historia comienza en el siglo III como palacio pretoriano. Derruido por los visigodos, de sus ruinas surgió una fortaleza que fue reforzada por los árabes. Alfonso X alzó sus cuatro torres. Carlos V lo reconstruyó. Desde entonces ha sufrido numerosas vicisitudes.

[5] Instrumento de música. Consta de una sola cuerda de crin.

ramentos y sonidos extraños y discordes, flotaban a intervalos, como un soplo de brisa armoniosa, los lejanos acordes de la música del sarao.

Éste, que tenía lugar en los salones que formaban el segundo cuerpo del alcázar, ofrecía, a su vez, un cuadro, si no tan fantástico y caprichoso, más deslumbrador y magnífico.

Por las extensas galerías que se prolongaban a lo lejos, formando un intrincado laberinto de pilastras esbeltas y ojivas caladas y ligeras como el encaje; por los espaciosos salones vestidos de tapices, donde la seda y el oro habían representado con mil colores diversos escenas de amor, de caza y de guerra, y adornados con trofeos de armas y escudos, sobre los cuales vertían un mar de chispeante luz un sinnúmero de lámparas y candelabros de bronce, plata y oro, colgadas aquéllas de las altísimas bóvedas y enclavados éstos en los gruesos sillares de los muros; por todas partes adonde se volvían los ojos se veían oscilar y agitarse en distintas direcciones una nube de damas hermosas con ricas vestiduras chapadas en oro, redes de perlas aprisionando sus rizos, joyas de rubíes llameando sobre su seno, plumas sujetas en vaporoso cerco a un mango de marfil, colgadas del puño, y rostrillos de blancos encajes que acariciaban sus mejillas, o alegres turbas de galanes con talabartes de terciopelo, justillos de brocado y calzas de seda, borceguíes de tafilete, capotillos de mangas perdidas y caperuza, puñales con pomo de filigrana y estoques de corte, bruñidos, delgados y ligeros[6].

Pero entre esta juventud brillante y deslumbradora, que los ancianos miraban desfilar con una sonrisa de gozo, sentados en los altos sitiales de alerce que rodeaban el estrado real, lla-

6 Amplio muestrario de prendas de la época. El *talabarte* era pretina o cinturón que ceñía la cintura y de la que pendía la espada o el sable. El *justillo*, un vestido interior sin mangas, que ceñía el cuerpo y no bajaba de la cintura. El *borceguí*, especie de calzado o botín abierto por delante y ceñido por cordoncillo que llega hasta más arriba del tobillo. El *capotillo*, una ropa corta, de varias hechuras y colores, que a manera de capote o capa se ponía encima del vestido y llegaba hasta la cintura.

El *brocado* es tela de seda recamada de oro o plata, con diversos motivos de ornamentación (vegetales, arabescos, etc.). En el tejido de los brocados primitivos no intervenía la seda, sino el hilo y la plata.

maba la atención por su belleza incomparable una mujer, aclamada reina de la hermosura en todos los torneos y las cortes de amor de la época, cuyos colores habían adoptado por empresa los caballeros más valientes, cuyos encantos eran asunto de las coplas de los trovadores más versados en la ciencia del gay saber[7], a la que se volvían con asombro todas las miradas, por la que suspiraban en secreto todos los corazones; alrededor de la cual se veían agruparse con afán, como vasallos humildes en torno de su señora, los más ilustres vástagos de la nobleza toledana, reunida en el sarao de aquella noche.

Los que asistían de continuo a formar el séquito de presuntos galanes de doña Inés de Tordesillas, que tal era el nombre de esta celebrada hermosura, a pesar de su carácter altivo y desdeñoso, no desmayaban jamás en sus pretensiones; y éste animado con una sonrisa que había creído adivinar en sus labios, aquél con una mirada benévola que juzgaba haber sorprendido en sus ojos; el otro, con una palabra lisonjera, un ligerísimo favor o una promesa remota, cada cual esperaba en silencio ser el preferido. Sin embargo, entre todos ellos había dos que más particularmente se distinguían por su asiduidad y rendimiento, dos, que, al parecer, si no los predilectos de la hermosa, podrían calificarse de los más adelantados en el camino de su corazón. Estos dos caballeros, iguales en cuna, valor y nobles prendas, servidores de un mismo rey y pretendientes de una misma dama, llamábanse Alonso de Carrillo, el uno, y el otro, Lope de Sandoval[8].

Ambos habían nacido en Toledo; juntos habían hecho sus primeras armas, y en un mismo día, al encontrarse sus ojos con los de doña Inés, se sintieron poseídos de un secreto y ar-

[7] Esta voz, que tuvo su origen en Provenza, Languedoc y Aquitania, se emplea para designar la «ciencia de lo bello representado por medio de la forma poética». Gay saber y gaya ciencia son sinónimos, pudiéndose emplear indistintamente para referirse a la poesía en general o a la cultivada por la escuela occitánica de Tolosa. Su código literario se encuentra en el libro *Leys d'amor,* de Guillermo Molinier.

[8] La rivalidad entre ambos caballeros parece reflejo de los enfrentamientos históricos entre ciertas familias de la nobleza toledana: los Lara y los Castro, durante la minoría de Alfonso VIII, y los Ayala y los Silva en el reinado de Enrique IV.

diente amor por ella, amor que germinó algún tiempo retraído y silencioso, pero que al cabo comenzaba a descubrirse y a dar involuntarias señales de existencia en sus acciones y discursos.

En los torneos de Zocodover[9], en los juegos florales de la corte, siempre que se les había presentado coyuntura para rivalizar entre sí en gallardía o donaire, se habían aprovechado con afán ambos caballeros, ansiosos de distinguirse a los ojos de su dama; y aquella noche, impelidos, sin duda, por un mismo afán, trocando los hierros por las plumas y las mallas por los brocados y la seda, de pie junto al sitial donde ella se reclinó un instante después de haber dado una vuelta por los salones, comenzaron una elegante lucha de frases enamoradas e ingeniosas, epigramas[10] embozados y agudos.

Los astros menores de esta brillante constelación, formando un dorado semicírculo en torno de ambos galanes, reían y esforzaban las delicadas burlas; y la hermosa objeto de aquel torneo de palabras aprobaba con una imperceptible sonrisa los conceptos escogidos o llenos de intención que ora salían de los labios de sus adoradores como una ligera onda de perfume que halagaba su vanidad, ora partían como una saeta aguda que iba a buscar, para clavarse en él, el punto más vulnerable del contrario: su amor propio.

Ya el cortesano combate de ingenio y galanura comenzaba a hacerse de cada vez más crudo; las frases eran aún corteses en la forma, pero breves, secas, y al pronunciarlas, si bien las acompañaba una ligera dilatación de los labios, semejante a una sonrisa, los ligeros relámpagos de los ojos imposibles de ocultar, demostraban que la cólera hervía comprimida en el seno de ambos rivales.

La situación era insostenible. La dama lo comprendió así, y levantándose del sitial se disponía a volver a los salones, cuan-

[9] Plaza que constituye el centro de la vida de Toledo. Con el paso de los años y las numerosas restauraciones ha ido perdiendo su traza y carácter específicos. Hoy tan sólo conserva dos fachadas de épocas pretéritas, una del siglo XVI y otra del XVII. Celebrábanse en ella, además de los tradicionales mercados, desde grandes corridas de toros hasta ejecuciones, sin faltar los torneos. Para los juegos de cañas y autos de fe, y otros espectáculos extraordinarios, se alquilaban los balcones que dan a la plaza.

[10] Composición poética breve. Úsase para expresar con precisión y agudeza un solo pensamiento principal, generalmente festivo o satírico.

do un nuevo incidente vino a romper la valla del respetuoso comedimiento en que se contenían los dos jóvenes enamorados. Tal vez con intención, acaso por descuido, doña Inés había dejado sobre su falda uno de los perfumados guantes, cuyos botones de oro se entretenía en arrancar uno a uno mientras duró la conversación. Al ponerse de pie, el guante resbaló por entre los anchos pliegues de seda y cayó en la alfombra. Al verlo caer, todos los caballeros que formaban su brillante comitiva se inclinaron presurosos a recogerlo, disputándose el honor de alcanzar un leve movimiento de cabeza en premio de su galantería.

Al notar la precipitación con que todos hicieron el ademán de inclinarse, una imperceptible sonrisa de vanidad satisfecha asomó a los labios de la orgullosa doña Inés, que después de hacer un saludo general a los galanes que tanto empeño mostraban en servirla, sin mirar apenas y con la mirada alta y desdeñosa, tendió la mano para recoger el guante en la dirección que se encontraban Lope y Alonso, los primeros que parecían haber llegado al sitio en que cayera.

En efecto, ambos jóvenes habían visto caer el guante cerca de sus pies; ambos se habían inclinado con igual presteza a recogerle, y al incorporarse, cada cual lo tenía asido por un extremo. Al verlos inmóviles, desafiándose en silencio con la mirada y decididos ambos a no abandonar el guante que acababan de levantar del suelo, la dama dejó escapar un grito leve e involuntario, que ahogó el murmullo de los asombrados espectadores, los cuales presentían una escena borrascosa que en el alcázar, y en presencia del rey, podría calificarse de un horrible desacato.

No obstante, Lope y Alonso permanecían impasibles, mudos, midiéndose con los ojos, de la cabeza a los pies, sin que la tempestad de sus almas se revelase más que por un ligero temblor nervioso que agitaba sus miembros como si se hallasen acometidos de una repentina fiebre.

Los murmullos y las exclamaciones iban subiendo de punto; la gente comenzaba a agruparse en torno de los actores de la escena; doña Inés, o aturdida o complaciéndose en prolongarla, dada vueltas de un lado a otro, como buscando dónde refugiarse y evitar las miradas de la gente, que cada vez acudía en

mayor número. La catástrofe era ya segura; los dos jóvenes habían ya cambiado algunas palabras en voz sorda, y mientras que con la una mano sujetaban el guante con una fuerza convulsiva, parecían ya buscar instintivamente con la otra el puño de oro de sus dagas, cuando se entreabrió respetuosamente el grupo que formaban los espectadores y apareció el rey.

Su frente estaba serena; ni había indignación en su rostro ni cólera en su ademán.

Tendió una mirada alrededor, y esta sola mirada fue bastante para darle a conocer lo que pasaba. Con toda la galantería del doncel más cumplido, tomó el guante de las manos de los caballeros que como movidas por un resorte, se abrieron sin dificultad al sentir el contacto de la del monarca y volviéndose a doña Inés de Tordesillas, que apoyada en el brazo de una dueña parecía próxima a desmayarse, exclamó, presentándolo, con acento, aunque templado, firme:

—Tomad, señora, y cuidad de no dejarlo caer en otra ocasión donde al devolvéroslo, os lo devuelvan manchado en sangre.

Cuando el rey terminó de decir estas palabras, doña Inés, no acertaremos a decir si a impulsos de la emoción o por salir más airosa del paso, se había desvanecido en brazos de los que la rodeaban.

Alonso y Lope, el uno estrujando en silencio entre sus manos el birrete de terciopelo, cuya pluma arrastraba por la alfombra, y el otro mordiéndose los labios hasta hacerse brotar la sangre, se clavaron una mirada tenaz e intensa.

Una mirada en aquel lance equivalía a un bofetón, a un guante arrojado al rostro, a un desafío a muerte.

II

Al llegar la medianoche, los reyes se retiraron a su cámara. Terminó el sarao, y los curiosos de la plebe, que aguardaban con impaciencia este momento formando grupos y corrillos en las avenidas de palacio, corrieron a estacionarse en la cuesta del alcázar, los Miradores y el Zocodover.

Durante una o dos horas, en las calles inmediatas a estos

puntos reinó un bullicio, una animación y un movimiento indescriptibles. Por todas partes se veían cruzar escuderos caracoleando en sus corceles ricamente enjaezados, reyes de armas con lujosas casullas llenas de escudos y blasones, timbaleros vestidos de colores vistosos, soldados cubiertos de armaduras resplandecientes, pajes con capotillos de terciopelo y birretes coronados de plumas, y servidores de a pie que precedían las lujosas literas y las andas cubiertas de ricos paños, llevando en sus manos grandes hachas encendidas, a cuyo rojizo resplandor podía verse a la multitud que, con cara atónita, labios entreabiertos y ojos espantados, miraba desfilar con asombro a todo lo mejor de la nobleza castellana, rodeada en aquella ocasión de un fausto y un esplendor fabulosos.

Luego, poco a poco fue cesando el ruido y la animación; los vidrios de colores de las altas ojivas del palacio dejaron de brillar; atravesó por entre los apiñados grupos la última cabalgata; la gente del pueblo, a su vez, comenzó a dispersarse en todas direcciones, perdiéndose entre las sombras del enmarañado laberinto de calles oscuras, estrechas y torcidas, y ya no turbaba el profundo silencio de la noche más que el grito lejano de vela de algún guerrero, el rumor de los pasos de algún curioso que se retiraba el último o el ruido que producían las aldabas de algunas puertas al cerrarse, cuando en lo alto de la escalinata que conducía a la plataforma del palacio apareció un caballero, el cual, después de tender la vista por todos lados, como buscando a alguien que debía esperarlo, descendió lentamente hasta la cuesta del alcázar, por la que se dirigió hacia el Zocodover.

Al llegar a la plaza de este nombre se detuvo un momento y volvió a pasear la mirada a su alrededor. La noche estaba oscura; no brillaba una sola estrella en el cielo, ni en toda la plaza se veía una sola luz; no obstante, allá a lo lejos, y en la misma dirección en que comenzó a percibirse un ligero ruido como de pasos que iban aproximándose, creyó distinguir el bulto de un hombre: sin duda, el mismo a quien parecía aguardaba con tanta impaciencia.

El caballero que acababa de abandonar el alcázar para dirigirse a Zocodover era Alonso Carrillo, que, en razón al puesto de honor que desempeñaba cerca de la persona del rey, había

tenido que acompañarle en su cámara hasta aquellas horas. El que, saliento de entre las sombras de los arcos que rodean la plaza, vino a reunírsele, Lope de Sandoval. Cuando los dos caballeros se hubieron reunido cambiaron algunas frases en voz baja.

—Presumí que me aguardabas —dijo el uno.

—Esperaba que lo presumirías —contestó el otro.

—¿Y adónde iremos?

—A cualquier parte donde se puedan hallar cuatro palmos de terreno donde revolverse y un rayo de claridad que nos alumbre.

Terminado este brevísimo diálogo, los dos jóvenes se internaron por una de las estrechas calles que desembocan en el Zocodover, desapareciendo en la oscuridad como esos fantasmas de la noche que, después de aterrar un instante al que los ve, se deshacen en átomos de niebla y se confunden en el seno de las sombras.

Largo rato anduvieron dando vueltas a través de las calles de Toledo, buscando un lugar a propósito para terminar sus diferencias; pero la oscuridad de la noche era tan profunda, que el duelo parecía imposible. No obstante, ambos deseaban batirse, y batirse antes que rayase el alba, pues al amanecer debían partir las huestes reales, y Alonso con ellas.

Prosiguieron, pues, cruzando al azar plazas desiertas, pasadizos sombríos, callejones estrechos y tenebrosos, hasta que, por último, vieron brillar a lo lejos una luz, una luz pequeña y moribunda, en torno a la cual la niebla formaba un cerco de claridad fantástica y dudosa.

Habían llegado a la calle del Cristo, y la luz que se divisaba en uno de sus extremos parecía ser la del farolillo que alumbraba en aquella época, y alumbra aún, a la imagen que le da su nombre[11].

Al verla, ambos dejaron escapar una exclamación de júbilo

[11] Según Vidal Benito, todavía existía en 1890 una calle denominada «del Cristo de la Calavera». «Del Cristo, del Cristo de la Calavera, cuya imagen debió de existir en la calle a la que dio nombre, no queda hoy más que la denominación de la aludida *cuesta* (cuesta de la Calavera). Lo que hace pensar que, si bien Bécquer (...) hubo de conocer la efigie del Cristo en aquella calle, la imagen desaparecería hacia 1864 tal vez.» (Vidal Benito Revuelta, *op. cit.*, págs. 22-27.)

y, apresurando el paso en su dirección, no tardaron mucho en encontrarse junto al retablo en que ardía.

Un arco rehundido en el muro, en el fondo del cual se veía la imagen del Redentor enclavado en la cruz y con una calavera al pie; un tosco cobertizo de tablas que lo defendía de la intemperie, y el pequeño farolillo colgado de una cuerda, que lo iluminaba débilmente, vacilando al impulso del aire, formaban todo el retablo, alrededor del cual colgaban algunos festones de yedra que habían crecido entre los oscuros y rotos sillares, formando una especie de pabellón de verdura.

Los caballeros, después de saludar respetuosamente a la imagen de Cristo quitándose los birretes y murmurando en voz baja una corta oración, reconocieron el terreno con una ojeada, echaron a tierra sus mantos, y apercibiéndose mutuamente para el combate y dándose la señal con un leve movimiento de cabeza, cruzaron los estoques. Pero apenas se habían tocado los aceros, y antes que ninguno de los combatientes hubiese podido dar un solo paso o intentar un golpe, la luz se apagó de repente y la calle quedó sumida en la oscuridad más profunda. Como guiados de un mismo pensamiento, y al verse rodeados de repentinas tinieblas, los dos combatientes dieron un paso atrás, bajaron al suelo las puntas de sus espadas y levantaron los ojos hacia el farolillo, cuya luz, momentos antes apagada, volvió a brillar de nuevo al punto en que hicieron ademán de suspender la pelea.

—Será alguna ráfaga de aire que ha abatido la llama al pasar —exclamó Carrillo, volviendo a ponerse en guardia y previniendo con una voz a Lope, que parecía preocupado.

Lope dio un paso adelante para recuperar el terreno perdido, tendió el brazo y los aceros se tocaron otra vez; mas, al tocarse, la luz se tornó a apagar por sí misma, permaneciendo así mientras no se separaron los estoques.

—En verdad que esto es extraño —murmuró Lope, mirando al farolillo, que espontáneamente había vuelto a encenderse y se mecía con lentitud en el aire, derramando una claridad trémula y extraña sobre el amarillo cráneo de la calavera colocada a los pies del Cristo.

——¡Bah! —dijo Alonso—. Será que la beata encargada de cuidar del farol del retablo sisa a los devotos y escasea el acei-

te, por lo cual, la luz, próxima a morir, luce y se oscurece a intervalos en señal de agonía.

Y dichas estas palabras, el impetuoso joven tornó a colocarse en actitud de defensa. Su contrario le imitó; pero esta vez no tan solo volvió a rodearlos una sombra espesísima e impenetrable, sino que al mismo tiempo hirió sus oídos el eco profundo de una voz misteriosa, semejante a esos largos gemidos del vendaval, que parece que se queja y articula palabras al correr aprisionado por las torcidas, estrechas y tenebrosas calles de Toledo.

Qué dijo aquella voz medrosa y sobrehumana, nunca pudo saberse; pero al oírla ambos jóvenes se sintieron poseídos de tan profundo terror, que las espadas se escaparon de sus manos, el cabello se les erizó y por sus cuerpos, que estremecía un temblor involuntario, y por sus frentes, pálidas y descompuestas, comenzó a correr un sudor frío como el de la muerte.

La luz, por tercera vez apagada, por tercera vez volvió a resucitar, y las tinieblas se disiparon.

—¡Ah! —exclamó Lope al ver a su contrario entonces, y en otros días su mejor amigo, asombrado como él, como él pálido e inmóvil—. Dios no quiere permitir este combate, porque es una lucha fratricida, porque un combate entre nosotros ofende al cielo ante el cual nos hemos jurado cien veces una amistad eterna.

Y esto diciendo, se arrojó en los brazos de Alonso, que le estrechó entre los suyos con una fuerza y una efusión indecibles.

Pasados algunos minutos, durante los cuales ambos jóvenes se dieron toda clase de muestras de amistad y cariño, Alonso tomó la palabra, y con acento conmovido aún por la escena que acabamos de referir, exclamó, dirigiéndose a su amigo:

Lope, yo sé que amas a doña Inés; ignoro si tanto como yo, pero la amas. Puesto que un duelo entre nosotros es imposible, resolvámonos a encomendar nuestra suerte en sus manos. Vamos en su busca: que ella decida con libre albedrío cuál ha de ser el dichoso, cuál el infeliz. Su decisión será respetada por ambos, y el que no merezca sus favores, mañana saldrá con el rey de Toledo, e irá a buscar el consuelo del olvido en la agitación de la guerra.

—Pues que tú lo quieres, sea —contestó Lope.

Y el uno apoyado en el brazo del otro, los dos amigos se dirigieron hacia la catedral, en cuya plaza, y en un palacio del que ya no quedan ni aun los restos, habitaba doña Inés de Tordesillas.

Estaba a punto de rayar el alba, y como algunos de los deudos de doña Inés, sus hermanos entre ellos, marchaban al otro día con el ejército real, no era imposible que en las primeras horas de la mañana pudiesen penetrar en su palacio.

Animados con esta esperanza, llegaron, en fin, al pie de la gótica torre del templo; mas al llegar a aquel punto un ruido particular llamó su atención, y deteniéndose en uno de los ángulos, ocultos entre la sombra de los altos machones que flanquean los muros, vieron, no sin grande asombro, abrirse el balcón del palacio de su dama, aparecer en él un hombre que se deslizó hasta el suelo, al parecer con la ayuda de una cuerda, y, por último, una forma blanca, doña Inés, sin duda, que, inclinándose sobre el calado antepecho, cambió algunas tiernas frases de despedida con su misterioso galán.

El primer movimiento de los dos jóvenes fue llevar las manos al puño de sus espadas; pero, deteniéndose como heridos de una idea súbita, volvieron los ojos a mirarse, y se hubieron de encontrar con una cara de asombro, tan cómica, que ambos prorrumpieron en una ruidosa carcajada, carcajada que, repitiéndose de eco en eco en el silencio de la noche, resonó en toda la plaza y llegó hasta el palacio.

Al oírla, la forma blanca desapareció del balcón, se escuchó el ruido de las puertas, que se cerraron con violencia, y todo volvió a quedar en silencio.

III

Al día siguiente, la reina, colocada en un estrado lujosísimo, veía desfilar las huestes que marchaban a la guerra de moros, teniendo a su lado a las damas más principales de Toledo. Entre ellas estaba doña Inés de Tordesillas, en la que aquel día, como siempre, se fijaban todos los ojos; pero, según a ella le parecía advertir, con diversa expresión de la de costumbre. Di-

ríase que en todas las curiosas miradas que a ella se volvían re-
tozaba una sonrisa burlona.

Este descubrimiento no dejaba de inquietarla algo, sobre
todo, teniendo en cuenta las ruidosas carcajadas que la noche
anterior había creído percibir a lo lejos y en uno de los ángulos
de la plaza, cuando cerraba el balcón y despedía a su amante;
pero al mirar aparecer entre las filas de los combatientes, que
pasaban por debajo del estrado lanzando chispas de fuego de
sus brillantes armaduras y envueltos en una nube de polvo los
pendones reunidos de las casas de Carrillo y Sandoval; al ver la
significativa sonrisa que al saludar a la reina le dirigieron los
dos antiguos rivales, que cabalgaban juntos, todo lo adivinó, y
la púrpura de la vergüenza enrojeció su frente y brilló en sus
ojos una lágrima de despecho.

El gnomo[1]

(LEYENDA ARAGONESA)

I

Las muchachas del lugar volvían de la fuente con sus cántaros en la cabeza. Volvían cantando y riendo con un ruido y una algazara que sólo pudiera compararse a la alegre algarabía de una banda de golondrinas cuando revolotean espesas como el granizo alrededor de la veleta de un campanario.

En el pórtico de la iglesia, y sentado al pie de un enebro, estaba el tío Gregorio. El tío Gregorio era el más viejecito del lugar. Tenía cerca de noventa navidades, el pelo blanco, la boca de risa, los ojos alegres y las manos temblonas. De niño fue pastor; de joven, soldado. Después cultivó una pequeña heredad, patrimonio de sus padres, hasta que, por último, le faltaron las fuerzas y se sentó tranquilo a esperar la muerte que ni

[1] Según opina Rubén Benítez, Bécquer, para conseguir que esta leyenda tuviera el carácter de tradición popular, elabora, junto a los elementos narrativos procedentes de su fantasía, ciertos motivos presentes en los relatos del folklore europeo, sobre todo los relativos a los gnomos, espíritus terrestres, cuya descripción y actividades son similares a las existentes en las tradiciones europeas. A propósito de la descripción de los gnomos, y por las similitudes que presenta, Bécquer pudo conocer la realizada por Heine en su obra *Tradiciones populares*. (Buenos Aires, Nova, 1944, pág. 69.)

La historia de las dos hermanas —antitéticamente caracterizadas— que acuden a la fuente tiene parecido con el cuento de Charles Perrault *Les fées*, incluido en *Les contes des fées*, traducidos al español por Coll y Vehi en 1852, y que Bécquer pudo probablemente conocer. (Cfr. Rubén Benítez, *op. cit.*, páginas 155-157.)

temía ni deseaba. Nadie contaba un chascarrillo con más gracia que él, ni sabía historias más estupendas, ni traía a cuento tan oportunamente un refrán, una sentencia o un adagio.

Las muchachas, al verle, apresuraron el paso con ánimos de irle a hablar, y cuando estuvieron en el pórtico, todas comenzaron a suplicarle que les contase una historia con que entretener el tiempo que aún faltaba para hacerse noche, que no era mucho, pues el sol poniente hería de soslayo la tierra y las sombras de los montes se dilataban por momentos a lo largo de la llanura.

El tío Gregorio escuchó sonriendo la petición de las muchachas, las cuales, una vez obtenida la promesa de que les referiría alguna cosa, dejaron los cántaros en el suelo y, sentándose a su alrededor, formaron un corro, en cuyo centro quedó el viejecito, que comenzó a hablarles de esta manera:

—No os contaré una historia, porque aunque se me acuerdan algunas en este momento, atañen a cosas tan graves que ni vosotras, que sois unas locuelas, me prestaríais atención para escucharla, ni a mí, por lo avanzado de la tarde, me queda espacio para referirla. Os daré en su lugar un consejo.

—¡Un consejo! —exclamaron las muchachas con aire de visible mal humor—. ¡Bah! No es para oír consejos para lo que nos hemos detenido. Cuando nos hagan falta, ya nos los dará el señor cura.

—Es —prosiguió el anciano con su habitual sonrisa y su voz cascada y temblona— que el señor cura acaso no sabría dároslo en esta ocasión tan oportuno como os lo puede dar el tío Gregorio, porque él, ocupado en sus rezos y letanías, no habrá echado, como yo, de ver que cada día vais por agua a la fuente más temprano y volvéis más tarde.

Las muchachas se miraron entre sí con una imperceptible sonrisa de burla, no faltando alguna de las que estaban colocadas a sus espaldas que se tocase la frente con el dedo, acompañando su acción con un gesto significativo.

—¿Y qué mal encontráis en que nos detengamos en la fuente charlando un rato con las amigas y las vecinas?... —dijo una de ellas—. ¿Andan acaso chismes en el lugar porque los mozos salen al camino a echarnos flores o vienen a brindarse para traer nuestros cántaros hasta la entrada del pueblo?

—De todo hay —contestó el viejo a la moza que le había dirigido la palabra en nombre de sus compañeras—. Las viejas del lugar murmuran de que hoy vayan las muchachas a loquear y entretenerse a un sitio al cual ellas llegaban de prisa y temblando a tomar el agua, pues sólo de allí puede traerse, y yo encuentro mal perdáis poco a poco el temor que a todos inspira el sitio donde se halla la fuente, porque podría acontecer que alguna vez os sorprendiese en él la noche.

El tío Gregorio pronunció estas últimas palabras con un tono tan lleno de misterio, que las muchachas abrieron los ojos espantadas para mirarle y, con mezcla de curiosidad y burla, tornaron a insistir:

—¡La noche! Pues ¿qué pasa de noche en ese sitio, que tales aspavientos hacéis y con tan temerosas y oscuras palabras nos habláis de lo que allí podría acontecernos? ¿Se nos comerán acaso los lobos?

—Cuando el Moncayo se cubre de nieve, los lobos, arrojados de sus guaridas, bajan en rebaños por su falda, y más de una vez los hemos oído aullar en horroroso concierto, no sólo en los alrededores de la fuente, sino en las mismas calles del lugar; pero no son los lobos los huéspedes más terribles del Moncayo. En sus profundas simas, en sus cumbres solitarias y ásperas, en su hueco seno, viven unos espíritus diabólicos que durante la noche bajan por sus vertientes como un enjambre, y pueblan el vacío y hormiguean en la llanura, y saltan de roca en roca, juegan entre las aguas o se mecen en las desnudas ramas de los árboles. Ellos son los que aúllan en las grietas de las peñas; ellos los que forman y empujan esas inmensas bolas de nieve que bajan rodando desde los altos picos y arrollan y aplastan cuanto encuentran a su paso; ellos los que llaman con el granizo a nuestros cristales en las noches de lluvia y corren como llamas azules y ligeras sobre el haz de los pantanos. Entre estos espíritus que, arrojados de las llanuras por las bendiciones y los exorcismos de la Iglesia, han ido a refugiarse a las crestas inaccesibles de las montañas, los hay de diferente naturaleza y que, al aparecer, a nuestros ojos se revisten de formas variadas. Los más peligrosos, sin embargo, los que se insinúan con dulces palabras en el corazón de las jóvenes y las deslum-

bran con promesas magníficas, son los gnomos[2]. Los gnomos viven en las entrañas de los montes. Conocen sus caminos subterráneos y, eternos guardadores de los tesoros que encierran, velan día y noche junto a los veneros de los metales y las piedras preciosas. ¿Veis? —prosiguió el viejo, señalando con el palo que le servía de apoyo la cumbre del Moncayo, que se levantaba a su derecha, destacándose oscuro y gigantesco sobre el cielo violado y brumoso del crepúsculo—, veis esa inmensa mole coronada aún de nieve? Pues en su seno tienen su morada esos diabólicos espíritus. El palacio que habitan es horroroso y magnífico a la vez.

»Hace muchos años que un pastor, siguiendo a una res extraviada, penetró por la boca de una de esas cuevas, cuyas entradas cubren espesos matorrales y cuyo fin no ha visto ninguno. Cuando volvió al lugar estaba pálido como la muerte. Había sorprendido el secreto de los gnomos, había respirado su envenenada atmósfera y pagó su atrevimiento con la vida; pero antes de morir refirió cosas estupendas. Andando por aquella caverna adelante había encontrado, al fin, unas galerías subterráneas e inmensas, alumbradas con un resplandor dudoso y fantástico, producido por la fosforescencia de las rocas, semejantes allí a grandes pedazos de cristal cuajado en mil formas caprichosas y extrañas. El suelo, la bóveda y las paredes de aquellos extensos salones, obra de la naturaleza, parecían jaspeados como los mármoles más ricos; pero las vetas que los cruzaban eran de oro y de plata, y entre aquellas vetas brillantes se veían como incrustadas multitud de piedras preciosas de todos colores y tamaños. Allí había jacintos y esmeraldas en montón, y diamantes, y rubíes, y zafiros y, qué sé yo, otras muchas piedras desconocidas que él no supo nombrar, pero tan grandes y tan hermosas, que sus ojos se deslumbraron al contemplarlas. Ningún ruido exterior llegaba al fondo de la fantástica caverna. Sólo se percibían a intervalos unos gemidos largos y lastimosos del aire que discurría por aquel laberinto

[2] En la mitología germánica, seres fantásticos, reputados por los cabalistas como espíritus de la tierra. Generalmente se les imagina como enanos cuidadores de los veneros de las minas.

encantado, un rumor confuso de fuego subterráneo que hervía comprimido, y murmullos de aguas corrientes que pasaban sin saberse por dónde.

»El pastor, solo y perdido en aquella inmensidad, anduvo no sé cuántas horas sin hallar la salida, hasta que, por último, tropezó con el nacimiento del manantial cuyo murmullo había oído. Éste brotaba del suelo como una fuente maravillosa, con un salto de agua coronado de espuma que caía formando una vistosa cascada y produciendo un murmullo sonoro al alejarse resbalando por entre las quebraduras de las peñas. A su alrededor crecían unas plantas nunca vistas, con hojas anchas y gruesas las unas, delgadas y largas como cintas flotantes las otras.

»Medio escondidos entre aquella húmeda frondosidad discurrían unos seres extraños, en parte hombres, en parte reptiles, o ambas cosas a la vez, pues transformándose continuamente, ora parecían criaturas humanas deformes y pequeñuelas, ora salamandras luminosas o llamas fugaces que danzaban en círculos sobre la cúspide del surtidor. Allí, agitándose en todas direcciones, corriendo por el suelo en forma de enanos repugnantes y contrahechos, encaramándose por las paredes, babeando y retorciéndose en figura de reptiles o bailando con apariencia de fuegos fatuos sobre el haz del agua, andaban los gnomos, señores de aquellos lugares, contando y removiendo sus fabulosas riquezas. Ellos saben dónde guardan los avaros esos tesoros que en vano buscan después los herederos; ellos conocen el lugar donde los moros, antes de huir, ocultaron sus joyas; y las alhajas que se pierden, las monedas que se extravían, todo lo que tiene algún valor y desaparece, ellos son los que lo buscan, lo encuentran y lo roban para esconderlo en sus guaridas, porque ellos saben andar todo el mundo por debajo de la tierra y por caminos secretos e ignorados. Allí tenían, pues, hacinados en montón toda clase de objetos raros y preciosos. Había joyas de un valor inestimable, collares y gargantillas de perlas y piedras finas, ánforas de oro de forma antiquísima llenas de rubíes, copas cinceladas, armas ricas, monedas con bustos y leyendas imposibles de conocer o descifrar, tesoros en fin, tan fabulosos e inmensos, que la imaginación apenas puede concebirlos. Y todo brillaba a la vez, lanzando unas chispas de colores y unos reflejos tan vivos, que parecía como

que todo estaba ardiendo y se movía y temblaba. Al menos, el pastor refirió que así le había parecido.

Al llegar aquí, el anciano se detuvo un momento. Las muchachas, que comenzaron por oír la relación del tío Gregorio con una sonrisa de burla, guardaban entonces un profundo silencio, esperando a que continuase, con los ojos espantados, los labios ligeramente entreabiertos y la curiosidad y el interés pintados en el rostro. Una de ellas rompió al fin el silencio y exclamó sin poderse contener, entusiasmada al oír la descripción de las fabulosas riquezas que se habían ofrecido a la vista del pastor:

—Y qué, ¿no se trajo nada de aquello?

—Nada —contestó el tío Gregorio.

—¡Qué tonto! —exclamaron en coro las muchachas.

—El cielo le ayudó en aquel trance —prosiguió el anciano—, pues en el momento en que la avaricia que a todo se sobrepone comenzaba a disipar su miedo y, alucinado a la vista de aquellas joyas, de las cuales una sola bastaría a hacerle poderoso, el pastor iba a apoderarse de algunas, dice que oyó, ¡maravillaos del suceso!, oyó claro y distinto en aquellas profundidades, y a pesar de las carcajadas y las voces de los gnomos, del hervidero de fuego subterráneo, del rumor de las aguas corrientes y de los lamentos del aire, oyó, digo, como si estuviese al pie de la colina en que se encuentra, el clamor de la campana que hay en la ermita de Nuestra Señora del Moncayo. Al oír la campana, que tocaba el avemaría, el pastor cayó al suelo invocando a la madre de nuestro Señor Jesucristo y, sin saber cómo ni por dónde, se encontró fuera de aquellos lugares y en el camino que conduce al pueblo echado en una senda y preso de un gran estupor, como si hubiera salido de un sueño. Desde entonces se explicó todo el mundo por qué la fuente del lugar trae a veces entre sus aguas como un polvo finísimo de oro, y cuando llega la noche, en el rumor que produce se oyen palabras confusas, palabras engañosas con que los gnomos que la inficionan desde su nacimiento procuran seducir a los incautos que les prestan oídos, prometiéndoles riquezas y tesoros que han de ser su condenación.

Cuando el tío Gregorio llegaba a este punto de su historia, ya la noche había entrado y la campana de la iglesia comenzó a tocar las oraciones. Las muchachas se persignaron devotamente, murmuraron un avemaría en voz baja, y después de despedirse del tío Gregorio, que les tornó a aconsejar que no perdieran el tiempo en la fuente, cada cual tomó su cántaro, y todas juntas salieron silenciosas y preocupadas del atrio de la iglesia. Ya lejos del sitio en que encontraron al viejecito, y cuando estuvieron en la plaza del lugar, donde habían de separarse, exclamó la más resuelta y decidora de ellas:

—¿Vosotras creéis algo de las tonterías que nos ha contado el tío Gregorio?

—¡Yo, no! —dijo una.

—¡Yo tampoco! —exclamó otra.

—¡Ni yo! ¡Ni yo! —repitieron las demás, burlándose con risas de su credulidad de un momento.

El grupo de las mozuelas se disolvió, alejándose cada cual hacia uno de los extremos de la plaza. Luego que doblaron las esquinas de las diferentes calles, que venían a desembocar a aquel sitio, dos muchachas, las únicas que no habían desplegado aún los labios para protestar con sus burlas de la veracidad del tío Gregorio, y, preocupadas con la maravillosa relación, parecían absortas en sus ideas, se marcharon juntas, y con esa lentitud propia de las personas distraídas, por una calleja sombría, estrecha y tortuosa.

De aquellas dos muchachas, la mayor, que parecía tener unos veinte años, se llamaba Marta, y la más pequeña, que aún no había cumplido los dieciséis, Magdalena.

El tiempo que duró el camino, ambas guardaron un profundo silencio; pero cuando llegaron a los umbrales de su casa y dejaron los cántaros en el asiento de piedra del portal, Marta dijo a Magdalena:

—¿Y tú crees en las maravillas del Moncayo y en los espíritus de la fuente?...

—Yo —contestó Magdalena con sencillez—, yo creo en todo. ¿Dudas tú acaso?

—¡Oh, no! —se apresuró a interrumpir Marta—. Yo También creo en todo: en todo... lo que deseo creer.

II

Marta y Magdalena eran hermanas. Huérfanas desde los primeros años de la niñez, vivían miserablemente a la sombra de una parienta de su madre, que las había recogido por caridad, y que a cada paso les hacía sentir con sus dicterios y sus humillantes palabras el peso de su beneficio. Todo parecía contribuir a que se estrechasen los lazos del cariño entre aquellas dos almas, hermanas, no sólo por el vínculo de la sangre, sino por los de la miseria y el sufrimiento, y, sin embargo, entre Marta y Magadalena existía una sorda emulación, una secreta antipatía, que sólo pudiera explicar el estudio de sus caracteres, tan en absoluta contraposición como sus tipos.

Marta era altiva, vehemente en sus inclinaciones y de una rudeza salvaje en la expresión de sus afectos. No sabía ni reír ni llorar, y por eso ni había llorado ni reído nunca. Magdalena, por el contrario, era humilde, amante, bondadosa, y en más de una ocasión se la vio llorar y reír a la vez como los niños.

Marta tenía los ojos más negros que la noche, y de entre sus oscuras pestañas diríase que a intérvalos saltaban chispas de fuego como de un carbón ardiente.

La pupila azul de Magdalena parecía nadar en un fluido de luz dentro del cerco de oro de sus pestañas rubias. Y todo era en ellas armónico con la diversa expresión de sus ojos. Marta, enjuta de carnes, quebrada de color, de estatura esbelta, movimientos rígidos y cabellos crespos y oscuros, que sombreaban su frente y caían por sus hombros como un manto de terciopelo, formaba un singular contraste con Magdalena, blanca, rosada, pequeña, infantil en su fisonomía y sus formas y con unas trenzas rubias que rodeaban sus sienes, semejantes al nimbo dorado de la cabeza de un ángel.

A pesar de la inexplicable repulsión que sentían la una por la otra, las dos hermanas habían vivido hasta entonces en una especie de indiferencia, que hubiera podido confundirse con la paz y el afecto. No habían tenido caricias que disputarse ni preferencias que envidiar, iguales en la desgracia y el dolor. Marta se había encerrado para sufrir en un egoísta y altivo si-

lencio, y Magdalena, encontrando seco el corazón de su hermana, lloraba a solas cuando las lágrimas se agolpaban involuntariamente a sus ojos.

Ningún sentimiento era común entre ellas. Nunca se confiaron sus alegrías y pesares, y, sin embargo, el único secreto que procuraban esconder en lo más profundo del corazón se lo habían adivinado mutuamente, con ese instinto maravilloso de la mujer enamorada y celosa. Marta y Magdalena tenían, efectivamente, puestos sus ojos en un mismo hombre.

La pasión de la una era el deseo tenaz, hijo de un carácter indomable y voluntarioso; en la otra, el cariño se parecía a esa vaga y espontánea ternura de la adolescencia, que, necesitando un objeto en que emplearse, ama el primero que se ofrece a su vista. Ambas guardaban el secreto de su amor, porque el hombre que lo había inspirado tal vez hubiera hecho mofa de un cariño que se podría interpretar como ambición absurda en unas muchachas plebeyas y miserables. Ambas, a pesar de la distancia que las separaba del objeto de su pasión, alimentaban una esperanza remota de poseerle.

Cerca del lugar, y sobre un alto que dominaba los contornos, había un antiguo castillo abandonado por sus dueños. Las viejas, en las noches de velada, referían una historia llena de maravillas acerca de sus fundadores. Contaban que hallándose el rey de Aragón en guerra con sus enemigos, agotados ya sus recursos, abandonado de sus parciales y próximo a perder el trono, se le presentó un día una pastorcita de aquella comarca y, después de revelarle la existencia de unos subterráneos por donde podía atravesar el Moncayo sin que se apercibiesen sus enemigos, le dio un tesoro en perlas finas, riquísimas piedras preciosas y barras de oro y plata, con las cuales el rey pagó sus mesnadas, levantó un poderoso ejército y, marchando por debajo de la tierra durante toda una noche, cayó al otro día sobre sus contrarios y los desbarató, asegurando la corona en su cabeza.

Después que hubo alcanzado tan señalada victoria, dicen que dijo el rey a la pastorcita: «Pídeme lo que quieras que, aun cuando fuese la mitad de mi reino, juro que te lo he de dar al instante.» «Yo no quiero más que volverme a cuidar de mi rebaño», respondió la pastorcita. «No cuidarás sino de mis fron-

teras», le replicó el rey, y le dio el señorío de toda la raya y la mandó edificar una fortaleza en el pueblo más fronterizo a Castilla, adonde se trasladó la pastora, casada ya con uno de los favoritos del rey, noble, galán, valiente y señor asimismo de muchas fortalezas y muchos feudos.

La estupenda relación del tío Gregorio acerca de los gnomos del Moncayo, cuyo secreto estaba en la fuente del lugar, exaltó nuevamente las locas fantasías de las dos enamoradas hermanas, completando, por decirlo así, la ignorada historia del tesoro hallado por la pastorcita de la conseja, tesoro cuyo recuerdo había turbado más de una vez sus noches de insomnio y de amargura, presentándose a su imaginación como un débil rayo de esperanza.

La noche siguiente a la tarde del encuentro con el tío Gregorio, todas las muchachas del lugar hicieron conversación en sus casas de la estupenda historia que les había referido. Marta y Magdalena guardaron un profundo silencio, y ni en aquella noche ni en todo el día que amaneció después volvieron a cambiar una sola palabra relativa al asunto, tema de todas las conversaciones y objeto de los comentarios de sus vecinas.

Cuando llegó la hora de costumbre, Magdalena tomó su cántaro y le dijo a su hermana:

—¿Vamos a la fuente?

Marta no contestó, y Magdalena volvió a decirle:

—¿Vamos a la fuente? Mira que si no nos apresuramos, se pondrá el sol antes de la vuelta.

Marta exclamó al fin, con acento breve y áspero:

—Yo no quiero ir hoy.

—Ni yo tampoco —añadió Magdalena después de un instante de silencio, durante el cual mantuvo los ojos clavados en los de su hermana, como si quisiera adivinar en ellos la causa de su resolución.

III

Las muchachas del lugar hacía cerca de una hora que estaban de vuelta en sus casas. La última luz del crepúsculo se había apagado en el horizonte y la noche comenzaba a cerrar de

cada vez más oscura, cuando Marta y Magdalena, esquivándose mutuamente y cada cual por diverso camino, salieron del pueblo con dirección a la fuente misteriosa. La fuente brotaba escondida entre unos riscos cubiertos de musgo en el fondo de una larga alameda de álamos.

Después que se fueron apagando poco a poco los rumores del día y ya no se escuchaba el lejano eco de la voz de los labradores que vuelven, caballeros en sus yuntas, cantando al compás del timón del arado que arrastran por la tierra; después que se dejó de percibir el monótono ruido de las esquilillas[3] del ganado, y las voces de los pastores, y el ladrido de los perros que reúnen las reses, y sonó en la torre del lugar la postrera campanada del toque de oraciones, reinó ese doble y augusto silencio de la noche y la soledad, silencio lleno de murmullos extraños y leves, que lo hacen aún más perceptible.

Marta y Magdalena se deslizaron por entre el laberinto de los árboles y, protegidas por la oscuridad, llegaron sin verse al fin de la alameda. Marta no conocía el temor, y sus pasos eran firmes y seguros. Magdalena temblaba con solo el ruido que producían sus pies al hollar las hojas secas que tapizaban el suelo.

Cuando las dos hermanas estuvieron junto a la fuente, el viento de la noche comenzó a agitar las copas de los álamos, y al murmullo de sus soplos desiguales parecía responder el agua del manantial con un rumor compasado y uniforme.

Marta y Magdalena prestaron atención a aquellos ruidos que pasaban bajo sus pies como un susurro constante y sobre sus cabezas como un lamento que nacía y se apagaba para tornar a crecer y dilatarse por la espesura. A medida que transcurrían las horas, aquel sonar eterno del aire y del agua empezó a producirles una extraña exaltación, una especie de vértigo que, turbando la vista y zumbando en el oído, parecía trastornarles por completo.

Entonces, a la manera que se oye hablar entre sueños con un eco lejano y confuso, les pareció percibir entre aquellos rumores sin nombre, sonidos inarticulados, como los de un niño que quiere y no puede llamar a su madre; luego, palabras que

[3] *esquilillas:* corregimos la errata de la versión periodística *(esquililas)*.

se repetían una vez y otra, siempre lo mismo[4]; después, frases inconexas y dislocadas, sin orden ni sentido, y, por último..., por último, comenzaron a hablar el viento vagando entre los árboles y el agua saltando de risco en risco.

Y hablaban así:

EL AGUA.—¡Mujer!... ¡Mujer!... ¡Óyeme..., óyeme y acércate para oírme, que yo besaré tus pies mientras tiemblo al copiar tu imagen en el fondo sombrío de mis ondas! ¡Mujer!... Óyeme, que mis murmullos son palabras.

EL VIENTO.—¡Niña!... Niña gentil, levanta tu cabeza; déjame en paz besar tu frente, en tanto que agito tus cabellos. Niña gentil, escúchame, que yo sé hablar también y te murmuraré al oído frases cariñosas.

MARTA.—¡Oh! ¡Habla, habla, que yo te comprenderé, porque mi inteligencia flota en un vértigo como flotan tus palabras indecisas! Habla, misteriosa corriente.

MAGDALENA.—Tengo miedo. ¡Aire de la noche, aire de perfumes, refresca mi frente, que arde! Dime algo que me infunda valor, porque mi espíritu vacila.

EL AGUA.—Yo he cruzado el tenebroso seno de la tierra, he sorprendido el secreto de su maravillosa fecundidad y conozco todos los fenómenos de sus entrañas, donde germinan las futuras creaciones. Mi rumor adormece y despierta. Despierta tú, que lo comprendes.

EL VIENTO.—Yo soy el aire que mueven los ángeles con sus alas inmensas al cruzar por el espacio. Yo amontono en el Occidente las nubes que ofrecen al sol un lecho de púrpura y traigo al amanecer, con las neblinas que se deshacen en gotas una lluvia de perlas sobre las flores. Mis suspiros son un bálsamo. Ábreme tu corazón y le inundaré de felicidad.

[4] *lo mismo:* en el texto periodístico aparece erróneamente *la misma,* que corregimos.

Marta.—Cuando yo oí por primera vez el murmullo de una corriente subterránea, no en balde me inclinaba a la tierra prestándole oído. Con ella iba un misterio que yo debía comprender al cabo.

Magdalena.—Suspiros del viento, yo os conozco. Vosotros me acariciabais dormida cuando, fatigada del llanto, me rendía al sueño en mi niñez, y vuestro rumor se me figuraban las palabras de una madre que arrulla a su hija.

*

El agua enmudeció por algunos instantes, y no sonaba sino como agua que se rompe entre peñas. El viento calló también, y su ruido no fue otra cosa que ruido de hojas movidas. Así pasó algún tiempo, y después volvieron a hablar, y hablaron así:

El agua.—Después de filtrarme gota a gota a través del filón de oro de una mina inagotable; después de correr por un lecho de plata y saltar como sobre guijarros entre un sinnúmero de zafiros y amatistas, arrastrando en vez de arenas, diamantes y rubíes, me he unido en misterioso consorcio a un genio. Rica con su poder y con las ocultas virtudes de las piedras preciosas y los metales, de cuyos átomos vengo saturada, puedo ofrecerte cuanto ambicionas. Yo tengo la fuerza de un conjuro, el poder de un talismán, y la virtud de las siete piedras y los siete colores.

El viento.—Yo vengo de vagar por la llanura, y como la abeja que vuelve a la colmena con su botín de perfumadas mieles, traigo suspiros de mujer, plegarias de niño, palabras de casto amor y aroma de nardos y azucenas silvestres. Yo no he recogido a mi paso más que perfumes y ecos de armonías. Mis tesoros son inmateriales; pero ellos dan la paz del alma y la vaga felicidad de los sueños venturosos.

*

Mientras su hermana, atraída como por un encanto, se inclinaba al borde de la fuente para oír mejor, Magdalena se iba indistintamente separando de los riscos entre los cuales brotaba el manantial.

Ambas tenían sus ojos fijos, la una en el fondo de las aguas, la otra en el fondo del cielo.

Y exclamaba Magdalena, mirando brillar los luceros en la altura:

—Ésos son los nimbos de la luz de los ángeles invisibles que nos custodian.

En tanto decía Marta, viendo temblar en la linfa de la fuente el reflejo de las estrellas:

—Ésas son las partículas de oro que arrastra el agua en su misterioso curso.

El manantial y el viento que, por segunda vez habían enmudecido un instante, tornaron a hablar, y dijeron:

El agua.—Remonta mi corriente, desnúdate del temor como de una vestidura grosera, y osa traspasar los umbrales de lo desconocido. Yo he adivinado que tu espíritu es de la esencia de los espíritus superiores. La envidia te habrá arrojado tal vez del cielo para revolcarte en el lodo de la miseria. Yo veo, sin embargo, en tu frente sombría un sello de altivez que te hace digna de nosotros, espíritus fuertes y libres... Ven; yo te voy a enseñar palabras mágicas de tal virtud, que al pronunciarlas se abrirán las rocas y te brindarán con los diamantes que están en su seno, como las perlas en las conchas que sacan del fondo del mar los pescadores. Ven; te daré tesoros para que vivas feliz, y más tarde, cuando se quiebre la cárcel que lo aprisiona, tu espíritu se asimilará a los nuestros, que son espíritus hermanos, y todos confundidos, seremos la fuerza motora, el rayo vital de la creación, que circula como un fluido por sus arterias subterráneas.

El viento.—El agua lame la tierra y vive en el cieno. Yo discurro por las regiones etéreas y vuelo en el espacio sin límites. Sigue los movimientos de tu corazón, deja que tu alma suba como la llama y las azules espirales del humo. ¡Desdichado el que, teniendo alas, desciende a las profundidades para

buscar el oro, pudiendo remontarse a la altura para encontrar amor y sentimiento! Vive oscura como la violeta, que yo te traeré en un beso fecundo el germen vivificante de otra flor hermana tuya y rasgaré las nieblas para que no falte un rayo de sol que ilumine tu alegría. Vive oscura, vive ignorada, que cuando tu espíritu se desate, yo lo subiré a las regiones de la luz en una nube roja.

<p style="text-align:center">*</p>

Callaron el viento y el agua y apareció el gnomo. El gnomo era como un hombrecillo transparente; una especie de enano de luz semejante a un fuego fatuo, que se reía a carcajadas, sin ruido, y saltaba de peña en peña y mareaba con su vertiginosa movilidad. Unas veces se sumergía en el agua y continuaba brillando en el fondo como una joya de piedras de mil colores; otras salía a la superficie y agitaba los pies y las manos, y sacudía la cabeza a un lado y a otro con una rapidez que tocaba en prodigio.

Marta vio al gnomo y le estuvo siguiendo con la vista extraviada en todas sus extravagantes evoluciones, y cuando el diabólico espíritu se lanzó al último por entre las escabrosidades del Moncayo como una llama que corre, agitando su cabellera de chispas, sintió una especie de atracción irresistible y siguió tras él con una carrera frenética.

—¡Magdalena! —decía en tanto el aire, que se alejaba lentamente.

Y Magdalena, paso a paso y como una sonámbula guiada en el sueño por una voz amiga, siguió tras la ráfaga, que iba suspirando por la llanura. Después todo quedó otra vez en silencio en la oscura alameda, y el viento y el agua siguieron sonando con los murmullos y los rumores de siempre.

IV

Magdalena tornó al lugar pálida y llena de asombro. A Marta la esperaron en vano toda la noche.

Cuando llegó la tarde del otro día, las muchachas encontra-

ron un cántaro roto al borde de la fuente de la alameda. Era el cántaro de Marta, de la cual nunca volvió a saberse. Desde entonces las muchachas del lugar van por agua tan temprano, que madrugan con el sol. Algunas me han asegurado que de noche se ha oído en más de una ocasión el llanto de Marta, cuyo espíritu vive aprisionado en la fuente. Yo no sé qué crédito dar a esta última parte de la historia, porque la verdad es que desde entonces ninguno se ha atrevido a penetrar para oírlo en la alameda después del toque del avemaría.

La cueva de la mora[1]

I[2]

Frente al establecimiento de baños de Fitero[3], y sobre unas rocas cortadas en pico, a cuyos pies corre el río Alhama[4], se ven todavía los restos abandonados de un castillo árabe, célebre en los fastos gloriosos de la reconquista por haber sido tea-

[1] Para la historia amorosa vivida por el cristiano y la mora, pudo inspirarse Bécquer en algunos de los romances moriscos de Zorrilla. El motivo central de la leyenda, es decir, el del espíritu de la mora enamorada que habita en una cueva encantada y se acerca al río, es un motivo tradicional español. Cierto paralelismo con él ofrece la siguiente noticia legendaria, suministrada por Cels Gomis y recogida por Rubén Benítez: en la misma línea del Ebro, en una zona de Aragón que perteneció a Navarra, cerca de Fabara, existía la llamada *casa de los moros*, cuyo espíritu, como es bien sabido, poblaba en los vagos temores de la infancia numerosas cuevas y grutas de la geografía española. Dicha casa era realmente un sepulcro que comunicaba con una galería llena de supuestas cámaras de oro y habitada por el espíritu de una mora, quien, ciertos días, iba a la fuente de piedra cercana a la orilla del río, siguiendo una senda llamada *carrera de la mora*. (Cels Gomis, «Tradicions fabaroles», en *Butlletí del Centre Excursionista de Catalunya*, 2, abril-junio, 1892, págs. 62-63.) Para un análisis más amplio de las posibles fuentes de la leyenda, cfr. Rubén Benítez, *op. cit.*, págs. 157-160.

[2] A pesar de que en *El Contemporáneo* no figura la distribución por capítulos, mantenemos la división tal como la ofrece Rodríguez Correa en su edición de 1871, para que no haya diferencias visibles entre la estructura formal de esta y otras leyendas.

[3] La primitiva Fitero consistió en un pequeño enclave amurallado cuyo dominio fue objeto de frecuentes litigios entre los reinos vecinos. Finalmente, en el siglo xv el cardenal Guido de Bolonia falló a favor de las pretensiones navarras. Hay en Fitero dos importantes balnearios, llamados Fitero Viejo y Fitero Nuevo, separados por corta distancia.

[4] Nace en la siera del Almuerzo (Soria) y desemboca en el Ebro por su orilla derecha, tras un recorrido de 84 kilómetros.

tro de grandes y memorables hazañas, así por parte de los que lo defendieron como de los que valerosamente clavaron sobre sus almenas el estandarte de la cruz. De los muros no quedan más que algunos ruinosos vestigios; las piedras de la atalaya han caído unas sobre otras al foso y lo han cegado por completo; en el patio de armas crecen zarzales y matas de jaramago; por todas partes adonde se vuelven los ojos no se ven más que arcos rotos, sillares oscuros y carcomidos; aquí un lienzo de barbacana, entre cuyas hendiduras nace la yedra; allí un torreón que aún se tiene en pie como por milagro; más allá los postes de argamasa con las anillas de hierro que sostenían el puente colgante.

Durante mi estancia en los baños, ya por hacer ejercicio, que, según me decían, era conveniente al estado de mi salud, ya arrastrado por la curiosidad, todas las tardes tomaba entre aquellos vericuetos el camino que conduce a las ruinas de la fortaleza árabe y allí me pasaba las horas y las horas escarbando el suelo por ver si encontraba algunas armas, dando golpes en los muros para observar si sonaba a hueco y sorprender el escondrijo de un tesoro, y metiéndome por todos los rincones con la idea de encontrar la entrada de alguno de esos subterráneos que es fama existen en todos los castillos de los moros.

Mis diligentes pesquisas fueron por demás infructuosas.

Sin embargo, una tarde en que, ya desesperanzado de hallar algo nuevo y curioso en lo alto de la roca sobre [la] que se asienta el castillo, renuncié a subir a ella y limité mi paseo a las orillas del río que corre a sus pies, andando, andando a lo largo de la ribera, vi una especie de boquerón[5] abierto en la peña viva y medio oculto por frondosos y espesísimos matorrales. No sin mi poquito de temor, separé el ramaje que cubría la entrada de aquello que me pareció cueva formada por la naturaleza y que, después que anduve algunos pasos, vi era un subterráneo abierto a pico.

No pudiendo penetrar hasta el fondo, que se perdía entre las sombras, me limité a observar cuidadosamente los accidentes de la bóveda y del piso, que me pareció que se elevaba formando como unos grandes peldaños en dirección a la altura en que

[5] Abertura grande.

se halla el castillo de que ya he hecho mención, y en cuyas ruinas recordé entonces haber visto una poterna cegada. Sin duda, había descubierto uno de esos caminos secretos, tan comunes en las obras militares de aquella época, el cual debió servir para hacer salidas falsas o coger, estando sitiados, el agua del río que corre allí inmediato.

Para cerciorarme de la verdad que pudiera haber en mis inducciones, después que salí de la cueva por donde mismo había entrado, trabé conversación con un trabajador que andaba podando unas viñas en aquellos vericuetos y al cual me acerqué so pretexto de pedirle lumbre para encender un cigarrillo.

Hablamos de varias cosas indiferentes: de las propiedades medicinales de las aguas de Fitero, de la cosecha pasada y la por venir, de las mujeres de Navarra y el cultivo de las viñas; hablamos, en fin, de todo lo que al buen hombre se le ocurrió, primero que de la cueva, objeto de mi curiosidad.

Cuando, por último, la conversación recayó sobre este punto, le pregunté si sabía de alguien que hubiese penetrado en ella y visto su fondo.

—¡Penetrar en la cueva de la Mora! —me dijo, como asombrado al oír mi pregunta—. ¿Quién había de atreverse? ¿No sabe usted que de esa sima sale todas las noches *un ánima?*

—¡Un ánima! —exclamé yo, sonriéndome—. ¿El ánima de quién?

—El ánima de la hija de un alcaide moro que anda todavía penando por estos lugares, y se la ve todas las noches salir vestida de blanco de esa cueva, y llena en el río *una jarrica de agua*[6].

Por la explicación de aquel buen hombre vine en conocimiento de que acerca del castillo árabe y del subterráneo que yo suponía en comunicación con él había alguna historieta, y como yo soy muy amigo de oír todas estas tradiciones, especialmente de labios de la gente del pueblo, le supliqué me la refiriese, lo cual hizo, poco más o menos, en los mismos términos que yo, a mi vez, se la voy a referir a mis lectores.

6 *una jarrica de agua:* subrayado en el original, como *un ánima*, algo más arriba. Quizá Bécquer quiere recalcar el carácter geográfico y dialectal del diminutivo.

II

Cuando el castillo, del que ahora sólo restan algunas informes ruinas, se tenía aún por los reyes moros, y sus torres, de las que no ha quedado piedra sobre piedra, dominaban desde lo alto de la roca en que tienen asiento todo aquel fertilísimo valle que fecunda el río Alhama, tuvo lugar junto a la villa de Fitero una reñida batalla, en la cual cayó herido y prisionero de los árabes un famoso caballero cristiano, tan digno de renombre por su piedad como por su valentía.

Conducido a la fortaleza y cargado de hierros por sus enemigos, estuvo algunos días en el fondo de un calabozo luchando entre la vida y la muerte, hasta que, curado casi milagrosamente de su heridas, sus deudos le rescataron a fuerza de oro.

Volvió el cautivo a su hogar; volvió a estrechar entre sus brazos a los que le dieron el ser. Sus hermanos de armas y sus hombres de guerra se alborozaron al verle, creyendo llegada la hora de emprender nuevos combates; pero el alma del caballero se había llenado de una profunda melancolía, y ni el cariño paterno ni los esfuerzos de la amistad eran parte a disipar su extraña melancolía.

Durante su cautiverio logró ver a la hija del alcaide moro, de cuya hermosura tenía noticias por la fama antes de conocerla; pero que cuando la hubo conocido la encontró tan superior a la idea que de ella se había formado, que no pudo resistir a la seducción de sus encantos y se enamoró perdidamente de un objeto para él imposible.

Meses y meses pasó el caballero forjando los proyectos más atrevidos y absurdos: ora imaginaba un medio de romper las barreras que lo separaban de aquella mujer, ora hacía los mayores esfuerzos por olvidarla, y ya se decidía por una cosa, ya se mostraba partidario de otra absolutamente opuesta, hasta que, al fin, un día reunió a sus hermanos y compañeros de armas, hizo llamar a sus hombres de guerra y, después de hacer con el mayor sigilo todos los aprestos necesarios, cayó de improviso sobre la fortaleza que guardaba a la hermosura objeto de su insensato amor.

Al partir a esta expedición, todos creyeron que sólo movía a su caudillo el afán de vengarse de cuanto le habían hecho sufrir aherrojándole en el fondo de sus calabozos; pero después de tomada la fortaleza, no se ocultó a ninguno la verdadera causa de aquella arrojada empresa, en que tantos buenos cristianos habían perecido para contribuir al logro de una pasión indigna.

El caballero, embriagado en el amor que, al fin, logró encender en el pecho de la hermosísima mora, ni hacía caso de los consejos de sus amigos, ni paraba mientes en las murmuraciones y las quejas de sus soldados. Unos y otros clamaban por salir cuanto antes de aquellos muros, sobre los cuales era natural que habían de caer nuevamente los árabes repuestos del pánico de la sorpresa.

Y, en efecto, sucedió así: el alcaide allegó gentes de los lugares comarcanos y una mañana el vigía que estaba puesto en la atalaya de la torre bajó a anunciar a los enamorados amantes que por toda la sierra que desde aquellas rocas se descubre se veía bajar tal nublado de guerreros, que bien podía asegurarse que iba a caer sobre el castillo la morisma entera.

La hija del alcaide se quedó al oírlo pálida como la muerte; el caballero pidió sus armas a grandes voces y todo se puso en movimiento en la fortaleza. Los soldados salieron en tumulto de sus cuadras; los jefes comenzaron a dar órdenes; se bajaron los rastrillos, se levantó el puente colgante y se coronaron de ballesteros las almenas.

Algunas horas después comenzó el asalto.

El castillo podía llamarse con razón inexpugnable. Solo por sorpresa, como se apoderaron de él los cristianos, era posible rendirlo. Resistieron, pues, sus defensores una, dos y hasta diez embestidas.

Los moros se limitaron, viendo la inutilidad de sus esfuerzos, a cercarlo estrechamente para hacer capitular a sus defensores por hambre.

El hambre comenzó, en efecto, a hacer estragos horrorosos entre los cristianos; pero sabiendo que, una vez rendido el castillo, el precio de la vida de sus defensores era la cabeza de su jefe, ninguno quiso hacerle traición, y los mismos que habían reprobado su conducta juraron perecer en su defensa.

Los moros, impacientes, resolvieron dar un nuevo asalto al mediar la noche. La embestida fue rabiosa, la defensa desesperada y el choque horrible. Durante la pelea, el alcaide, partida la frente de un hachazo, cayó al foso desde lo alto del muro, al que había logrado subir con la ayuda de una escala, al mismo tiempo que el caballero recibía un golpe mortal en la brecha de la barbacana, en donde unos y otros combatían cuerpo a cuerpo entre las sombras.

Los cristianos comenzaron a cejar y a replegarse. En este punto la mora se inclinó sobre su amante, que yacía en el suelo, moribundo, y tomándolo en sus brazos con unas fuerzas que hacían mayores la desesperación y la idea del peligro, lo arrastró hasta el patio de armas. Allí tocó a un resorte, se levantó una piedra como movida de un impulso sobrenastural y por la boca que dejó ver al levantarse, desapareció con su preciosa carga y comenzó a descender hasta llegar al fondo del subterráneo.

III

Cuando el caballero volvió en sí, tendió a su alrededor una mirada llena de extravío, y dijo:

—¡Tengo sed! ¡Me muero! ¡Me abraso!

Y en su delirio precursor de la muerte, de sus labios secos, al pasar por los cuales silbaba la respiración sólo se oían salir estas palabras angustiosas:

—¡Tengo sed! ¡Me abraso! ¡Agua! ¡Agua!

La mora sabía que aquel subterráneo tenía una salida al valle por donde corre el río. El valle y todas las alturas que lo coronan estaban llenos de soldados moros, que, una vez rendida la fortaleza, buscaban en vano por todas partes al caballero y a su amada para saciar en ellos su sed de exterminio. Sin embargo, no vaciló un instante, y tomando el casco del moribundo, se deslizó como una sombra por entre los matorrales que cubrían la boca de la cueva y bajó a la orilla del río.

Ya había tomado el agua, ya iba a incorporarse para volver de nuevo al lado de su amante, cuando silbó una saeta y exhaló un grito.

Dos guerreros moros que velaban alrededor de la fortaleza habían disparado sus arcos en la dirección en que oyeron moverse las ramas.

La mora, herida de muerte, logró, sin embargo, arrastrarse a la entrada del subterráneo y penetrar hasta el fondo, donde se encontraba el caballero. Éste, al verla cubierta de sangre y próxima a morir, volvió en su razón y, conociendo la enormidad del pecado que tan duramente expiaban, volvió sus ojos al cielo, tomó el agua que su amante le ofrecía y, sin acercársela a los labios, preguntó a la mora:

—¿Quieres ser cristiana? ¿Quieres morir en mi religión y, si me salvo, salvarte conmigo?

La mora, que había caído al suelo desvanecida con la falta de la sangre, hizo un movimiento imperceptible con la cabeza, sobre la cual derramó el caballero el agua bautismal invocando el nombre del Todopoderoso.

Al otro día el soldado que disparó la saeta vio un rastro de sangre a la orilla del río, y siguiéndolo entró en la cueva, donde encontró los cadáveres del caballero y su amada, que aún vienen por las noches a vagar por estos contornos.

La promesa[1]

(LEYENDA CASTELLANA)

I

Margarita lloraba con el rostro oculto entre las manos; lloraba sin gemir, pero las lágrimas corrían silenciosas a lo largo de sus mejillas, deslizándose por entre sus dedos para caer en la tierra, hacia la que había doblado su frente.

Junto a Margarita estaba Pedro; éste levantaba de cuando en cuando los ojos para mirarla, y viéndola llorar, tornaba a bajarlos, guardando a su vez un silencio profundo.

Y todo callaba alrededor y parecía respetar su pena. Los rumores del campo se apagaban; el viento de la tarde dormía y las sombras comenzaban a envolver los espesos árboles del soto.

[1] Han sido señaladas influencias de Zorrilla en esta leyenda becqueriana. Gerardo Diego afirma que existe semejanza entre *La promesa* y *A buen juez, mejor testigo*. (Pról. a su ed. *Leyendas sorianas*, Soria, Obra cultural Caja G. A. de Soria, 1970, pág. 10.) Además del parecido argumental, los elementos zorrillescos, aunque superados y trascendidos, pueden rastrearse en la recreación de los escenarios y ambientes medievales. Aunque, según Rica Brown, el origen temático de *La promesa* puede ser el «romance de la mano muerta», la misma autora encuentra similitud entre el tema de la leyenda de Bécquer y el de la leyenda de Zorrilla *El Cristo de la Vega*. (Rica Brown, *op. cit.*, pág. 208.)

Por su parte, para que no falten aportaciones, Enrique Chao Espina defiende que entre *La promesa* y *Una cita*, leyenda de Pastor Díaz, existen en lo esencial coincidencias argumentales, pudiendo ser el autor de la última el inspirador de la primera. («Bécquer y Díaz», en *Pastor Díaz dentro del romanticismo*, Madrid, C.S.I.C., 1949, págs. 448-452.)

Así transcurrieron algunos minutos, durante los cuales se acabó de borrar el rastro de luz que el sol había dejado al morir en el horizonte; la luna comenzó a dibujarse vagamente sobre el fondo violado del cielo del crepúsculo, y unas tras otras fueron apareciendo las mayores estrellas.

Pedro rompió al fin aquel silencio angustioso, exclamando con voz sorda y entrecortada, y como si hablase consigo mismo:

—¡Es imposible..., imposible!

Después, acercándose a la desconsolada niña y tomando una de sus manos, prosiguió con acento más cariñoso y suave:

—Margarita, para ti el amor es todo, y tú no ves nada más allá del amor. No obstante, hay algo tan respetable como nuestro cariño, y es mi deber. Nuestro señor, el conde de Gómara[2], parte mañana de su castillo para reunir su hueste a las del rey don Fernando, que va a sacar a Sevilla del poder de los infieles[3], y yo debo partir con el conde. Huérfano oscuro, sin nombre y sin familia, a él le debo cuanto soy. Yo le he servido en el ocio de las paces, he dormido bajo su techo, me he calentado en su hogar y he comido el pan a su mesa. Si hoy le abandono, mañana sus hombres de armas al salir en tropel por las poternas de su castillo, preguntarán maravillados de no verme: «¿Dónde está el escudero favorito del conde de Gómora?», y mi señor callará con vergüenza, y sus pajes y sus bufones dirán, en son de mofa: «El escudero del conde no es más que un galán de justas, un lidiador de cortesía.»

Al llegar a este punto, Margarita levantó sus ojos, llenos de lágrimas, para fijarlos en los de su amante, y removió los labios como para dirigirle la palabra; pero su voz se ahogó en un sollozo.

[2] Pueblo de la provincia de Soria, situado junto al río Rituerto. Posee un castillo árabe en lamentable estado de conservación. El título de conde de Gómara fue otorgado en 1692.

[3] Fue rescatada Sevilla del poder de los infieles el 23 de noviembre de 1248, tras quince meses de resistencia musulmana al cerco cristiano. El asedio a la ciudad comenzó en agosto de 1247. Fue muy importante para el éxito de la conquista la actuación de Ramón Bonifaz, quien, cuando habían transcurrido ocho meses de sitio, logró penetrar por el Guadalquivir al frente de una escuadra.

Pedro, con acento aún más dulce y persuasivo, prosiguió así:

—No llores, por Dios, Margarita; no llores, porque tus lágrimas me hacen daño. Voy a alejarme de ti; mas yo volveré después de haber conseguido un poco de gloria para mi nombre oscuro... El cielo nos ayudará en la santa empresa. Conquistaremos a Sevilla, y el rey nos dará feudos en las riberas del Guadalquivir a los conquistadores. Entonces volveré en tu busca y nos iremos juntos a habitar en aquel paraíso de los árabes, donde dicen que hasta el cielo es más limpio y más azul que el de Castilla; volveré, te lo juro; volveré a cumplir la palabra solemnemente empeñada el día que puse en tus manos ese anillo, símbolo de una promesa.

—¡Pedro! —exclamó entonces Margarita, dominando su emoción y con voz resuelta y firme—. Ve, ve a mantener tu honra —y al pronunciar estas palabras se arrojó por última vez en brazos de su amante. Después añadió, con acento más sordo y conmovido—: Ve a mantener tu honra; pero vuelve..., vuelve a traerme la mía.

Pedro besó la frente de Margarita, desató su caballo, que estaba sujeto a uno de los árboles del soto y se alejó al galope por el fondo de la alameda.

Margarita siguió a Pedro con los ojos hasta que su sombra se confundió entre la niebla de la noche, y cuando ya no pudo distinguirle, se volvió lentamente al lugar donde la aguardaban sus hermanos.

—Ponte tus vestidos de gala —le dijo uno de ellos al entrar—, que mañana vamos a Gómara con todos los vecinos del pueblo para ver al conde, que se marcha a Andalucía.

—A mí más me entristece que me alegra ver irse a los que acaso no han de volver —respondió Margarita con un suspiro.

—Sin embargo —insistió el otro hermano—, has de venir con nosotros, y has de venir compuesta y alegre; así no dirán las gentes murmuradoras que tienes amores en el castillo y que tus amores se van a la guerra.

II

Apenas rayaba en el cielo la primera luz del alba, cuando empezó a oírse por todo el campo de Gómara la aguda trompetería de los soldados del conde, y los campesinos que llegaban en numerosos grupos de los lugares cercanos vieron desplegarse al viento el pendón señorial en la torre más alta de la fortaleza.

Unos sentados al borde de los fosos, otros subidos en las copas de los árboles, éstos vagando por la llanura, aquéllos coronando las cumbres de las colinas, los de más allá formando un cordón a lo largo de la calzada, ya haría cerca de una hora que los curiosos esperaban el espectáculo, no sin que algunos comenzaran a impacientarse, cuando volvió a sonar de nuevo el toque de los clarines, rechinaron las cadenas del puente, que cayó con pausa sobre el foso, y se levantaron los rastrillos, mientras se abrían de par en par, y gimiendo sobre sus goznes, las pesadas puertas del arco que conducía al patio de armas.

La multitud corrió a agolparse en los ribazos del camino para ver más a su sabor las brillantes armaduras y los lujosos arreos del séquito del conde de Gómara, célebre en toda la comarca por su esplendidez y sus riquezas.

Rompieron la marcha los farautes, que, deteniéndose de trecho en trecho, pregonaban en alta voz y a son de caja las cédulas del rey llamando a sus feudatarios a la guerra de moros y requiriendo a las villas y lugares libres para que diesen paso y ayuda a sus huestes.

A los farautes siguieron los heraldos de corte[4], ufanos con sus casullas de seda, sus escudos bordados de oro y colores y sus birretes guarnecidos de plumas vistosas.

Después vino el escudero mayor de la casa[5], armado de

[4] Rey de armas que cada señor tenía en el medioevo. Al caer el régimen feudal, el cargo fue perdiendo importancia, quedando finalmente limitado a la función protocolaria de figurar en las ceremonias de la corte precediendo al soberano.

[5] Paje o sirviente principal que llevaba el escudo del señor y cuidaba de sus armas.

punta en blanco, caballero sobre un potro morcillo[6], llevando en sus manos el pendón de ricohombre con sus motes y sus calderas[7], y al estribo izquierdo, el ejecutor de las justicias del señorío vestido de negro y rojo.

Precedían al escudero mayor hasta una veintena de aquellos famosos trompeteros de la tierra llana, célebres en las crónicas de nuestros reyes por la increíble fuerza de sus pulmones.

Cuando dejó de herir al viento el agudo clamor de la formidable trompetería, comenzó a oírse un rumor sordo, compasado y uniforme. Eran los peones de la mesnada, armados de largas picas y provistos de sendas adargas de cuero. Tras éstos no tardaron en aparecer los aparejadores de las máquinas, con sus herramientas y sus torres de palo; las cuadrillas de escaladores y la gente menuda del servicio de las acémilas.

Luego, envueltos en la nube de polvo que levantaba el casco de sus caballos, y lanzando chispas de luz de sus petos de hierro, pasaron los hombres de armas del castillo, formados en gruesos pelotones, que semejaban a lo lejos un bosque de lanzas.

Por último, precedido de los timbaleros, que montaban poderosas mulas con gualdrapas y penachos, rodeado de sus pajes, que vestían ricos trajes de seda y oro y seguido de los escuderos de su casa, apareció el conde.

Al verle, la multitud levantó un clamor inmenso para saludarle, y entre la confusa vocería se ahogó el grito de una mujer, que en aquel momento cayó desmayada y como herida de un rayo en los brazos de algunas personas que acudieron a socorrerla. Era Margarita, Margarita, que había conocido a su misterioso amante en el muy alto y muy temido señor conde de Gómara, uno de los más nobles y poderosos feudatarios de la corona de Castilla.

[6] Se aplica al caballo, potro o yegua de color negro con viso rojizo.

[7] Términos heráldicos. El *mote* era una sentencia breve, llamada también *divisa*, que llevaban los caballeros en justas y torneos, constituyendo uno de los ornamentos principales de los escudos de armas. La *caldera* fue durante la Edad Media el distintivo de los señores feudales a quienes el rey había concedido el privilegio de levantar gente de guerra y sostenerla a sus expensas. Figura en el escudo de los Laras, Pachecos, Herreras, Manriques y Guzmanes, entre otras familias nobiliarias.

III

El ejército de don Fernando, después de salir de Córdoba, había venido por sus jornadas hasta Sevilla, no sin haber luchado antes en Écija, Carmona y Alcalá del Río de Guadaira[8], una vez expugnado el famoso castillo[9], puso los reales a la vista de la ciudad de los infieles.

El conde de Gómara estaba en la tienda sentado en un escaño de alerce, inmóvil, pálido, terrible, las manos cruzadas sobre la empuñadura del montante y los ojos fijos en el espacio con esa vaguedad del que parece mirar un objeto y, sin embargo, no ve nada de cuanto hay a su alrededor.

A un lado, y de pie, le hablaba el más antiguo de los escuderos de su casa, el único que en aquellas horas de negra melancolía hubiera osado interrumpirle sin atraer sobre su cabeza la explosión de su cólera.

—¿Qué tenéis, señor? —le decía—. ¿Qué mal os aqueja y consume? Triste vais al combate y triste volvéis, aun tornando con la victoria. Cuando todos los guerreros duermen rendidos a la fatiga del día, os oigo suspirar angustiado, y si corro a vuestro lecho, os miro allí luchar con algo invisible que os atormenta. Abrís los ojos y vuestro terror no se desvanece. ¿Qué os pasa, señor? Decídmelo. Si es un secreto yo sabré guardarlo en el fondo de mi memoria como en un sepulcro.

El conde parecía no oír al escudero. No obstante, después de un largo espacio, y como si las palabras hubiesen tardado todo aquel tiempo en llegar desde sus oídos a su inteligencia, salió poco a poco de su inmovilidad y, atrayéndole hacia sí cariñosamente, le dijo con voz grave y reposada:

—He sufrido demasiado en silencio. Creyéndome juguete de

[8] En su periplo guerrero hacia Sevilla, Fernando III tomó Córdoba el 29 de junio de 1236, Écija el 3 de mayo de 1240 y Carmona fue puesta en estado de sitio en 1246, siendo conquistada al año siguiente.

[9] Situada a la orilla derecha del río Guadaira, en época romana se llamó Hienipa y Alkalá en la musulmana, en la que era una importante fortaleza que tomó Fernando III a mediados del siglo XIII. El castillo ha servido de prisión a diversos personajes.

una vana fantasía, hasta ahora he callado por vergüenza; pero no, no es ilusión lo que me sucede. Yo debo hallarme bajo la influencia de alguna maldición terrible. El cielo o el infierno deben querer algo de mí, y lo avisan con hechos sobrenaturales. ¿Te acuerdas del día de nuestro encuentro con los moros de Nebrija en el aljarafe[10] de Triana? Éramos pocos. La pelea fue dura, y yo estuve a punto de perecer. Tú lo viste: en lo más reñido del combate, mi caballo, herido y ciego de furor, se precipitó hacia el grueso de la hueste mora. Yo pugnaba en balde por contenerle. Las riendas se habían escapado de mis manos, y el fogoso animal corría llevándome a una muerte segura. Ya los moros, cerrando sus escuadrones, apoyaban en tierra el cuento de sus largas picas para recibirme en ellas. Una nube de sactas silbaba en mis oídos. El caballo estaba a algunos pies de distancia del muro de hierro en que íbamos a estrellarnos, cuando... Créeme: no fue una ilusión. Vi una mano que, agarrándole de la brida, lo detuvo con una fuerza sobrenatural y, volviéndole en dirección a las filas de mis soldados, me salvó milagrosamente. En vano pregunté a unos y otros por mi salvador. Nadie le conocía, nadie le había visto. «Cuando volabais a estrellaros en la muralla de picas —me dijeron—, ibais solo, completamente solo. Por eso nos maravillamos al veros tornar, sabiendo que ya el corcel no obedecía al jinete.» Aquella noche entré preocupado en mi tienda. Quería en vano arrancarme de la imaginación el recuerdo de la extraña aventura. Mas al dirigirme al lecho torné a ver la misma mano, una mano hermosa, blanca hasta la palidez, que descorrió las cortinas, desapareciendo después de descorrerlas. Desde entonces, a todas horas, en todas partes, estoy viendo esa mano misteriosa que previene mis deseos y se adelanta a mis acciones. La he visto, al expugnar el castillo de Triana, coger entre sus dedos y partir en el aire una saeta que venía a herirme; la he visto, en los banquetes donde procuraba ahogar mi pena entre la confusión y el tumulto, escanciar el vino en mi copa, y siempre se halla delante de mis ojos, y por donde voy me sigue: en la tien-

[10] *Nebrija,* pueblo de Sevilla, fue tomado por Fernando III en 1249 y reconquistado por Alfonso X en 1264, tras haber caído de nuevo en poder de los árabes. *Aljarafa* es un terreno alto y de cierta extensión.

da, en el combate, de día, de noche... Ahora mismo, mírala, mírala aquí, apoyada suavemente en mis hombros.

Al pronunciar estas últimas palabras el conde se puso de pie y dio algunos pasos como fuera de sí y embargado de un terror profundo.

El escudero se enjugó una lágrima que corría por sus mejillas. Creyendo loco a su señor, no insistió, sin embargo, en contrariar sus ideas, y se limitó a decirle con voz profundamente conmovida:

—Venid... Salgamos un momento de la tienda. Acaso la brisa de la tarde refrescará vuestras sienes, calmando ese incomprensible dolor, para el que yo no hallo palabras de consuelo.

IV

El real de los cristianos se extendía por todo el campo de Guadaira hasta tocar en la margen izquierda del Guadalquivir. Enfrente del real, y destacándose sobre el luminoso horizonte, se alzaban los muros de Sevilla, flanqueados de torres, almenadas y fuertes. Por cima de la corona de almenas rebosaba la verdura de los mil jardines de la morisca ciudad, y entre las oscuras manchas del follaje lucían los miradores blancos como la nieve, los minaretes de las mezquitas y la gigantesca atalaya, sobre cuyo aéreo pretil lanzaban chispas de luz, heridas por el sol, las cuatro grandes bolas de oro, que desde el campo de los cristianos parecían cuatro llamas.

La empresa de don Fernando, una de las más heroicas y atrevidas de aquella época, había traído a su alrededor a los más célebres guerreros de los diferentes reinos de la Península, no faltando algunos que de países extraños y distantes vinieran también, llamados por la fama, a unir sus esfuerzos a los del santo rey.

Tendidas a lo largo de la llanura mirábanse, pues, tiendas de campaña de todas formas y colores, sobre el remate de las cuales ondeaban al viento distintas enseñas con escudos partidos, astros, grifos, leones, cadenas, barras y calderas y otras cien y cien figuras o símbolos heráldicos que pregonaban el nombre y la calidad de sus dueños. Por entre las calles de aquella impro-

visada ciudad circulaban en todas direcciones multitud de soldados, que, hablando dialectos diversos y vestido cada cual al uso de su país y cada cual armado a su guisa, formaban un extraño y pintoresco contraste.

Aquí descansaban algunos señores de las fatigas del combate, sentados en escaños de alerce a la puerta de sus tiendas y jugando a las tablas, en tanto que sus pajes les escanciaban el vino en copas de metal; allí algunos peones aprovechaban un momento de ocio para aderezar y componer sus armas rotas en la última refriega; más allá cubrían de saetas un blanco los más expertos ballesteros de la hueste, entre las aclamaciones de la multitud, pasmada de su destreza; y el rumor de los atambores[11], el clamor de las trompetas, las voces de los mercaderes ambulantes, el golpear del hierro contra el hierro, los cánticos de los juglares, que entretenían a sus oyentes con la relación de hazañas portentosas, y los gritos de los farautes que publicaban las ordenanzas de los maestres del campo, llenando los aires de mil y mil ruidos discordes, prestaban a aquel cuadro de costumbres guerreras una vida y una animación imposible de pintar con palabras.

El conde de Gómara, acompañado de su fiel escudero, atravesó por entre los animados grupos sin levantar los ojos de la tierra, silencioso, triste, como si ningún objeto hiriese su vista ni llegase a su oído el rumor más leve. Andaba maquinalmente, a la manera que un sonámbulo cuyo espíritu se agita en el mundo de los sueños, se mueve y marcha sin la conciencia de sus acciones y como arrastrado por una voluntad ajena a la suya.

Próximo a la tienda del rey, y en medio de un gran corro de soldados, pajecillos y gente menuda que le escuchaban con la boca abierta apresurándose a comprarle alguna de las baratijas que anunciaba a voces y con hiperbólicos encomios, había un extraño personaje, mitad romero, mitad juglar que, ora recitando una especie de letanía en latín bárbaro, ora diciendo una bufonada o una chocarrería, mezclaba[12] en su interminable re-

[11] Tambores.
[12] *mezclaba: mezclaba* (RC), *mezclada* (RB). El sentido de la oración exige corregir la errata de *La América* —transmitida a la versión de RB— y elegir la bilabial en vez de la dental.

lación chistes capaces de poner colorado a un ballestero con oraciones devotas, historias de amores picarescos con leyendas de santos.

En las inmensas alforjas que colgaban de sus hombros se hallaban revueltos y confundidos mil objetos diferentes: cintas tocadas en el sepulcro de Santiago, cédulas con palabras que él decía ser hebraicas, las mismas que dijo el rey Salomón cuando fundaba el templo y las únicas para libertarse de toda clase de enfermedades contagiosas; bálsamos maravillosos para pegar a hombres partidos por la mitad; evangelios cosidos en bolsitas de brocatel[13], secretos para hacerse amar de todas las mujeres, reliquias de los santos patrones de todos los lugares de España, joyuelas, cadenillas, cinturones, medallas y otras muchas baratijas de alquimia, de vidrio y plomo.

Cuando el conde llegó cerca del grupo que formaban el romero y sus admiradores, comenzaba éste a templar una especie de bandolina o guzla árabe con que se acompañaba en la relación de sus romances. Después que hubo estirado bien las cuerdas unas tras otras y con mucha calma, mientras su acompañante daba la vuelta al corro sacando los últimos cornados de la flaca escarcela[14] de los oyentes, el romero comenzó a cantar con voz gangosa y con un aire monótono y plañidero un romance que siempre terminaba con el mismo estribillo.

El conde se acercó al grupo y prestó atención. Por una coincidencia, al parecer extraña, el título de aquella historia respondía en un todo a los lúgubres pensamientos que embargaban su ánimo. Según había anunciado el cantor antes de comenzar, el romance se titulaba el *Romance de la mano muerta.*

Al oír el escudero tan extraño anuncio, pugnó por arrancar

[13] Tejido de seda y lino, o seda y lana, generalmente compuesto de dos colores. Se empleó mucho para sustituir los damascos y las telas rica, especialmente en la segunda mitad del siglo xv.

[14] El *cornado,* antigua moneda de vellón en cuya aleación de cobre entraba una cuarta parte de plata, utilizóse abundantemente en tiempos del rey Sancho IV de Castilla y de sus sucesores hasta los Reyes Católicos. La *escarcela* era una bolsa de cuero que se llevaba suspendida del cinto. Adoptaba numerosas formas, algunas muy artísticas, sobre todo las usadas por las damas, que podían estar primorosamente bordadas y llevar aplicaciones de aljófar y pedrería. Estuvo en uso durante los siglos xiv y xv, principalmente en Italia.

a su señor de aquel sitio; pero el conde, con los ojos fijos en el juglar, permaneció inmóvil escuchando esta cántiga:

I

La niña tiene un amante
que escudero se decía.
El escudero le anuncia
que a la guerra se partía.
«Te vas y acaso no tornes.»
«Tornaré por vida mía.»
Mientras el amante jura,
diz que el viento repetía:
¡Mal haya quien en promesas
[de hombre fía!

II

El conde, con la mesnada,
de su castillo salía.
Ella, que le ha conocido,
con grande aflicción gemía:
«¡Ay de mí, que se va el conde
y se lleva la honra mía!»
Mientras la cuitada llora,
diz que el viento repetía:
¡Mal haya quien en promesas
[de hombre fía!

III

Su hermano, que estaba allí,
estas palabras oía.
«Nos has deshonrado», dice.
«Me juró que tornaría.»
«No te encontrará, si torna,
donde encontrarte solía.»
Mientras la infelice muere,
diz que el viento repetía:
¡Mal haya quien en promesas
[de hombre fía!

Muerta la llevan al soto;
la han enterrado en la umbría;
por más tierra que le echaban,
la mano no le cubría:
la mano donde un anillo
que le dio el conde tenía.
De noche, sobre la tumba,
diz que el viento repetía:
¡Mal haya quien en promesas
[de hombre fía!

Apenas el cantor había terminado la última estrofa, cuando rompiendo el muro de curiosos, que se apartaban con respeto al reconocerle, el conde llegó a donde se encontraba el romero y, cogiéndole con fuerza del brazo, le preguntó en voz baja y convulsa:

—¿De qué tierra eres?

—De tierra de Soria —le respondió éste sin alterarse.

—¿Y dónde has aprendido ese romance? ¿A quién se refiere la historia que cuentas? —volvió a exclamar su interlocutor, cada vez con muestras de emoción más profunda.

—Señor —dijo el romero, clavando sus ojos en los del conde con una fijeza imperturbable—, esta cántiga la repiten de unos en otros los aldeanos del campo de Gómara, y se refiere a una desdichada cruelmente ofendida por un poderoso. Altos juicios de Dios han permitido que al enterrarla quedase siempre fuera de la sepultura la mano en que su amante le puso un anillo al hacerla una promesa. Vos sabréis, quizá, a quién toca cumplirla.

V

En un lugarejo miserable y que se encuentra a un lado del camino que conduce a Gómara he visto no hace mucho el sitio en donde se asegura tuvo lugar la extraña ceremonia del casamiento del conde.

Después que éste, arrodillado sobre la humilde fosa, estre-

chó en la suya la mano de Margarita y un sacerdote autorizado por el Papa bendijo la lúgubre unión, es fama que cesó el prodigio y la *mano muerta* se hundió para siempre.

Al pie de unos árboles añosos y corpulentos hay un pedacito de prado que al llegar la primavera se cubre espontáneamente de flores. La gente del país dice que allí está enterrada Margarita.

La corza blanca[1]

I

En un pequeño lugar de Aragón, y allá por los años de mil trescientos y pico, vivía retirado en su torre señorial un famoso caballero, llamado don Dionís, el cual, después de haber

[1] Pudo tener su origen en las tradiciones sorianas que, según Heliodoro Carpintero, debieron narrarle a Bécquer los familiares de Casta Esteban. (Cfr. H. Carpintero, *Bécquer de par en par*, cit., pág. 37 y *passim.*)

El motivo central se inscribe en un extenso ciclo narrativo tradicional que trata de la transformación de una muchacha en un animal, casi siempre de color blanco (corza, cierva, liebre). Alexander H. Krappe propone que *La corza blanca* es una variante literaria del viejo romance *La biche blanche*, texto probable del siglo XVI, que Bécquer pudo conocer porque se publicó en 1851, en el *Cabinet des fées*. («Sur le conte *La corza blanca* de Gustavo Adolfo Bécquer,» en *Bulletin Hispanique*, t. XLII, 1940, págs 237-240.) Rubén Benítez, por su parte, estima que la leyenda es una variante no del romance, sino del tema de la *biche blanche*, muy común en el folklore europeo y del que en Cataluña existe una variante, recogida por Timoteu Colominas con el título de «La corza blanca», que posee similitud con la leyenda de Bécquer. (Cfr. Rubén Benítez, *op. cit.*, págs. 137-146.)

Como cercano a la leyenda becqueriana puede también citarse el cuento «La biche au bois», de Mme. de Aulnoy, muy conocido hacia la mitad del siglo XIX por editarse con los cuentos de Perrault, y traducido al español, junto al resto de sus cuentos, en 1852, según José F. Montesinos en su *Introducción a una historia de la novela en España en el siglo XIX* (México, 1955, pág. 197).

Finalmente, Gerardo Diego ha señalado primero (pról. a su ed. *Leyendas sorianas*, cit., pág. 12), y José Luis Varela ha desarrollado después, que para las escenas de las mujeres bañándose en el río, Bécquer pudo tener presente la égloga III de Garcilaso: semejanzas en la descripción del *locus amoenus*, en el retrato de los protagonistas, en la hora de la acción y en la calificación de la escena. Bécquer concibe y realiza plásticamente una versión romántica de la égloga re-

servido a su rey en la guerra contra infieles, descansaba a la sazón, entregado al alegre ejercicio de la caza, de las rudas fatigas de los combates.

Aconteció una vez a este caballero, hallándose en su favorita diversión, acompañado de su hija, cuya belleza singular y extraordinaria blancura le había granjeado el sobrenombre de la Azucena, que, como se les entrase a más andar el día engolfados en perseguir una res en el monte de su feudo, tuvo que acogerse durante las horas de la siesta a una cañada por donde corría un riachuelo saltando de roca en roca con un ruido manso y agradable.

Haría cosa de unas dos horas que don Dionís se encontraba en aquel delicioso lugar, recostado sobre la menuda grama a la sombra de una chopera, departiendo amigablemente con sus monteros sobre las peripecias del día y refiriéndose unos a otros las aventuras más o menos curiosas que en su vida de cazador les había acontecido, cuando por lo alto de la más empinada ladera, y a través de los alternados murmullos del viento, que agitaba las hojas de los árboles, comenzó a percibirse, cada vez más cerca, el sonido de una esquililla semejante a la del guión de un rebaño.

En efecto, era así, pues a poco de haberse oído la esquililla empezaron a saltar por entre las apiñadas matas de cantueso[2] y tomillo y a descender a la orilla opuesta del riachuelo, hasta unos cien corderos blancos como la nieve, detrás de los cuales, con su caperuza calada para libertarse la cabeza de los perpendiculares rayos del sol, y su hatillo al hombro en la punta de un palo, apareció el zagal que los conducía.

—A propósito de aventuras extraordinarias —exclamó al verlo uno de los monteros de don Dionís, dirigiéndose a su señor—, ahí tenéis a Esteban, el zagal, que de algún tiempo a esta parte anda más tonto que lo que naturalmente lo hizo Dios, que no es poco, y el cual puede haceros pasar un rato divertido refiriendo la causa de sus continuos sustos.

nacentista. (Cfr. «Mundo onírico y trasfiguración en la prosa de Bécquer», cit., págs. 322-327.)

[2] Planta perenne, parecida al espliego. Sus flores son olorosas y de color morado, y tienen forma de espiga rematada por un penacho.

—Pues ¿qué le acontece a ese pobre diablo? —exclamó don Dionís con aire de curiosidad picada.

—¡Friolera! —añadió el montero en tono de zumba—. ¡Que sin haber nacido en Viernes Santo, ni estar señalado con la cruz, ni hallarse en relaciones con el demonio, a lo que se puede colegir de sus hábitos de cristiano viejo, se encuentra, sin saber cómo ni por dónde, dotado de la facultad más maravillosa que ha poseído hombre alguno, a no ser Salomón, de quien se dice que sabía hasta el lenguaje de los pájaros! [3].

—¿Y a qué se refiere esa facultad maravillosa?

—Se refiere —prosiguió el montero— a que, según él afirma, y lo jura y perjura por todo lo más sagrado del mundo, los ciervos que discurren por estos montes se han dado de ojo para no dejarlo en paz, siendo lo más gracioso del caso que en más de una ocasión les ha sorprendido concertando entre sí las burlas que han de hacerle, y después que estas burlas se han llevado a término ha oído las ruidosas carcajadas con que las celebran.

Mientras esto decía el montero, Constanza, que así se llamaba la hermosa hija de don Dionís, se había aproximado al grupo de los cazadores, y como demostrase su curiosidad por conocer la extraordinaria historia de Esteban, uno de éstos se adelantó hasta el sitio en donde el zagal daba de beber a su ganado y le condujo a presencia de su señor que, para disipar la turbación y el visible encogimiento del pobre mozo, se apresuró a saludarle por su nombre, acompañando el saludo con una bondadosa sonrisa.

Era Estaban un muchacho de diecinueve a veinte años, fornido, con la cabeza pequeña y hundida entre los hombros, los ojos pequeños y azules, la mirada incierta y torpe, como la de los albinos; la nariz roma, los labios gruesos y entreabiertos, la frente calzada, la tez blanca, pero ennegrecida por el sol, y el cabello, que le caía parte sobre los ojos y parte alrededor de la cara en guedejas ásperas y rojas, semejante a las crines de un rocín colorado.

[3] Tercer rey de Israel, hijo de David y Betsabé, que ocupó el trono desde el año 1015 hasta el 975, según la antigua cronología. Su gran sabiduría, ponderada hasta por San Agustín, no le sirvió para refrenar su tendencia hacia las mujeres, de las que tuvo 700 a modo de reinas y 300 concubinas.

Esto, sobre poco más o menos, era Esteban en cuanto al físico. Respecto a su moral, podía asegurarse, sin temor de ser desmentido ni por él ni por ninguna de las personas que le conocían, que era perfectamente simple, aunque un tanto suspicaz y malicioso, como buen rústico.

Una vez el zagal repuesto de su turbación, le dirigió de nuevo la palabra don Dionís, y con el tono más serio del mundo, y fingiendo un extraordinario interés por conocer los detalles del suceso a que su montero se había referido, le hizo una multitud de preguntas, a las que Esteban comenzó a contestar de una manera evasiva, como deseando evitar explicaciones sobre el asunto.

Estrechado, sin embargo, por las interrogaciones de su señor y por los ruegos de Constanza, que parecía la más curiosa e interesada en que el pastor refiriese sus estupendas aventuras, decidióse éste a hablar, mas no sin que antes dirigiese a su alrededor una mirada de desconfianza, como temiendo ser oído por otras personas que las que allí estaban presentes, y de rascarse tres o cuatro veces la cabeza tratando de reunir sus recuerdos o hilvanar su discurso, que al fin comenzó de esta manera:

—Es el caso, señor, que, según me dijo un preste de Tarazona[4], al que acudí no ha mucho para consultar mis dudas, con el diablo no sirven juegos, sino punto en boca, buenas y muchas oraciones a San Bartolomé, que es quien le conoce las cosquillas, y dejarle andar, que Dios, que es justo y está allá arriba, proveerá a todo. Firme en esta idea, había decidido no volver a decir palabra sobre el asunto a nadie ni por nada; pero lo haré hoy por satisfacer vuestra curiosidad, y a fe, a fe que, después de todo, si el diablo me lo toma en cuenta y torna a molestarme en castigo de mi indiscreción, buenos evangelios llevo cosidos a la pellica, y con su ayuda creo que, como otras veces, no me será inútil el garrote.

[4] Ciudad de la provincia de Zaragoza, situada en las proximidades del Moncayo. Fue fundada por los celtíberos, ocupada por los árabes y pasada a sangre y fuego en 1040 por Fernando I. Celebraron cortes en ella el rey citado y Felipe II. Sede episcopal, posee una catedral —tan hermosa como desconocida— del siglo XI, con adiciones góticas y mudéjares.

—Pero, vamos —exclamó don Dionís, impaciente al escuchar las digresiones del zagal, que amenazaban no concluir nunca—, déjate de rodeos y ve derecho al asunto.

—A él voy —contestó con calma Esteban, que después de dar una gran voz, acompañada de un silbido, para que se agruparan los corderos, que no perdía de vista y comenzaban a desparramarse por el monte, tornó a rascarse la cabeza y prosiguió así:

—Por una parte vuestras continuas excursiones, y por otra el dale que le das de los cazadores furtivos que, ya con trampa o con ballesta, no dejan res a vida en veinte jornadas al contorno, habían no hace mucho agotado la caza en estos montes, hasta el extremo de no encontrarse un venado en ellos ni por un ojo de la cara. Hablaba yo de esto mismo en el lugar, sentado en el porche de la iglesia, donde después de acabada la misa del domingo solía reunirme con algunos peones de los que labran la tierra de Veratón[5], cuando algunos de ellos me dijeron: «Pues, hombre, no sé en qué consista el que tú no los topes, pues de nosotros podemos asegurarte que no bajamos una vez a las hazas[6] que no nos encontremos rastro; y hace tres o cuatro días, sin ir más lejos, una manada, que a juzgar por las huellas debía componerse de más de veinte, le segaron antes de tiempo una pieza de trigo al santero de la Virgen del Romeral»[7]. «¿Y hacia qué sitio seguía el rastro?», pregunté a los peones, con ánimo de ver si topaba con la tropa. «Hacia la cañada de los cantuesos», me contestaron. No eché en saco roto la advertencia, y aquella noche misma fui a apostarme entre los chopos. Durante toda la noche estuve oyendo por acá y por allá, tan pronto lejos como cerca, el bramido de los ciervos, que se llamaban unos a otros, y de vez en cuando sentía moverse el ramaje a mis espaldas; pero por más que me hice todo ojos, la verdad es que no pude distinguir a ninguno. No obs-

[5] Pueblo de la provincia de Soria, situado en una loma cercana al río Araviana y al Moncayo.

[6] Porciones de tierra que se labran y se siembran.

[7] Actualmente no se conoce con este nombre ninguna ermita situada en Moncayo. Sí que existe la ermita de la Virgen del Moncayo, pequeño edificio a modo de convento que se alza a 1.615 metros. No lejos se halla la ermita de San Gaudioso.

tante, al romper el día, cuando llevé los corderos al agua a la orilla de este río, como obra de dos tiros de honda del sitio en que nos hallamos, y en una umbría de chopos, donde ni a la hora de siesta se desliza un rayo de sol, encontré huellas recientes de los ciervos, algunas ramas desgajadas, la corriente un poco turbia y, lo que es más particular, entre el rastro de las reses, las breves huellas de unos pies pequeñitos como la mitad de la palma de mi mano, sin ponderación alguna.

Al decir esto, el mozo, instintivamente, y al parecer buscando un punto de comparación, dirigió la vista hacia el pie de Constanza, que asomaba por debajo del brial[8], calzado de un precioso chapín de tafilete[9] amarillo; pero como, al par de Esteban, bajasen también los ojos don Dionís y algunos de los monteros que le rodeaban, la hermosa niña se apresuró a esconderlo, exclamando con el tono más natural del mundo:

—¡Oh, no! Por desgracia, no los tengo yo tan pequeñitos, pues de ese tamaño sólo se encuentran en las hadas cuya historia nos refieren los trovadores.

—Pues no paró aquí la cosa —continuó el zagal cuando Constanza hubo concluido—, sino que otra vez, habiéndome colocado en otro escondite por donde indudablemente habían de pasar los ciervos para dirigirse a la cañada, allá al filo de la medianoche me rindió un poco el sueño, aunque no tanto que no abriese los ojos en el mismo punto en que creí percibir que las ramas se movían a mi alrededor. Abrí los ojos, según dejo dicho; me incorporé con sumo cuidado y, poniendo atención a aquel confuso murmullo, que cada vez sonaba más próximo, oí en las ráfagas del aire como gritos y cantares extraños, carcajadas y tres o cuatro voces distintas que hablaban entre sí con un ruido y una algarabía semejante al de las muchachas del lugar cuando, riendo y bromeando por el camino, vuelven en bandadas de la fuente con sus cántaros en la cabeza. Según colegía de la proximidad de las voces y del cercano chasquido de las

[8] Vestido de seda o de cualquier otra tela rica. Atábase a la cintura de la mujer, descendiendo en redondo hasta los pies.

[9] El chapín, especie de chanclo usado por mujeres, estaba forrado de cordobán y era más elegante que el chanclo común. El tafilete es una piel curtida, muy suave y fina, procedente de cabras o machos cabríos.

ramas que crujían al romperse para dar paso a aquella turba de locuelas, iban a salir de la espesura a un pequeño rellano que formaba el monte en el sitio donde yo estaba oculto, cuando, enteramente a mis espaldas, tan cerca o más que me encuentro de vosotros, oí una nueva voz fresca, delgada y vibrante, que dijo (creedlo, señores, esto es tan seguro como que me he de morir) dijo..., claro y distintamente, estas propias palabras:

¡Por aquí, por aquí, compañeras,
que está ahí el bruto de Esteban!

Al llegar a este punto de la relación del zagal, los circunstantes no pudieron ya contener por más tiempo la risa, que hacía largo rato les retozaba en los ojos, y dando rienda a su buen humor, prorrumpieron en una carcajada estrepitosa. De los primeros en comenzar a reír, y de los últimos en dejarlo fueron don Dionís que, a pesar de su fingida circunspección, no pudo por menos de tomar parte en el general regocijo, y su hija Constanza, la cual, cada vez que miraba a Esteban, todo suspenso y confuso, tornaba a reírse como una loca, hasta el punto de saltarle las lágrimas a los ojos.

El zagal por su parte, aunque sin atender al efecto que su narración había producido, parecía todo turbado e inquieto, y mientras los señores reían a sabor de sus inocentadas él tornaba la vista a un lado y a otro con visibles muestras de temor y como queriendo descubrir algo a través de los cruzados troncos de los árboles.

—¿Qué es eso, Esteban? ¿Qué te sucede? —le preguntó uno de los monteros, notando la creciente inquietud del pobre mozo, que ya fijaba sus espantadas pupilas en la hija risueña de don Dionís, ya las volvía a su alrededor con una expresión asombrada y estúpida.

—Me sucede una cosa muy extraña —exclamó Esteban—. Cuando, después de escuchar las palabras que dejo referidas, me incorporé con prontitud para sorprender a la persona que las había pronunciado, una corza blanca como la nieve salió de entre las mismas matas en donde yo estaba oculto y, dando unos saltos enormes por cima de los carrascales y los lentiscos, se alejó, seguida de una tropa de corzas de su color natural, y

así éstas como la blanca que las iba guiando no arrojaban bra-
midos al huir, sino que se reían con unas carcajadas cuyo eco
juraría que aún me está sonando en los oídos en este momen-
to.

—¡Bah, bah! Esteban —exclamó don Dionís con aire burl-
lón—, sigue los consejos del preste de Tarazona. No hables de
tus encuentros con los corzos amigos de burlas, no sea que
haga el diablo que al fin pierdas el poco juicio que tienes, y
pues ya estás provisto de los evangelios y sabes las oraciones
de San Bartolomé, vuélvete a tus corderos, que comienzan a
desbandarse por la cañada. Si los espíritus malignos tornan a
incomodarte, ya sabes el remedio: *paternoster* y garrotazo.

El zagal, después de guardarse en el zurrón un medio pan
blanco y un trozo de carne de jabalí y en el estómago un va-
liente trago de vino que le dio por orden de su señor uno de
los palafreneros, despidióse de don Dionís y su hija, y apenas
anduvo cuatro pasos comenzó a voltear la honda para reunir a
pedradas los corderos.

Como a esta sazón notase don Dionís que entre unas y otras
las horas de calor eran ya pasadas y el vientecillo de la tarde
comenzaba a mover las hojas de los chopos y a refrescar los
campos, dio orden a su comitiva para que aderezasen las caba-
llerías, que andaban paciendo sueltas por el inmediato soto, y
cuando todo estaba a punto hizo seña a los unos para que sol-
tasen las traíllas y a los otros para que tocasen las trompas, y
saliento en tropel de la chopera prosiguió adelante la interrum-
pida caza.

II

Entre los monteros de don Dionís había uno llamado Gar-
cés, hijo de un antiguo servidor de la familia y, por tanto, el
más querido de sus señores.

Garcés tenía, poco más o menos, la edad de Constanza, y
desde muy niño habíase acostumbrado a prevenir el menor de
sus deseos y adivinar y satisfacer el más leve de sus antojos.

Por su mano se entretenía en afilar en los ratos de ocio las
agudas saetas de su ballesta de marfil. Él domaba los potros

que había de montar su señora, él ejercitaba en los ardides de la caza a sus lebreles favoritos y amaestraba a sus halcones, a los cuales compraba en las ferias de Castilla caperuzas rojas bordadas de oro.

Para con los otros monteros, los pajes y la gente menuda del servicio de don Dionís, la exquisita solicitud de Garcés y el aprecio con que sus señores le distinguían habíanle valido una especie de general animadversión, y al decir de los envidiosos, en todos aquellos cuidados con que se adelantaba a prevenir los caprichos de su señora revelábase su carácter adulador y rastrero. No faltaban, sin embargo, algunos que, más avisados o maliciosos, creyeron sorprender en la asiduidad del solícito mancebo algunas señales de mal disimulado amor.

Si en efecto era así, el oculto cariño de Garcés tenía más que sobrada disculpa en la incomparable hermosura de Constanza. Hubiérase necesitado un pecho de roca y un corazón de hielo para permanecer impasible un día y otro al lado de aquella mujer singular por su belleza y sus raros atractivos.

La *Azucena del Moncayo* llamábanla en veinte leguas a la redonda, y bien merecía este sobrenombre, porque era tan airosa, tan blanca y tan rubia que, como a las azucenas, parecía que Dios la había hecho de nieve y de oro[10].

Y, sin embargo, entre los señores comarcanos murmurábase que la hermosa castellana de Veratón no era tan limpia de sangre como bella, y que, a pesar de sus trenzas y su tez de alabastro, había tenido por madre una gitana. Lo de cierto que pudiera haber en estas murmuraciones nadie pudo nunca decirlo, porque la verdad era que don Dionís tuvo una vida bastante azarosa en su juventud, y después de combatir largo tiempo bajo la conducta del monarca aragonés, del cual recabó, entre otras mercedes el deudo del Moncayo, marchóse a

[10] La imagen de la azucena «de oro y nieve» aparece también en la rima XIX (52):

> Porque al darte la pureza
> de que es símbolo celeste
> como a ella te hizo Dios
> de oro y nieve.

Para las semejanzas entre ambos textos, cfr. E. L. King, *op. cit.*, pág. 100.

Palestina, en donde anduvo errante algunos años, para volver por último a encerrarse en·su castillo de Veratón con una hija pequeña, nacida, sin duda, en aquellos países remotos. El único que hubiera podido decir algo acerca del misterioso origen de Constanza, pues acompañó a don Dionís en sus lejanas peregrinaciones, era el padre de Garcés, y éste había ya muerto hacía bastante tiempo, sin decir una sola palabra sobre el asunto ni a su propio hijo, que varias veces y con muestras de grande interés se lo había preguntado.

El carácter, tan pronto retraído y melancólico como bullicioso y alegre, de Constanza; la extraña exaltación de sus ideas, sus extravagantes caprichos, sus nunca vistas costumbres hasta la particularidad de tener los ojos y las cejas negros como la noche, siendo blanca y rubia como el oro, habían contribuido a dar pábulo a las hablillas de sus convecinos, y aun el mismo Garcés, que tan íntimamente la trataba, había llegado a persuadirse que su señora era algo especial y aparte de las demás mujeres.

Presente a la relación de Esteban, como los otros monteros, Garcés fue acaso el único que oyó con verdadera curiosidad los pormenores de su increíble aventura, y si bien no pudo menos de sonreír, cuando el zagal repitió las palabras de la corza blanca, desde que abandonó el soto en que habían sesteado comenzó a revolver en su mente las más absurdas imaginaciones.

«No cabe duda que todo eso del hablar las corzas es pura aprensión de Esteban, que es un completo mentecato —decía entre sí el joven montero mientras que, jinete en un poderoso alazán, seguía paso a paso el palafrén de Constanza, la cual también parecía mostrarse un tanto distraída y silenciosa y, retirada del tropel de los cazadores, apenas tomaba parte en la fiesta—. Pero ¿quién dice que en lo que refiere ese simple no existirá algo de verdad? —prosiguió pensando el mancebo—. Cosas más extrañas hemos visto en el mundo, y una corza blanca bien puede haberla, puesto que si se ha de dar crédito a las cántigas del país, San Huberto[11], patrón de los cazadores,

[11] San Huberto (655-727) fue obispo y confesor en Tongres, ciudad próxima a Lieja. Carlomagno y su corte se llenaron de admiración al contemplar el cuer-

tenía una. ¡Oh, si yo pudiese coger viva una corza blanca para ofrecérsela a mi señora!»

Así pensando y discurriendo pasó Garcés la tarde, y cuando ya el sol comenzó a esconderse por detrás de las vecinas lomas y don Dionís mandó volver grupas a su gente para tornar al castillo, separóse sin ser notado de la comitiva y echó en busca del zagal por lo más espeso e intrincado del monte.

La noche había cerrado casi por completo cuando don Dionís llegaba a las puertas de su castillo. Acto continuo dispusiéronle una frugal colación y sentóse con su hija a la mesa.

—Y Garcés, ¿dónde está? —preguntó Constanza, notando que su montero no se encontraba allí para servirla, como tenía de costumbre.

—No sabemos —se apresuraron a contestar los otros servidores—. Desapareció de entre nosotros cerca de la cañada, y ésta es la hora en que todavía no le hemos visto.

En este punto llegó Garcés todo sofocado, cubierto aún de sudor la frente, pero con la cara más regocijada y satisfecha que pudiera imaginarse.

—Perdonadme, señora —exclamó, dirigiéndose a Constanza—; perdonadme si he faltado un momento a mi obligación; pero allá de donde vengo a todo el correr de mi caballo, como aquí, sólo me ocupaba en serviros.

—¿En servirme? —repitió Constanza—. No comprendo lo que quieres decir.

—Sí, señora; en serviros —insistió el joven—; pues he averiguado que es verdad que la corza blanca existe. A más de Esteban, lo dan por seguro otros varios pastores, que juran haberla visto más de una vez, y con ayuda de los cuales espero en Dios y en mi patrón, San Huberto, que antes de tres días, viva o muerta, os la traeré al castillo.

—¡Bah, bah! —exclamó Constanza con aire de zumba mientras hacían coro a sus palabras las risas más o menos disimuladas de los circunstantes—. Déjate de cacerías nocturnas y de corzas blancas. Mira que el diablo ha dado en la flor de tentar

po incorrupto del santo, dieciséis años después de muerto. En un relieve de F. Matsch se le representa en traje de cazador, acompañado de un perro y orando de rodillas en un bosque, desde cuya espesura un ciervo le contempla.

a los simples, y si te empeñas en andarle a los talones, va a dar que reír contigo como con el pobre Esteban.

—Señora —interrumpió Garcés con voz entrecortada y disimulando en lo posible la cólera que le producía el burlón regocijo de sus compañeros—, yo no me he visto nunca con el diablo; y por consiguiente, no sé todavía cómo las gasta; pero conmigo os juro que todo podrá hacer menos dar que reír, porque el uso de ese privilegio sólo en vos sé tolerarlo.

Constanza conoció el efecto que su burla había producido en el enamorado joven; pero deseando apurar su paciencia hasta lo último, tornó a decir en el mismo tono:

—¿Y si al dispararle te saluda con alguna rima del género de la que oyó Esteban o se te ríe en la nariz, y al escuchar sus sobrenaturales carcajadas se te cae la ballesta de las manos y antes de reponerte del susto ya ha desaparecido la corza blanca más ligera que un relámpago?

—¡Oh! —exclamó Garcés—. En cuanto a eso, estad segura que como yo la topase a tiro de ballesta, aunque me hiciese más momos que un juglar, aunque me hablara, no ya en romance, sino en latín, como el abad de Munilla[12], no se iba sin un arpón en el cuerpo.

En este punto del diálogo terció en él don Dionís, y con una desesperante gravedad, a través de la que se adivinaba toda la ironía de sus palabras, comenzó a darle al ya asendereado mozo los consejos más originales del mundo para el caso de que se encontrase de manos a boca con el demonio convertido en corza blanca. A cada nueva ocurrencia de su padre, Constanza fijaba sus ojos en el atribulado Garcés y rompía a reír como una loca, en tanto que los otros servidores esforzaban las burlas con sus miradas de inteligencia y su mal encubierto gozo.

Mientras duró la colación, prolongóse esta escena, en que la credulidad del joven montero fue, por decirlo así, el tema obli-

[12] Pueblo de la provincia de Logroño, situado sobre una cuesta de piedra, dispuesta como si fuera anfiteatro, en las márgenes de un pequeño afluente del río Cidacos. En los alrededores de la población se conservan restos de antiguas murallas. No hemos podido conseguir información o noticia del abad, tan versado, al parecer, en la lengua latina.

gado del general regocijo. De modo que cuando se levantaron los paños y don Dionís y Constanza se retiraron a sus habitaciones y toda la gente del castillo se entregó al reposo, Garcés permaneció un largo espacio de tiempo irresoluto, dudando si, a pesar de las burlas de sus señores, proseguiría firme en su propósito o desistiría completamente de la empresa.

—¡Qué diantre! —exclamó, saliendo del estado de incertidumbre en que se encontraba—. Mayor mal del que me ha sucedido no puede sucederme y si, por el contrario, es verdad lo que nos ha contado Esteban... ¡Oh, entonces cómo he de saborear mi triunfo!

Esto diciendo, armó su ballesta, no sin haberla hecho antes la señal de la cruz en la punta de la vira[13], y colocándosela a la espalda se dirigió a la poterna del castillo para tomar la vereda del monte.

Cuando Garcés llegó a la cañada y al punto en que, según las instrucciones de Esteban, debía aguardar la aparición de las corzas, la luna comenzaba a remontarse con lentitud por detrás de los cercanos montes.

A fuer de buen cazador y práctico en el oficio, antes de elegir un puesto a propósito para colocarse al acecho de las reses, anduvo un gran rato de acá para allá examinando las trochas y las veredas vecinas, la disposición de los árboles, los accidentes del terreno, las curvas del río y la profundidad de sus aguas.

Por último, después de terminado este minucioso reconocimiento del lugar en que se encontraba, agazapóse en un ribazo junto a unos chopos de copas elevadas y oscuras, a cuyo pie crecían unas matas de lentisco, altas lo bastante para ocultar a un hombre echado en tierra.

El río, que desde las musgosas rocas donde tenía su nacimiento venía, siguiendo las sinuosidades del Moncayo, a entrar en la cañada por una vertiente, deslizábase desde allí bañando el pie de los sauces que sombreaban su orilla o jugueteando con alegre murmullo entre las piedras rodadas del monte, hasta caer en una hondura próxima al lugar que servía de escondrijo al montero.

Los álamos, cuyas plateadas hojas movía el aire con un ru-

13 Especie de saeta delgada, cuya punta es muy aguda.

mor dulcísimo; los sauces, que, inclinados sobre la limpia corriente, humedecían en ella las puntas de sus desmayadas ramas, y los apretados carrascales, por cuyos troncos subían y se enredaban las madreselvas y las campanillas azules, formaban un espeso muro de follaje alrededor del remanso del río.

El viento, agitando los frondosos pabellones de verdura que derramaban en torno su flotante sombra, dejaba penetrar a intervalos un furtivo rayo de luz, que brillaba como un relámpago de plata sobre la superficie de las aguas inmóviles y profundas.

Oculto tras los matojos, con el oído atento al más leve rumor y la vista clavada en el punto en donde, según sus cálculos, debían aparecer las corzas, Garcés esperó inútilmente un gran espacio de tiempo. Todo permanecía a su alrededor sumido en una profunda calma.

Poco a poco, y bien fuese que el peso de la noche, que ya había pasado la mitad, comenzara a dejarse sentir; bien que el lejano murmullo del agua, el penetrante aroma de las flores silvestres y las caricias del viento comunicasen a sus sentidos el dulce sopor en que parecía estar impregnada la naturaleza toda, el enamorado mozo, que hasta aquel punto había estado entretenido revolviendo en su mente las más halagüeñas imaginaciones, comenzó a sentir que sus ideas se elaboraban con más lentitud y sus pensamientos tomaban formas más leves e indecisas.

Después de mecerse un instante en ese vago espacio que media entre la vigilia y el sueño, entornó al fin los ojos, dejó escapar la ballesta de sus manos y se quedó profundamente dormido...

. .

Cosa de dos horas o tres haría ya que el joven montero roncaba a pierna suelta, disfrutando a todo sabor de uno de los sueños más apacibles de su vida, cuando de repente entreabrió los ojos sobresaltado e incorporóse a medias, lleno aún de ese estupor del que vuelve en sí de improviso después de un sueño profundo.

En las ráfagas del aire, y confundido con los leves rumores

de la noche, creyó percibir un extraño rumor de voces delgadas, dulces y misteriosas que hablaban entre sí, reían o cantaban cada cual por su parte y una cosa diferente, formando una algarabía tan ruidosa y confusa como la de los pájaros que despiertan al primer rayo del sol entre las frondas de una alameda.

Este extraño rumor sólo se dejó oír un instante y después todo volvió a quedar en silencio.

—Sin duda soñaba con las majaderías que nos refirió el zagal —exclamó Garcés, restregándose los ojos con mucha calma y en la firme persuasión de que cuanto había creído oír no era más que esa vaga huella del ensueño que queda, al despertar en la imaginación, como queda en el oído la última cadencia de una melodía después que ha expirado temblando la última nota. Y dominado por la invencible languidez que embargaba sus miembros, iba a reclinar de nuevo la cabeza sobre el césped cuando tornó a oír el eco distante de aquellas misteriosas voces, que, acompañándose del rumor del aire, del agua y de las hojas, cantaban así:

CORO

El arquero que velaba en lo alto de la torre ha reclinado su pesada cabeza en el muro.

Al cazador furtivo que esperaba sorprender la res lo ha sorprendido el sueño.

El pastor que aguarda el día consultando las estrellas duerme ahora, y dormirá hasta el amanecer.

Reina de las ondinas, sigue nuestros pasos.

Ven a mecerte en las ramas de los sauces, sobre el haz del agua.

Ven a embriagarte con el perfume de las violetas que se abren entre las sombras.

Ven a gozar de la noche, que es el día de los espíritus.

Mientras flotaban en el aire las suaves notas de aquella deliciosa música, Garcés se mantuvo inmóvil. Después que se hubo desvanecido, con mucha precaución apartó un poco las ramas, y no sin experimentar algún sobresalto, vio aparecer las corzas, que en tropel y salvando los matorrales con ligereza increíble unas veces, deteniéndose como a escuchar otras, jugue-

teando entre sí, ya escondiéndose entre la espesura, ya saliendo nuevamente a la senda, bajaban del monte con dirección al remanso del río.

Delante de sus compañeras, más ágil, más linda, más juguetona y alegre que todas; saltando, corriendo, parándose y tornando a correr, de modo que parecía no tocar el suelo con los pies, iba la corza blanca, cuyo extraño color destacaba con una fantástica luz sobre el oscuro fondo de los árboles.

Aunque el joven se sentía dispuesto a ver en cuanto le rodeaba algo de sobrenatural y maravilloso, la verdad del caso era que, prescindiendo de la momentánea alucinación que turbó un instante sus sentidos, fingiéndole música, rumores y palabras, ni en la forma de las corzas, ni en sus movimientos, ni en los cortos bramidos con que parecían llamarse había nada que no debiese estar ya muy familiarizado un cazador práctico en esta clase de expediciones nocturnas.

A medida que desechaba la primera impresión, Garcés comenzó a comprenderlo así, y riéndose interiormente de su credulidad y su miedo, desde aquel instante sólo se ocupó en averiguar, teniendo en cuenta la dirección que seguían, el punto donde se hallaban las corzas.

Hecho el cálculo, cogió la ballesta entre los dientes, y arrastrándose como una culebra por detrás de los lentiscos, fue a situarse obra de unos cuarenta pasos más lejos del lugar en que antes se encontraba. Una vez acomodado en su nuevo escondite, esperó el tiempo suficiente para que las corzas estuvieran ya dentro del río, a fin de hacer el tiro más seguro. Apenas comenzó a escucharse ese ruido particular que produce el agua que se bate a golpes o se agita con violencia, Garcés comenzó a levantarse poquito a poco y con las mayores precauciones, apoyándose en la tierra primero sobre la punta de los dedos y después con una de las rodillas.

Ya de pie, y cerciorándose a tientas de que el arma estaba preparada, dio un paso hacia adelante, alargó el cuello por cima de los arbustos, para dominar el remanso, y tendió la ballesta; pero en el mismo punto en que, a par de la ballesta, tendió la vista buscando el objeto que había de herir, se escapó de sus labios un imperceptible e involuntario grito de asombro.

La luna, que había ido remontándose con lentitud por el an-

cho horizonte, estaba inmóvil y como suspendida en la mitad del cielo; su dulce claridad inundaba el soto, abrillantaba la intranquila superficie del río y hacía ver los objetos como a través de una gasa azul.

Las corzas habían desaparecido.

En su lugar, lleno de estupor y casi de miedo, vio Garcés un grupo de bellísimas mujeres, de las cuales unas entraban en el agua jugueteando, mientras las otras acababan de despojarse de las ligeras túnicas que aún ocultaban a la codiciosa vista el tesoro de sus formas.

En esos ligeros y cortados sueños de la mañana, ricos en imágenes risueñas y voluptuosas, sueños diáfanos y celestes como la luz que entonces comienza a transparentarse a través de las blancas cortinas del lecho, no ha habido nunca imaginación de veinte años que bosquejase con los colores de la fantasía una escena semejante a la que se ofrecía en aquel punto a los ojos del atónito Garcés.

Despojadas ya de sus túnicas y sus velos de mil colores, que destacaban sobre el fondo suspendidas de los árboles o arrojadas con descuido sobre la alfombra de césped, las muchachas discurrían a su placer por el soto, formando grupos pintorescos, y entraban y salían en el agua, haciéndola saltar en chispas luminosas sobre las flores de la margen como una menuda lluvia de rocío.

Aquí una de ellas, blanca como el vellón de un cordero, sacaba su cabeza rubia entre las verdes y flotantes hojas de una planta acuática, de la cual parecía una flor a medio abrir, cuyo flexible tallo más bien se adivinaba que se veía temblar debajo de los infinitos círculos de luz de las ondas.

Otra allá, con el cabello suelto sobre los hombros, mecíase suspendida de la rama de un sauce sobre la corriente de un río, y sus pequeños pies color de rosa hacían una raya de plata al pasar rozando la tersa superficie. En tanto que éstas permanecían recostadas aún al borde del agua, con los azules ojos adormidos, aspirando con voluptuosidad el perfume de las flores y estremeciéndose ligeramente al contacto de la fresca brisa, aquéllas danzaban en vertiginosa ronda, entrelazando caprichosamente sus manos, dejando caer atrás la cabeza con delicioso abandono e hiriendo el suelo con el pie en alternada cadencia.

343

Era imposible seguirlas en sus ágiles movimientos, imposible abarcar con una mirada los infinitos detalles del cuadro que formaban, unas corriendo, jugando y persiguiéndose con alegres risas por entre el laberinto de los árboles; otras surcando el agua como un cisne y rompiendo la corriente con el levantado seno; otras, en fin, sumergiéndose en el fondo, donde permanecían largo rato para volver a la superficie, trayendo una de esas flores extrañas que nacen escondidas en el lecho de las aguas profundas.

La mirada del atónito montero vagaba absorta de un lado a otro, sin saber dónde fijarse, hasta que sentado bajo un pabellón de verdura que parecía servirle de dosel, y rodeado de un grupo de mujeres, todas a cuál más bellas, que le ayudaban a despojarse de sus ligerísimas vestiduras, creyó ver el objeto de sus ocultas adoraciones: la hija del noble don Dionís, la incomparable Constanza.

Marchando de sorpresa en sorpresa, el enamorado joven no se atrevía ya a dar crédito ni al testimonio de sus sentidos, y creíase bajo la influencia de un sueño fascinador y engañoso.

No obstante, pugnaba en vano por persuadirse que todo cuanto veía era efecto del desarreglo de su imaginación, porque mientras más la miraba y más despacio, más se convencía de que aquella mujer era Constanza.

No podía caber duda, no; suyos eran aquellos ojos oscuros y sombreados de largas pestañas, que apenas bastaban a amortiguar la luz de sus pupilas; suya aquella rubia y abundante cabellera que, después de coronar su frente, se derramaba por su blanco seno y sus redondas espaldas como una cascada de oro; suyos, en fin, aquel cuello airoso que sostenía su lángida cabeza, ligeramente inclinada como una flor que se rinde al peso de las gotas de rocío, y aquellas voluptuosas formas que él había soñado tal vez, y aquellas manos semejantes a manojos de jazmines, y aquellos pies diminutos, comparables solo con dos pedazos de nieve que el sol no ha podido derretir y que a la mañana blanquean entre la verdura.

En el momento en que Constanza salió del bosquecillo, sin velo alguno que ocultase a los ojos de su amante los escondidos tesoros de su hermosura, sus compañeras comenzaron nuevamente a cantar estas palabras con una melodía dulcísima:

Genios del aire, habitadores del luminoso éter, venid envueltos en un jirón de niebla plateada.

Silfos[14] invisibles, dejad el cáliz de los entreabiertos lirios, y venid en vuestros carros de nácar, a los que[15] vuelan uncidas las mariposas.

Larvas de las fuentes, abandonad el lecho de musgo y caed sobre nosotras en menuda lluvia de perlas.

Escarabajos de esmeralda, luciérnagas de fuego, mariposas negras, ¡venid!

Y venid vosotros todos, espíritus de la noche; venid zumbando como un enjambre de insectos de luz y de oro.

Venid, que ya el astro protector de los misterios brilla en la plenitud de su hermosura.

Venid, que ha llegado el momento de las transformaciones maravillosas.

Venid, que las que os aman os esperan impacientes.

Garcés, que permanecía inmóvil, sintió, al oír aquellos cantares misteriosos, que el áspid de los celos le mordía el corazón, y obedeciendo a un impulso más poderoso que su voluntad, deseando romper de una vez el encanto que fascinaba sus sentidos, separó con mano trémula y convulsa el ramaje que le ocultaba, y de un solo salto se puso en la margen del río. El encanto se rompió, desvanecióse todo como el humo, y al tender en torno suyo la vista, no vio ni oyó más que el bullicioso tropel con que las tímidas corzas, sorprendidas en lo mejor de sus nocturnos juegos, huían espantadas de su presencia, una por aquí, otra por allá, cuál salvando de un salto los matorrales, cuál ganando a todo correr la trocha del monte.

—¡Oh! Bien dije yo que todas estas cosas no eran más que fantasmagorías del diablo —exclamó entonces el montero—; pero, por fortuna, esta vez ha andado un poco torpe, dejándome entre las manos la mejor presa.

Y, en efecto, era así; la corza blanca, deseando escapar por

14 Seres fantásticos, espíritus elementales del aire.
15 *a los que: al que* (RB). La concordancia con «carros de nácar» exige el plural en el artículo, plural que no figura en el texto de *La América* y que, sin embargo, fue admitida por Ag.

el soto, se había lanzado entre el laberinto de sus árboles, y enredándose en una red de madreselvas, pugnaba en vano por desasirse. Garcés le encaró la ballesta; pero en el mismo punto en que iba a herirla, la corza se volvió hacia el montero y con voz clara y aguda detuvo su acción con un grito, diciéndole:

—Garcés, ¿qué haces?

El joven vaciló, y después de un instante de duda, dejó caer al suelo el arma, espantado a la sola idea de haber podido herir a su amante. Una sonora y estridente carcajada vino a sacarle al fin de su estupor. La corza blanca había aprovechado aquellos cortos instantes para acabarse de desenredar y huir ligera como un relámpago, riéndose de la burla hecha al montero.

—¡Ah, condenado engendro de Satanás! —dijo éste con voz espantosa, recogiendo la ballesta con una rapidez indecible—. ¡Pronto has cantado victoria! ¡Pronto te has creído fuera de mi alcance!

Y esto diciendo, dejó volar la saeta, que partió silbando, y fue a perderse en la oscuridad del soto en el fondo del cual sonó al mismo tiempo un grito, al que siguieron después unos gemidos sofocados.

—¡Dios mío! —exclamó Garcés al percibir aquellos lamentos angustiosos—. ¡Dios mío, si será verdad!

Y fuera de sí, como loco, sin darse cuenta apenas de lo que le pasaba, corrió en la dirección en que había disparado la saeta, que era la misma en que sonaban los gemidos. Llegó al fin; pero, al llegar, sus cabellos se erizaron de horror, las palabras se anudaron en su garganta y tuvo que agarrarse al tronco de un árbol para no caer a tierra.

Constanza, herida por su mano, expiraba allí a su vista, revolcándose en su propia sangre, entre las agudas zarzas del monte.

El beso[1]

(LEYENDA TOLEDANA)

I

Cuando una parte del ejército francés se apoderó a principios de este siglo de la histórica Toledo[2], sus jefes, que no ignoraban el peligro a que se exponían en las poblaciones españolas diseminándose en alojamientos separados, comenzaron por habilitar para cuarteles los más grandes y mejores edificios de la ciudad.

Después de ocupado el suntuoso Alcázar de Carlos V[3],

[1] Como precedentes del motivo de animación de las estatuas, en el ámbito hispano podemos citar la cantiga XCVI de Alfonso X el Sabio. Sobradamente conocida es la escena de la leyenda zorrillesca *A buen juez, mejor testigo*, en la que interviene el Cristo de la Vega como testigo de un juramento. Mencionaremos de *Don Juan Tenorio* las escenas del panteón familiar (1.er acto, 2.ª parte) y la intervención de la estatua del Comendador (2.º acto, 2.ª parte).

En época romántica y dentro de la literatura francesa, no podemos olvidar *La Venus de Ille*, novela corta de Próspero Mérimée, publicada en 1837 y, por tanto, susceptible de ser conocida por Bécquer. Sobre el protagonista de *El Beso*, J. Gulsoy se inclina a pensar que «Bécquer utilizó *Inès de las Sierras* (cuento fantástico de Charles Nodier, publicado en 1837) como base de su conocido *El beso*, en el cual el capitán francés está hecho sobre el modelo del Sergy de Nodier». («La fuente común...», cit., pág. 106.)

[2] En abril de 1808 fue ocupada la ciudad de Toledo por un ejército de 10.000 franceses al mando del general Dupont. Abandonaron el imperial recinto en diciembre de 1809.

[3] Véase la nota 3 de *El Cristo de la calavera*. Evitaremos remitir continuamente el lector a aquellas leyendas donde ya se hallen anotados los nombres que posteriormente aparezcan.

echóse mano de la casa de Consejos, y cuando ésta no pudo contener más gente, comenzaron a invadir el asilo de las comunidades religiosas, acabando a la postre por transformar en cuadras hasta las iglesias consagradas al culto. En esta conformidad se encontraban las cosas en la población donde tuvo lugar el suceso que voy a referir, cuando una noche, ya a hora bastante avanzada, envueltos en sus oscuros capotes de guerra y ensordeciendo las estrechas y solitarias calles que conducen desde la Puerta del Sol[4] a Zocodover con el choque de sus armas y el ruidoso golpear de los cascos de sus corceles, que sacaban chispas de los pedernales, entraron en la ciudad hasta unos cien dragones[5] de aquellos, altos, arrogantes y fornidos de que todavía nos hablan con admiración nuestras abuelas.

Mandaba la fuerza un oficial bastante joven, el cual iba como a distancia de unos treinta pasos de su gente, hablando a media voz con otro, también militar, a lo que podía colegirse por su traje.

Éste, que caminaba a pie delante de su interlocutor, llevando en la mano un farolillo, parecía servirle de guía por entre aquel laberinto de calles oscuras, enmarañadas y revueltas.

—En verdad —decía el jinete a su acompañante— que si el alojamiento que se nos prepara es tal y como me le pintas, casi, casi sería preferible arrancharnos[6] en el campo o en medio de una plaza.

—¿Y qué queréis, mi capitán? —contestó el guía, que, efectivamente, era un sargento aposentador—. En el Alcázar no cabe ya un grano de trigo, cuanto más un hombre. De San Juan de los Reyes no digamos, porque hay celdas de fraile en las que duermen quince húsares. El convento adonde voy a conduciros no era mal local; pero hará cosa de tres o cuatro

[4] De estilo mudéjar, fue construida en su mayor parte en el siglo XIV. Es espléndido mirador para contemplar el Tajo y su vega.

[5] La creación de cuerpos de dragones tuvo su origen en Francia, a mediados del siglo XVI, atribuyéndose su organización al mariscal francés de Brissac, en el reinado de Enrique II (1554). En España, el primer regimiento de dragones fue organizado en Insbruck por don Pedro de la Puente en 1635. En el reinado de Carlos II y de Felipe V alcanzaron su máxima importancia numérica, llegando en 1741 a contar hasta 17 regimientos.

[6] Juntarse de modo que se puedan distribuir los ranchos de la tropa.

días nos cayó aquí como de las nubes una de las columnas volantes que recorren la provincia, y gracias que hemos podido conseguir que se amontonen por los claustros y dejen libre la iglesia.

—En fin —exclamó el oficial después de un corto silencio y como resignándose con el extraño alojamiento que la casualidad le deparaba—, más vale incómodo que ninguno. De todas maneras, si llueve, que no será difícil según se agrupan las nubes, estaremos a cubierto, y algo es algo.

Interrumpida la conversación en este punto, los jinetes, precedidos del guía, siguieron en silencio el camino adelante hasta llegar a una plazuela, en cuyo fondo se destacaba la negra silueta del convento con su torre morisca, su campanario de espadañas, su cúpula ojival y sus tejados de crestas desiguales y oscuras.

—He aquí vuestro alojamiento —exclamó el aposentador al divisarle y dirigiéndose al capitán que, después que hubo mandado hacer alto a su tropa, echó pie a tierra, tomó el farolillo de manos del guía y se dirigió hacia el punto que éste le señalaba.

Comoquiera que la iglesia del convento estaba completamente desmantelada, los soldados que ocupaban el resto del edificio habían creído que las puertas le eran ya poco menos que inútiles, y un tablero hoy, otro mañana, habían ido arrancándolas pedazo a pedazo para hacer hogueras con que calentarse por las noches[7].

Nuestro joven oficial no tuvo, pues, que torcer llaves ni descorrer cerrojos para penetrar en el interior del templo.

A la luz del farolillo, cuya dudosa claridad se perdía entre las espesas sombras de las naves y dibujaba con gigantescas proporciones sobre el muro la fantástica silueta del sargento

[7] Por la similitud de los efectos que la destrucción y el saqueo llevados a cabo por las tropas francesas ocasionaron en diversos templos toledanos, bien puede citarse el siguiente párrafo becqueriano, referido a San Juan de los Reyes: «En el año de 1808 las tropas francesas ocuparon a San Juan de los Reyes, utilizándola para cuartel y depósito de prisioneros, y cuando les fue preciso abandonarle, por efecto de sus operaciones, lo saquearon e incendiaron, al par que algunos otros edificios notables de Toledo.» (*Historia de los templos de España*, O. C., 1981, pág. 800.)

aposentador, que iba precediéndole, recorrió la iglesia de arriba a abajo y escudriñó una por una todas sus desiertas capillas, hasta que, una vez hecho cargo del local, mandó echar pie a tierra a su gente y, hombres y caballos revueltos, fue acomodándola como mejor pudo.

Según dejamos dicho, la iglesia estaba completamente desmantelada: en el altar mayor pendían aún de las altas cornisas los rotos jirones del velo con que lo habían cubierto los religiosos al abandonar aquel recinto; diseminados por las naves veíanse algunos retablos adosados al muro, sin imágenes en las hornacinas; en el coro se dibujaban con un ribete de luz los extraños perfiles de la oscura sillería de alerce; en el pavimento, destrozado en varios puntos, distinguíanse aún anchas losas sepulcrales llenas de timbres, escudos y largas inscripciones góticas, y allá a lo lejos, en el fondo de las silenciosas capillas y a lo largo del curcero, se destacaban confusamente entre la oscuridad, semejantes a blancos e inmóviles fantasmas, las estatuas de piedra que, unas tendidas, otras de hinojos sobre el mármol de sus tumbas, parecían ser los únicos habitantes del ruinoso edificio.

A cualquiera otro menos molido que el oficial de dragones, el cual traía una jornada de catorce leguas en el cuerpo, o menos acostumbrado a ver estos sacrilegios como la cosa más natural del mundo, hubiéranle bastado dos adarmes de imaginación para no pegar los ojos en toda la noche en aquel oscuro e imponente recinto, donde las blasfemias de los soldados, que se quejaban en voz alta del improvisado cuartel; el metálico golpe de sus espuelas, que resonaban sobre las anchas losas sepulcrales del pavimento; el ruido de los caballos, que piafaban impacientes, cabeceando y haciendo sonar las cadenas con que estaban sujetos a los pilares, formaban un rumor extraño y temeroso que se dilataba por todo el ámbito de la iglesia y se reproducía cada vez más confuso, repetido de eco en eco en sus altas bóvedas.

Pero nuestro héroe, aunque joven, estaba ya tan familiarizado con estas peripecias de la vida de campaña, que apenas hubo acomodado a su gente, mandó colocar un saco de forraje al pie de la grada del presbiterio y, arrebujándose como mejor pudo en su capote y echando la cabeza en el escalón, a los cin-

co minutos roncaba con más tranquilidad que el mismo rey José[8] en su palacio de Madrid.

Los soldados, haciéndose almohadas de las monturas, imitaron su ejemplo, y poco a poco fue apagándose el murmullo de sus voces.

A la media hora sólo se oían los ahogados gemidos del aire que entraba por las rotas vidrieras de las ojivas del templo, el atolondrado revolotear de las aves nocturnas que tenían sus nidos en el dosel de piedra de las esculturas de los muros y el alternado rumor de los pasos del vigilante que se paseaba, envuelto en los anchos pliegues de su capote, a lo largo del pórtico.

II

En la época a que se remonta la relación de esta historia, tan verídica como extraordinaria, lo mismo que al presente, para los que no sabían apreciar los tesoros del arte que encierran sus muros, la ciudad de Toledo no era más que un poblachón destartalado, antiguo, ruinoso e insufrible.

Los oficiales del ejército francés, que, a juzgar por los actos de vandalismo con que dejaron en ella triste y perdurable memoria de su ocupación, de todo tenían menos de artistas o arqueólogos, no hay para qué decir que se fastidiaban soberanamente en la vetusta ciudad de los Césares.

En esta situación de ánimo, la más insignificante novedad que viniese a romper la monótona quietud de aquellos días eternos e iguales era acogida con avidez entre los ociosos; así es que la promoción al grado inmediato de uno de sus camaradas, la noticia del movimiento estratégico de una columna volante, la salida de un correo de gabinete o la llegada de una fuerza cualquiera a la ciudad convertíase en tema fecundo de conversación y objeto de toda clase de comentarios, hasta tan-

[8] José Bonaparte (1768-1844) llegó a ser rey de Nápoles y luego de España como consecuencia del encumbramiento de su hermano. Tras jurar la Constitución de Bayona se trasladó a Madrid, ciudad a la que llegó el 20 de julio, instalándose en el palacio real.

to que otro incidente venía a sustituirle, sirviendo de base a nuevas quejas, críticas y suposiciones.

Como era de esperar, entre los oficiales que, según tenían de costumbre, acudieron al día siguiente a tomar el sol y a charlar un rato en el Zocodover, no se hizo platillo de otra cosa que de la llegada de los dragones, cuyo jefe dejamos en el anterior capítulo durmiendo a pierna suelta y descansando de las fatigas de su viaje.

Cerca de una hora hacía que la conversación giraba alrededor de este asunto, y ya comenzaba a interpretarse de diversos modos la ausencia del recién venido, a quien uno de los presentes, antiguo compañero suyo de colegio, había citado para el Zocodover, cuando en una de las bocacalles de la plaza apareció al fin nuestro bizarro capitán, despojado de su ancho capotón de guerra, luciendo un gran casco de metal, con penacho de plumas blancas, una casaca azul turquí con vueltas rojas y un magnífico mandoble con vaina de acero, que resonaba arrastrándose al compás de sus marciales pasos y del golpe seco y agudo de sus espuelas de oro.

Apenas le vio su camarada, salió a su encuentro para saludarle, y con él se adelantaron casi todos los que a la sazón se encontraban en el corrillo, en quienes había despertado la curiosidad y la gana de conocerle los pormenores que ya habían oído referir acerca de su carácter original y extraño.

Después de los estrechos abrazos de costumbre y de las exclamaciones, plácemes y preguntas de rigor en estas entrevistas; después de hablar largo y tendido sobre las novedades que andaban por Madrid, la varia fortuna de la guerra y los amigotes muertos o ausentes, rodando de uno en otro asunto, la conversación vino a parar al tema obligado, esto es, las penalidades del servicio, la falta de distracciones de la ciudad y el inconveniente de los alojamientos.

Al llegar a este punto, uno de los de la reunión que, por lo visto, tenía noticia del mal talante con que el joven oficial se había resignado a acomodar su gente en la abandonada iglesia, le dijo con aire de zumba:

—Y a propósito de alojamiento: ¿qué tal se ha pasado la noche en el que ocupáis?

—Ha habido de todo —contestó el interpelado—, pues si

bien es verdad que no he dormido gran cosa, el origen de mi vigilia merece la pena de la velada. El insomnio junto a una mujer bonita no es seguramente el peor de los males.

—¡Una mujer! —repitió su interlocutor, como admirándose de la buena fortuna del recién venido—. Eso es lo que se llama llegar y besar el santo.

—Será tal vez algún antiguo amor de la corte que le sigue a Toledo para hacerle más soportable el ostracismo —añadió otro de los del grupo.

—¡Oh, no! —dijo entonces el capitán—. Nada menos que eso. Juro, a fe de quien soy, que no la conocía y que nunca creí hallar tan bella patrona en tan incómodo alojamiento. Es todo lo que se llama una verdadera aventura.

—¡Contadla! ¡Contadla! —exclamaron en coro los oficiales que rodeaban al capitán.

Y como éste se dispusiera a hacerlo así, todos prestaron la mayor atención a sus palabras, mientras él comenzó la historia en estos términos:

—Dormía esta noche pasada como duerme un hombre que trae en el cuerpo trece leguas de camino, cuando he aquí que en lo mejor del sueño me hizo despertar sobresaltado e incorporarme sobre el codo un estruendo horrible, un estruendo tal, que me ensordeció un instante para dejarme después los oídos zumbando cerca de un minuto, como si un moscardón me cantase a la oreja. Como os habréis figurado, la causa de mi susto era el primer golpe que oía de esa endiablada campana gorda, especie de sochantre[9] de bronce, que los canónigos de Toledo han colgado en su catedral con el laudable propósito de matar a disgustos a los necesitados de reposo. Renegando entre dientes de la campana y del campanero que la toca, disponíame, una vez apagado aquel insólito y temeroso rumor, a coger nuevamente el hilo del interrumpido sueño, cuando vino a herir mi imaginación y a ofrecerse ante mis ojos una cosa extraordinaria. A la dudosa luz de la luna que entraba en el templo por el estrecho ajimez del muro de la capilla mayor vi una mujer arrodillada junto al altar.

[9] Director del coro en los oficios divinos. La «campana gorda» de la catedral tiene diez metros de circunferencia y casi cuatro de altura. Pesa 17,8 toneladas.

Los oficiales se miraron entre sí con expresión entre asombrada e incrédula. El capitán, sin atender al efecto que su narración producía, continuó de este modo:

—No podéis figuraos nada semejante a aquella nocturna y fantástica visión que se dibujaba confusamente en la penumbra de la capilla, como esas vírgenes pintadas en los vidrios de colores que habréis visto alguna vez destacarse a lo lejos, blancas y luminosas, sobre el oscuro fondo de la catedrales. Su rostro ovalado, en donde se veía impreso el sello de una leve y espiritual demacración; sus armoniosas facciones, llenas de una suave y melancólica dulzura; su intensa palidez, las purísimas líneas de su contorno esbelto, su ademán reposado y noble, su traje blanco y flotante, me traían a la memoria esas mujeres que yo soñaba cuando casi era niño. ¡Castas y celestes imágenes, quimérico objeto del vago amor de la adolescencia! Yo me creía juguete de una alucinación y, sin quitarle un punto los ojos, ni aun osaba respirar, temiendo que un soplo desvaneciese el encanto. Ella permanecía inmóvil. Antojábaseme, al verla tan diáfana y luminosa, que no era una criatura terrenal, sino un espíritu que, revistiendo por un instante la forma humana, había descendido en el rayo de la luna, dejando en el aire y en pos de sí la azulada estela que desde el alto ajimez bajaba verticalmente hasta el pie del opuesto muro, rompiendo la oscura sombra de aquel recinto lóbrego y misterioso.

—Pero... —exclamó interrumpiéndole su camarada de colegio que, comenzando por echar a broma la historia, había concluido interesándose con su relato—. ¿Cómo estaba allí aquella mujer? ¿No la dijiste nada? ¿No te explicó su presencia en aquel sitio?

—No me determiné a hablarla porque estaba seguro que no había de contestarme, ni verme, ni oírme.

—¿Era sorda?

—¿Era ciega?

—¿Era muda? —exclamaron a un tiempo tres o cuatro de los que escuchaban la relación.

—Lo era todo a la vez —exclamó al fin el capitán, después de un momento de pausa—, porque era... de mármol.

Al oír el estupendo desenlace de tan extraña aventura, cuantos había en el corro prorrumpieron en una ruidosa carca-

jada, mientras uno de ellos dijo al narrador de la peregrina historia, que era el único que permanecía callado y en una grave actitud:

—¡Acabáramos de una vez! Lo que es de ese género tengo yo más de un millar, un verdadero serrallo, en San Juan de los Reyes. Serrallo que desde ahora pongo a vuestra disposición, ya que, a lo que parece, tanto os da de una mujer de carne como de piedra.

—¡Oh, no! —continuó el capitán sin alterarse en lo más mínimo por las carcajadas de sus compañeros—. Estoy seguro que no pueden ser como la mía. La mía es una verdadera dama castellana que, por un milagro de la escultura, parece que no la han enterrado en su sepulcro, sino que aún permanece en cuerpo y alma de hinojos sobre la losa que le cubre, inmóvil, con las manos juntas en ademán suplicante, sumergida en un éxtasis de místico amor.

—De tal modo te explicas, que acabarás por probarnos la verosimilitud de la fábula de Galatea[10].

—Por mi padre, puedo deciros que siempre la creí una locura; mas desde anoche comienzo a comprender la pasión del escultor griego.

—Dadas las especiales condiciones de tu nueva dama, creo que no tendrás inconveniente en presentarnos a ella. De mí sé decir que ya no vivo hasta ver esa maravilla. Pero... ¿qué diantres te pasa?... Diríase que esquivas la presentación. ¡Ja, ja, ja! Bonito fuera que ya te tuviéramos hasta celoso.

—Celoso —se apresuró a decir el capitán—, celoso... De los hombres, no... Mas ved, sin embargo, hasta dónde llega mi extravagancia. Junto a la imagen de esa mujer, también de mármol, grave y al parecer con vida como ella, hay un guerrero... Su marido, sin duda... Pues bien: lo voy a decir todo, aunque os moféis de mi necedad... Si no hubiera temido que me tratasen de loco, creo que ya la habría hecho cien veces pedazos.

Una nueva y aún más ruidosa carcajada de los oficiales salu-

[10] Según la mitología clásica, el escultor Pigmalión había labrado una estatua de marfil de tal belleza que, cuando el artista pidió a Venus que su esposa se pareciera en hermosura a la estatua, la diosa no sólo oyó sus ruegos, sino que dio vida a la figura que había salido de su cincel.

dó esta original revelación del estrambótico enamorado de la dama de piedra.

—Nada, nada; es preciso que la veamos —decían los unos.

—Sí, sí; es preciso saber si el objeto corresponde a tan alta pasión —añadían los otros.

—¿Cuándo nos reunimos a echar un trago en la iglesia en que os alojáis? —exclamaron los demás.

—Cuando mejor os parezca. Esta misma noche, si queréis —respondió el joven capitán, recobrando su habitual sonrisa, disipada un instante por aquel relámpago de celos—. A propósito: con los bagajes he traído hasta un par de docenas de botellas de *champagne;* verdadero *champagne*, restos de un regalo hecho a nuestro general de brigada, que, como sabéis, es algo pariente.

—¡Bravo! ¡Bravo! —exclamaron los oficiales a una voz, prorrumpiendo en alegres exclamaciones.

—¡Se beberá vino del país!

—¡Y cantaremos una canción de Ronsard![11].

—Y hablaremos de mujeres, a propósito de la dama del anfitrión.

—Conque... ¡hasta la noche!

—¡Hasta la noche!

III

Ya hacía largo rato que los pacíficos habitantes de Toledo habían cerrado con llave y cerrojo las pesadas puertas de sus antiguos caserones; la campana gorda de la catedral anunciaba la hora de la queda, y en lo alto del alcázar, convertido en cuartel, se oía el último toque de silencio de los clarines, cuando diez o doce oficiales que poco a poco habían ido reuniéndose en el Zocodover tomaron el camino que conduce desde aquel punto al convento en que se alojaba el capitán, animados

[11] Pierre de Ronsard (1524-1585), célebre poeta francés, autor de los *Sonnets pour Helène* y jefe de la escuela poética primeramente conocida con el nombre de *La Brigade* y más tarde con el de *La Pléiade*. Exhumada su gloria en el siglo XIX, fue considerado por los románticos como su más ilustre predecesor.

más con la esperanza de apurar las prometidas botellas que con el deseo de conocer la maravillosa escultura.

La noche había cerrado sombría y amenazadora. El cielo estaba cubierto de nubes de color de plomo. El aire, que zumbaba encarcelado en las estrechas y retorcidas calles, agitaba la moribunda luz del farolillo de los retablos o hacía girar con un chirrido agudo las veletas de hierro de las torres.

Apenas los oficiales dieron vista a la plaza en que se hallaba situado el alojamiento de su nuevo amigo, éste, que les aguardaba impaciente, salió a encontrarles y, después de cambiar algunas palabras a media voz, todos penetraron juntos en la iglesia, en cuyo lóbrego recinto la escasa claridad de una linterna luchaba trabajosamente con las oscuras y espesísimas sombras.

—¡Por quien soy —exclamó uno de los convidados, tendiendo a su alrededor la vista—, que el local es de los menos a propósito del mundo para una fiesta!

—Efectivamente —dijo otro—. Nos traes a conocer a una dama, y apenas si con mucha dificultad se ven los dedos de la mano.

—Y, sobre todo, hace un frío que no parece sino que estamos en la Siberia —añadió un tercero, arrebujándose en el capote.

—Calma, señores, calma —interrumpió el anfitrión—. Calma, que a todo se proveerá. ¡Eh muchacho! —prosiguió, dirigiéndose a uno de sus asistentes—, busca por ahí un poco de leña y enciéndenos una buena fogata en la capilla mayor.

El asistente, obedeciendo las órdenes de su capitán, comenzó a descargar golpes en la sillería del coro, y después que hubo reunido una gran cantidad de leña, que fue apilando al pie de las gradas del presbiterio, tomó la linterna y se dispuso a hacer un auto de fe con aquellos fragmentos tallados de riquísimas labores, entre las que se veían, por aquí, parte de una columnilla salomónica; por allá, la imagen de un santo abad, el torso de una mujer o la disforme cabeza de un grifo asomado entre hojarasca.

A los pocos minutos, una gran claridad que de improviso se derramó por todo el ámbito de la iglesia anunció a los oficiales que había llegado la hora de comenzar el festín.

El capitán, que hacía los honores de su alojamiento con la

misma ceremonia que hubiera hecho los de su casa, exclamó, dirigiéndose a los convidados:

—Si gustáis, pasaremos al *buffet*[12].

Sus camaradas, afectando la mayor gravedad, respondieron a la invitación con un cómico saludo, y se encaminaron a la capilla mayor precedidos del héroe de la fiesta, que al llegar a la escalinata se detuvo un instante y, extendiendo la mano en dirección al sitio que ocupaba la tumba, les dijo con la finura más exquisita:

—Tengo el placer de presentaros a la dama de mis pensamientos. Creo que convendréis conmigo en que no he exagerado su belleza.

Los oficiales volvieron los ojos al punto que les señalaba su amigo, y una exclamación de asombro se escapó involuntariamente de todos los labios.

En el fondo de un arco sepulcral revestido de mármoles negros, arrodillada delante de un reclinatorio, con las manos juntas y la cara vuelta hacia el altar, vieron, en efecto, la imagen de una mujer tan bella, que jamás salió otra igual de manos de un escultor, ni el deseo pudo pintarla en la fantasía más soberanamente hermosa.

—Es verdad que es un ángel —exclamó uno de ellos.

—¡Lástima que sea de mármol! —añadió otro.

—No hay duda que, aunque no sea más que la ilusión de hallarse junto a una mujer de este calibre, es lo suficiente para no pegar los ojos en toda la noche.

—¿Y no sabéis quién es ella? —preguntaron algunos de los que contemplaban la estatua del capitán, que sonreía satisfecho de su triunfo.

—Recordando un poco del latín que en mi niñez supe, he conseguido a duras penas descifrar la inscripción de la tumba —contestó el interpelado—, y, a lo que he podido colegir, pertenece a un título de Castilla, famoso guerrero que hizo la campaña de Italia con el Gran Capitán. Su nombre lo he olvidado; mas su esposa, que es la que veis, se llama doña Elvira de Cas-

[12] Voz francesa que se emplea para referirse a un mostrador que contiene diversos tipos de comidas.

tañeda, y, por mi fe que si la copia se parece al original, debió ser la mujer más notable de su siglo[13].

Después de estas breves explicaciones, los convidados, que no perdían de vista el principal objeto de la reunión, procedieron a destapar algunas de las botellas y, sentándose alrededor de la lumbre, empezó a andar el vino a la ronda.

A medida que las libaciones se hacían más numerosas y frecuentes y el vapor del espumoso *champagne* comenzaba a trastornar las cabezas, crecían la animación, el ruido y la algazara de los jóvenes, de los cuales, éstos arrojaban a los monjes de granito adosados a los pilares los cascos de las botellas vacías, y aquéllos cantaban a toda voz canciones báquicas y escandalosas, mientras los de más allá prorrumpían en carcajadas, batían las palmas en señal de aplauso o disputaban entre sí con blasfemias y juramentos.

El capitán bebía en silencio como un desesperado y sin apartar los ojos de la estatua de doña Elvira.

Iluminada por el rojizo resplandor de la hoguera, y a través del confuso velo que la embriaguez había puesto delante de su vista, parecíale que la marmórea imagen se transformaba a veces en una mujer real: parecíale que entreabría los labios como murmurando una oración, que se alzaba su pecho como oprimido y sollozante, que cruzaba las manos con más fuerza, que sus mejillas se coloreaban, en fin, como si se ruborizase ante aquel sacrílego y repugnante espectáculo.

Los oficiales, que advirtieron la taciturna tristeza de su ca-

[13] Alude Bécquer a los sepulcros de los condes de Fuensalida, don Pedro López de Ayala y su esposa doña Elvira de Castañeda, los cuales inicialmente se hallaban en la iglesia-convento del Carmen Alzado. Con motivo de la desamortización, el convento fue vendido a José Safont, quien lo mandó demoler. Los sepulcros de los condes fueron trasladados a San Pedro Mártir. Nadie mejor que Bécquer para describirlos: «Los sepulcros, que son completamente iguales, se hicieron a principios del siglo XVII (...). Constan de un arco de mármoles de color, rehundido en el muro, y en el centro o entrearco de-los cuales se ven las armas de los Condes, cuyas estatuas de tamaño natural, arrodilladas así como las de sus esposas delante de un reclinatorio, y de mármol de Carrara riquísimo, son una obra notable por todos conceptos.» *(Historia de los templos de España,* 1.ª ed., 1858, pág. 101.) (El plural es debido a que Bécquer describe el sepulcro situado al lado del Evangelio, perteneciente a don Pedro y doña Elvira, primeros condes de Fuensalida, y el situado al costado de la Epístola, correspondiente al cuarto.)

marada, le sacaron del éxtasis en que se encontraba sumergido y, presentándole una copa, exclamaron en coro:

—¡Vamos, brindad vos, que sois el único que no lo ha hecho en toda la noche!

El joven tomó la copa y, poniéndose de pie y alzándola en alto, dijo encarándose con la estatua del guerrero arrodillado junto a doña Elvira:

—¡Brindo por el emperador y brindo por la fortuna de sus armas, merced a las cuales hemos podido venir hasta el fondo de Castilla a cortejarle su mujer, en su misma tumba, a un vencedor de Ceriñola![14].

Los militares acogieron el brindis con una salva de aplausos, y el capitán, balanceándose, dio algunos pasos hacia el sepulcro.

—No... —prosiguió dirigiéndose siempre a la estatua del guerrero y con esa sonrisa estúpida propia de la embriaguez—, no creas que te tengo rencor alguno porque veo en ti un rival. Al contrario, te admiro como a un marido paciente, ejemplo de longanimidad y mansedumbre, y a mi vez quiero también ser generoso. Tú serías bebedor, a fuer de soldado... No se ha de decir que te he dejado morir de sed viéndonos vaciar veinte botellas... ¡Toma!

Y esto diciendo, llevóse la copa a los labios y, después de humedecérselos en el licor que contenía, le arrojó el resto a la cara, prorrumpiendo en una carcajada estrepitosa al ver cómo caía el vino sobre la tumba, goteando de las barbas de piedra del inmóvil guerrero.

—¡Capitán! —exclamó en aquel punto uno de sus camaradas en tono de zumba—. Cuidado con lo que hacéis... Mirad que esas bromas con la gente de piedra suelen costar caras. Acordaos de lo que aconteció a los húsares del quinto en el monasterio de Poblet...[15]. Los guerreros del claustro, dicen que pu-

[14] Junto a la ciudad italiana de Ceriñola tuvo lugar en 1503 la batalla en la que las tropas españolas, al mando del Gran Capitán, derrotaron a las francesas, encabezadas por el duque de Nemours. En esta batalla se consagra definitivamente el *fuego* (de arcabuz) como nuevo elemento bélico.

[15] Monasterio cisterciense de Santa María de Poblet, situado en la provincia de Taragona. Fundado en el año 1149, su construcción se prolongó hasta los dos siglos siguientes, llegando a los primeros años del siglo XV. Sufrió grandes

sieron mano una noche a sus espadas de granito y dieron que
hacer a los que se entretenían en pintarles bigotes con carbón.

Los jóvenes acogieron con grandes carcajadas esta ocurren-
cia; pero el capitán, sin hacer caso de sus risas, continuó, siem-
pre fijo en la misma idea:

—¿Creéis que yo le hubiera dado el vino, a no saber que se
tragaba al menos el que le cayese en la boca?... ¡Oh, no!... Yo
no creo, como vosotros, que esas estatuas son un pedazo de
mármol tan inerte hoy como el día en que lo arrancaron de la
cantera. Indudablemente, el artista, que es casi un dios, le da a
su obra un soplo de vida que no logra hacer que ande y se
mueva, pero que le infunde una vida incomprensible y extra-
ña, vida que yo no me explico bien, pero que la siento, sobre
todo cuando bebo un poco.

—¡Magnífico! —exclamaron sus camaradas—. Bebe y pro-
sigue.

El oficial bebió y, fijando sus ojos en la imagen de doña El-
vira, prosiguió con una exaltación creciente:

—¡Miradla! ¡Miradla!... ¿No veis esos cambiantes rojos de
sus carnes mórbidas y transparentes?... ¿No parece que por de-
bajo de esa ligera epidermis azulada y suave de alabastro circu-
la un fluido de luz color de rosa?... ¿Queréis más vida?... ¿Que-
réis más realidad?...

—¡Oh, sí, seguramente! —dijo uno de los que le escucha-
ban—. Quisiéramos que fuese de carne y hueso.

—¡Carne y hueso!... ¡Miseria, podredumbre!... —exclamó el
capitán—. Yo he sentido en una orgía arder mis labios y mi
cabeza. Yo he sentido este fuego que corre por las venas hir-
viente como la lava de un volcán, cuyos vapores caliginosos
turban y trastornan el cerebro y hacen ver visiones extrañas.
Entonces, el beso de esas mujeres materiales me quemaba
como un hierro candente, y las apartaba de mí con disgusto,
con horror, hasta con asco, porque entonces, como ahora, ne-
cesitaba un soplo de brisa del mar para mi frente calurosa, be-
ber hielo y besar nieve. Nieve teñida de suave luz, nieve colo-
rada por un dorado rayo de sol... Una mujer blanca, hermosa y

daños durante la guerra de la Independencia, debidos a las tropelías cometidas
por las tropas francesas, y también en la posterior desamortización.

fría, como esa mujer de piedra que parece incitarme con su fantástica hermosura, que parece que oscila al compás de la llama y me provoca entreabriendo sus labios y ofreciéndome un tesoro de amor... ¡Oh, sí! Un beso..., sólo un beso tuyo podrá calmar el ardor que me consume.

—¡Capitán! —exclamaron algunos de sus oficiales al verle dirigirse hacia la estatua como fuera de sí, extraviada la vista y con pasos inseguros—. ¿Qué locura vais a hacer? ¡Basta de broma y dejad en paz a los muertos!

El joven ni oyó siquiera las palabras de sus amigos, y, tambaleando y como pudo, llegó a la tumba y aproximóse a la estatua; pero al tenderle los brazos resonó un grito de horror en el templo. Arrojando sangre por ojos, boca y nariz, había caído desplomado y con la cara deshecha al pie del sepulcro.

Los oficiales, mudos y espantados, ni se atrevían a dar un paso para prestarle socorro.

En el momento en que su camarada intentó acercar sus labios ardientes a los de doña Elvira, habían visto al inmóvil guerrero levantar la mano y derribarle con una espantosa bofetada de su guantelete de piedra.

La rosa de Pasión[1]

(LEYENDA RELIGIOSA)

Una tarde de verano, y en un jardín de Toledo, me refirió esta singular historia una muchacha muy buena y muy bonita.

Mientras me explicaba el misterio de su forma especial, besaba las hojas y los pistilos que iba arrancando uno a uno, de la flor que da nombre a esta leyenda[2].

Si yo la pudiera referir con el suave encanto y la tierna sencillez que tenía en su boca, os conmovería como a mí me conmovió, la historia de la infeliz Sara.

Ya que esto no es posible, ahí va lo que de esa piadosa tradición se me acuerda en este instante.

I

En una de las callejas más oscuras y tortuosas de la ciudad imperial, empotrada y casi escondida entre la alta torre moris-

[1] En *La rosa de Pasión* es posible detectar el eco de otras leyendas —que pudieron servir de fundamento o inspiración a la becqueriana—, citadas por el propio Bécquer en su narración: la tradición del *Cristo de la luz* y la del *Santo Niño de la Guardia,* sintéticamente explicadas por el narrador.

El motivo del martirio por crucifixión, a imitación del de Jesús, ha sido ampliamente difundido en la tradición europea española. El motivo de la metamorfosis del cadáver en flor tiene su posible antecedente literario en la leyenda zorrillesca *La pasionaria,* donde su autor narra la transformación de una muchacha enamorada en una flor. (Cfr. Rubén Benítez, *op. cit.,* págs. 180-183.)

[2] Existe efectivamente un tipo de rosa comúnmente llamada en España e Hispanoamérica «pasionaria» o «rosa de pasión». En algunos lugares de Hispanoamérica se la conoce con el nombre indígena de «mburucuya».

ca de una antigua parroquia muzárabe y los sombríos y blasonados muros de una casa solariega, tenía hace muchos años su habitación raquítica, tenebrosa y miserable como su dueño, un judío llamado Daniel Leví.

Era este judío rencoroso y vengativo, como todos los de su raza, pero más que ninguno engañador e hipócrita.

Dueño, según los rumores del vulgo, de una inmensa fortuna, veíasele, no obstante, todo el día acurrucado en el sombrío portal de su vivienda, componiendo y aderezando cadenillas de metal, cintos viejos o guarniciones rotas, con las que traía un gran tráfico entre los truhanes de Zocodover, las revendedoras del Postigo y los escuderos pobres.

Aborrecedor implacable de los cristianos y de cuanto a ellos pudiera pertenecer, jamás pasó junto a un caballero principal o un canónigo de la Primada sin quitarse una y hasta diez veces el mugriento bonetillo que cubría su cabeza calva y amarillenta, ni acogió en su tenducho a uno de sus habituales parroquianos sin agobiarle a fuerza de sus humildes salutaciones, acompañadas de aduladoras sonrisas.

La sonrisa de Daniel había llegado a hacerse proverbial en toda Toledo, y su mansedumbre, a prueba de las jugarretas más pesadas y las burlas y rechiflas de sus vecinos, no conocía límites.

Inútilmente los muchachos, para desesperarlo, tiraban piedras a su tugurio; en vano los pajecillos y hasta los hombres de armas del próximo palacio pretendían aburrirle, llamándole con los nombres más injuriosos, o las viejas devotas de la feligresía se santiguaban al pasar por el dintel de su puerta, como si viesen al mismo Lucifer en persona.

Daniel sonreía eternamente, con una sonrisa extraña e indescriptible. Sus labios delgados y hundidos se dilataban a la sombra de su nariz desmesurada y corva como el pico de un aguilucho, y aunque de sus ojos pequeños, verdes, redondos y casi ocultos entre las espesas cejas, brotaba una chispa de mal reprimida cólera, seguía impasible golpeando con su martillito de hierro el yunque donde aderezaba las mil baratijas mohosas y, al parecer, sin aplicación alguna, de que se componía su tráfico.

Sobre la puerta de la casucha del judío, y dentro de un mar-

co de azulejos de vivos colores, se abría un ajimez árabe, resto de las antiguas construcciones de los moros toledanos. Alrededor de las caladas franjas del ajimez y enredándose por la columnilla de mármol que lo partía en dos huecos iguales, subía desde el interior de la vivienda una de esas plantas trepadoras que se mecen verdes y llenas de savia y lozanía sobre los ennegrecidos muros de los edificios ruinosos.

En la parte de la casa que recibía una dudosa luz por los estrechos vanos de aquel ajimez, único abierto en el musgoso y grietado paredón de la calleja, habitaba Sara, la hija predilecta de Daniel.

Cuando los vecinos del barrio pasaban por delante de la tienda del judío y veían por casualidad a Sara tras las celosías de su ajimez morisco y a Daniel acurrucado junto a su yunque, exclamaban en alta voz, admirados de las perfecciones de la

—¡Parece mentira que tan ruin tronco haya dado de sí tan hermoso vástago!

Porque, en efecto, Sara era un prodigio de belleza. Tenía los ojos grandes y rodeados de un sombrío cerco de pestañas negras, en cuyo fondo brillaba el punto de luz de su ardiente pupila como una estrella en el cielo de una noche oscura. Sus labios, encendidos y rojos, parecían recortados hábilmente de un paño de púrpura por las invisibles manos de un hada. Su tez era blanca, pálida y transparente como el alabastro de la estatua de un sepulcro. Contaba apenas dieciséis años, y ya se veía grabada en su rostro esa dulce tristeza de las inteligencias precoces, y ya hinchaban su seno y se escapaban de su boca esos suspiros que anuncian el vago despertar del deseo.

Los judíos más poderosos de la ciudad, prendados de su maravillosa hermosura, la habían solicitado para esposa; pero la hebrea, insensible a los homenajes de sus adoradores y a los consejos de su padre, que la instaba para que eligiese un compañero antes de quedar sola en el mundo, se mantenía encerrada en un profundo silencio, sin dar más razón de su extraña conducta que el capricho de permanecer libre.

Al fin, un día, cansado de sufrir los desdenes de Sara y sospechando que su eterna tristeza era indicio cierto de que en su corazón abrigaba algún secreto importante, uno de sus adoradores se acercó a Daniel y le dijo:

—¿Sabes, Daniel, que entre nuestros hermanos se murmura de tu hija?

El judío levantó un instante los ojos de su yunque, suspendió su continuo martilleo y, sin mostrar la menor emoción, preguntó a su interpelante:

—¿Y qué dicen de ella?

—Dicen —prosiguió su interlocutor—, dicen... ¡Qué sé yo! Muchas cosas... Entre otras, que tu hija está enamorada de un cristiano...

Al llegar a este punto, el desdeñado amante de Sara se detuvo para ver el efecto que sus palabras hacían en Daniel.

Daniel levantó de nuevo sus ojos, le miró un rato fijamente, sin decir palabra, y, bajando otra vez la vista para seguir su interrumpida tarea, exclamó:

—¿Y quién dice que eso no es una calumnia?

—Quien los ha visto conversar más de una vez en esta misma calle, mientras tú asistes al oculto sanedrín[3] de nuestros rabinos —insistió el joven hebreo, admirado de que sus sospechas primero, y después sus afirmaciones, no hiciesen mella en el ánimo de Daniel.

Éste, sin abandonar su ocupación, fija la mirada en el yunque, sobre el que después de dejar a un lado el martillo se ocupaba en bruñir el bronce de metal de una guarnición con una pequeña lima, comenzó a hablar en voz baja y entrecortada, como si maquinalmente fuesen repitiendo sus labios[4] las ideas que cruzaban por su mente.

—¡Je, je, je! —decía, riéndose de una manera extraña y diabólica—. ¿Conque a mi Sara, al orgullo de la tribu, al báculo en que se apoya mi vejez, piensa arrebatármela un perro cristiano? ¿Y vosotros creéis que lo hará? ¡Je! ¡Je! —continuaba, siempre hablando para sí y siempre riéndose mientras la lima chirriaba cada vez con más fuerza, mordiendo el metal con sus

[3] Consejo supremo de los judíos, compuesto de 70 miembros, además de su presidente. Tiene la representación de la más alta autoridad religiosa, legislativa, administrativa y judicial del Estado. Su constitución está basada en el Consejo de los Setenta de Moisés, cuya referencia aparece en el Antiguo Testamento. (*Números*, II, 16 y ss.)

[4] *sus labios*: para mantener la concordancia, preferimos el plural, a pesar de que en el texto periodístico y en RB figura singular.

dientes de acero——. ¡Je! ¡Je! ¡Pobre Daniel, dirán los míos, ya chochea! ¿Para qué quiere ese viejo moribundo y decrépito esa hija tan hermosa y tan joven, si no sabe guardarla de los codiciosos ojos de nuestros enemigos?... ¡Je, je, je! ¿Crees tú, por ventura, que Daniel duerme? ¿Crees tú, por ventura, que si mi hija tiene un amante..., que bien puede ser, y ese amante es cristiano y procura seducirla, y la seduce, que todo es posible, y proyecta huir con ella, que también es fácil, y huye mañana, por ejemplo, lo cual cabe dentro de lo humano; crees tú que Daniel se dejará así arrebatar su tesoro?... ¿Crees tú que no sabrá vengarse?

—Pero —exclamó interrumpiéndole el joven— ¿sabéis acaso...?

—Sé —dijo Daniel, levantándose y dándole un golpecito en la espalda—, sé más que tú, que nada sabes ni nada sabrías si no hubiese llegado la hora de decirlo todo... Adiós; avisa a nuestros hermanos para que cuanto antes se reúnan. Esta noche, dentro de una o dos horas, yo estaré con ellos. ¡Adiós!

Y esto diciendo, Daniel empujó suavemente a su interlocutor hacia la calle, recogió sus trebejos muy despacio y comenzó a cerrar con dobles cerrojos y aldabas la puerta de la tiendecilla.

El ruido que produjo ésta el encajarse rechinando sobre sus premiosos goznes impidió al que se alejaba oír el rumor de las celosías del ajimez, que en aquel punto cayeron de golpe, como si la judía acabara de retirarse de su alféizar.

II

Era noche de Viernes Santo, y los habitantes de Toledo, después de haber asistido a las Tinieblas[5] en su magnífica catedral, acababan de entregarse al sueño, o referían al amor de la lumbre consejas parecidas a la del *Cristo de la Luz*[6], que, roba-

[5] Oficios litúrgicos de maitines y laudes correspondientes al último triduo de la Semana Santa. Llámanse así porque en la basílica romana de Santa Cruz de Jerusalén, lugar donde se celebraban, había un único punto de luz para alumbrar al lector, mientras el resto del templo estaba totalmente a oscuras.

[6] El contenido de la leyenda es el siguiente: en el año 555, reinando en espa-

do por unos judíos, dejó un rastro de sangre por el cual se descubrió el crimen, o la historia del *Santo Niño de la Guardia*[7], en quien los implacables enemigos de nuestra fe renovaron la cruel pasión de Jesús.

Reinaba en la ciudad un silencio profundo, interrumpido a intervalos, ya por las lejanas voces de los guardias nocturnos que en aquella época velaban en derredor del alcázar, ya por los gemidos del viento, que hacía girar las veletas de las torres o zumbaba entre las torcidas revueltas de las calles, cuando el dueño de un barquichuelo que se mecía amarrado a un poste cerca de los molinos, que parecen como incrustados al pie de las rocas que baña el Tajo, y sobre las que se asienta la ciudad, vio aproximarse a la orilla, bajando trabajosamente por uno de los estrechos senderos que desde lo alto de los muros conducen al río, una persona a quien, al parecer, aguardaba con impaciencia[8].

—¡Ella es! —murmuró entre dientes el barquero—. ¡No parece sino que esta noche anda revuelta toda esa endiablada raza de judíos!... ¿Dónde diantres se tendrán dada cita con Satanás, que todos acuden a mi barca, teniendo tan cerca el puente?... No, no irán a nada bueno cuando así evitan toparse de manos a boca con los hombres de armas de San Cervantes[9],

ña Atanagildo, unos judíos golpearon la imagen del Cristo que se hallaba en la ermita del Cristo de la Luz. Cayó al suelo y comenzó a derramar sangre. Los judíos llevaron la efigie a su casa y la enterraron en el establo. Pudieron los cristianos descubrir a los ultrajadores por el reguero de sangre que la imagen había dejado en el trayecto. Al llegar los primeros al establo se apareció el Cristo. La sangre, recogida en ampollas, obró numerosos prodigios y milagros. Bécquer se refiere más extensamente a la leyenda en su *Historia de los templos de España*, O. C., 1981, págs. 918-920.

[7] Tuvo gran resonancia la historia. Cinco judíos y seis judaizantes sometieron a martirio en 1489 a un niño de tres o cuatro años en una cueva del término toledano de La Guardia. Le extrajeron el corazón con el convencimiento de que, junto con una hostia consagrada, les habría de librar de los inquisidores.

[8] «El paso del río, frente a la *Cabeza del Moro* está hoy, y estaba entonces, y estuvo siempre, al pie de la calle del Barco, que bajaba directamente a la *barca de pasage (sic);* cruzado el río, una áspera cuesta sube y subía *serpenteando por entre las rocas* hasta la *Cabeza del Moro* (...).» (Vidal Benito Revuelta, *Bécquer y Toledo*, cit., pág. 28.)

[9] El castillo de San Servando (o San Cervantes, como vulgarmente se le llama por degeneración de su nombre verdadero) era fortaleza árabe que fue res-

pero, en fin, ello es que me dan buenos dineros a ganar, y a su alma su palma, que yo en nada entro ni salgo.

Esto diciendo, el buen hombre, sentándose en su barca, aparejó los remos, y cuando Sara, que no era otra la persona a quien al parecer había aguardado hasta entonces, hubo saltado al barquichuelo, soltó la amarra que lo sujetaba y comenzó a bogar en dirección a la orilla opuesta.

—¿Cuántos han pasado esta noche? —preguntó Sara al barquero apenas se hubieron alejado de los molinos y como refiriéndose a algo de que ya habían tratado anteriormente.

—Ni los he podido contar —respondió el interpelado—; ¡un enjambre! Parece que esta noche será la última que se reúnen.

—¿Y sabes de qué tratan y con qué objeto abandonan la ciudad a estas horas?

—Lo ignoro...; pero ello es que aguardan a alguien que debe de llegar esta noche. Yo no sé para qué le aguardarán, aunque presumo que para nada bueno.

Después de este breve diálogo, Sara se mantuvo algunos instantes sumida en un profundo silencio y como tratando de coordinar sus ideas. «No hay duda —pensaba entre sí—; mi padre ha sorprendido nuestro amor y prepara alguna venganza horrible. Es preciso que yo sepa adónde van, qué hacen, qué intentan. Un momento de vacilación podría perderle.»

Cuando Sara se puso un instante en pie, y como para alejar las horribles dudas que la preocupaban se pasó la mano por la frente, que la angustia había cubierto de un sudor glacial, la barca tocaba a la orilla opuesta.

—Buen hombre —exclamó la hermosa hebrea, arrojando algunas monedas a su conductor y señalando un camino estrecho y tortuoso que subía serpenteando por entre las rocas—, ¿es ése el camino que siguen?

—Ése es, y cuando llegan a la *Cabeza del Moro*[10], desapare-

taurada y reedificada por Alfonso VII tras la reconquista de la ciudad. Posee una interesante y accidentada historia.

[10] Debe referirse Bécquer al risco que los cronistas toledanos llaman Peña del Moro, desde donde se domina la ermita de la Virgen del Valle y donde, según la tradición, fue enterrado cierto caudillo árabe que, después de la recon-

cen por la izquierda. Después, el diablo y ellos sabrán adónde
se dirigen —respondió el barquero.

Sara se alejó en la dirección que éste le había indicado. Du-
rante algunos minutos se la vio aparecer y desaparecer alterna-
tivamente entre aquel oscuro laberinto de rocas oscuras y cor-
tadas a pico; después, y cuando hubo llegado a la cima llamada
la *Cabeza del Moro,* su negra silueta se dibujó un instante sobre
el fondo azul del cielo y, por último, desapareció entre las
sombras de la noche.

III

Siguiendo el camino donde hoy se encuentra la pintoresca
ermita de la Virgen del Valle[11], y como a dos tiros de ballesta
del picacho que el vulgo conoce en Toledo por la *Cabeza del
moro,* existían aún en aquella época los ruinosos restos de una
iglesia bizantina, anterior a la conquista de los árabes[12].

En el atrio, que dibujaban algunos pedruscos diseminados
por el suelo, crecían zarzales y hierbas parásitas, entre los que
yacía, medio oculto, ya el destrozado capitel de una columna,
ya un sillar groseramente esculpido con hojas entrelazadas, en-
driagos horribles o grotescos e informes figuras humanas. Del
templo sólo quedaban en pie los muros laterales y algunos ar-
cos rotos y cubiertos de hiedra.

Sara, a quien parecía guiar un sobrenatural presentimiento,

quista de la ciudad por los cristianos, puso cerco a la misma jurando que no se
iría de allí sin apoderarse de Toledo o morir en el intento. Ocurrido lo último,
fue enterrado en la concavidad de una roca. Cfr. Sixto Ramón Parro, *Toledo en
la mano,* II, 1855, págs. 348-349.

[11] Según el vizconde de Palazuelos, pequeño santuario situado al SE de Tole-
do, desde el que se goza de un bello panorama sobre la ciudad. La ermita es de
las más modernas de la urbe y fue reedificada en 1674. *(Toledo,* 1890, pá-
ginas 1163-1164.)

[12] Bastantes cronistas toledanos afirman que, en efecto, cerca de la *Cabeza del
Moro* existió una ermita de Santa María, fundada por el rey Atanagildo. Sobre el
lugar que ocupaba la iglesia se levantó a fines del siglo XIV un monasterio de
monjes jerónimos, llamado de *Santa María de la Sisla.* Tras la desamortización
pasó a ser finca particular, iniciándose su ruina.

al llegar al punto que le había señalado su conductor, vaciló algunos instantes, indecisa acerca del camino que debía seguir; pero, por último, se dirigió con paso firme y resuelto hacia las abandonadas ruinas de la iglesia.

En efecto, su instinto no la había engañado. Daniel, que ya no sonreía; Daniel, que no era ya el viejo débil y humilde, sino que, antes bien, respirando cólera de sus pequeños y redondos ojos, parecía animado del espíritu de la venganza, rodeado de una multitud como él, ávida de saciar su sed de odio en uno de los enemigos de su religión, estaba allí y parecía multiplicarse dando órdenes a los unos, animando en el trabajo a los otros, disponiendo, en fin, con una horrible solicitud los aprestos necesarios para la consumación de la espantosa obra que había estado meditando días y días, mientras golpeaba impasible el yunque en su covacha de Toledo.

Sara, que en favor de la oscuridad había logrado llegar hasta el atrio de la iglesia, tuvo que hacer un esfuerzo supremo para no arrojar un grito de horror al penetrar en su interior con la mirada.

Al rojizo resplandor de una fogata que proyectaba la forma de aquel círculo infernal en los muros del templo, había creído ver que algunos hacían esfuerzos por levantar en alto una pesada cruz, mientras otros tejían una corona con las ramas de los zarzales o aplastaban sobre una piedra las puntas de enormes clavos de hierro. Una idea espantosa cruzó por su mente: recordó que a los de su raza los habían acusado más de una vez de misteriosos crímenes; recordó vagamente la aterradora historia del *Niño Crucificado*, que ella hasta entonces había creído una grosera calumnia inventada por el vulgo para apostrofar y zaherir a los hebreos.

Pero ya no le cabía duda alguna; allí, delante de sus ojos, estaban aquellos horribles instrumentos de martirio, y los feroces verdugos sólo aguardaban la víctima.

Sara, llena de una santa indignación, rebosando en generosa ira y animada de esa fe inquebrantable en el verdadero Dios que su amante le había revelado, no pudo contenerse a la vista de aquel espectáculo y, rompiendo por entre la maleza que la ocultaba, presentóse de improviso en el dintel del templo.

Al verla aparecer, los judíos arrojaron un grito de sorpresa,

y Daniel, dando un paso hacia su hija, en ademán amenazante, la preguntó con voz ronca:

—¿Qué buscas aquí, desdichada?

—Vengo a arrojar sobre vuestras frentes —dijo Sara con voz firme y resuelta— todo el baldón de vuestra infame obra, y vengo a deciros que en vano esperáis la víctima para el sacrificio, si ya no es que intentáis cebar en mí vuestra sed de sangre, porque el cristiano a quien aguardáis no vendrá porque yo le he prevenido de vuestras asechanzas.

—¡Sara! —exclamó el judío, rugiendo de cólera—. Sara, eso no es verdad; tú no puedes habernos hecho traición, hasta el punto de revelar nuestros misteriosos ritos, y si es verdad que los has revelado, tú no eres mi hija...

—No; ya no lo soy; he encontrado otro padre, un padre todo amor para los suyos, un padre a quien vosotros clavasteis en una afrentosa cruz y que murió en ella por redimirnos, abriéndonos para una eternidad las puertas del cielo. No; ya no soy vuestra hija, porque soy cristiana y me avergüenzo de mi origen.

Al oír estas palabras, pronunciadas con esa enérgica entereza que sólo pone el cielo en boca de los mártires, Daniel, ciego de furor, se arrojó sobre la hermosa hebrea y, derribándola en tierra y asiéndola por los cabellos, la arrastró, como poseído de un espíritu infernal, hasta el pie de la cruz, que parecía abrir sus descarnados brazos para recibirla, exclamando al dirigirse a los que la rodeaban:

—Ahí os la entrego; haced vosotros justicia de esa infame, que ha vendido su honra, su religión y sus hermanos.

IV

Al día siguiente, cuando las campanas de la catedral asordaban los aires tocando a gloria y los honrados vecinos de Toledo se entretenían en tirar ballestazos a los Judas de paja, ni más ni menos que como todavía lo hacen en algunas de nuestras poblaciones, Daniel abrió la puerta de su tenducho, como tenía de costumbre, y con su eterna sonrisa en los labios comenzó a saludar a los que pasaban, sin dejar por eso de golpear

en el yunque con su martillito de hierro; pero las celosías del morisco ajimez de Sara no volvieron a abrirse, ni nadie vio más a la hermosa hebrea recostada en su alféizar de azulejos de colores...

*

Cuentan que algunos años después un pastor trajo al arzobispo una flor hasta entonces nunca vista, en la cual se veían figurados todos los atributos del martirio del Salvador del mundo, flor extraña y misteriosa, que había crecido y enredado sus tallos por entre los ruinosos muros de la derruida iglesia.

Cavando en aquel lugar, y tratando de inquirir el origen de aquella maravilla, añaden que se halló el esqueleto de una mujer y enterrados con ella otros tantos atributos divinos como la flor tenía.

El cadáver, aunque nunca se pudo averiguar de quién era, se conservó por largos años con veneración especial en la ermita de San Pedro del Verde[13], y a la flor, que hoy se ha hecho bastante común, la llamaron *Rosa de Pasión*.

[13] El propio Bécquer nos informa sobre esta ermita y santuario: «La fundación de este santuario se atribuye a Aurasio, arzobispo en tiempos del rey godo Sisebuto. Llamábase antiguamente *San Pedro de la Vega de San Martín* por estar situado en la que entonces se titulaba *Vega de San Martín* y ahora se conoce con el nombre de *Vega baja*, y posteriormente tomó el nombre de *San Pedro el Verde* por las muchas huertas que le rodeaban. Los frentes, cimientos y ruinas descubiertos en el siglo XVI han dado margen a la opinión de que en su origen fue monasterio y, aunque sobre esto nada hay de seguro, en la época goda; posteriormente a la reconquista hay ya un testamento otorgado en 1337, una manda a las *emparedadas de San Pedro de la Vega*, lo cual es un dato irrecusable de que fue, por lo menos, convento de monjas en los siglos XIII y XIV.

»Por los descubrimientos hechos (...) se comprende que el edificio debió ser grande y suntuoso. La ermita, que ya ha desaparecido también, existía aún a fines del siglo pasado.» *(Historia de los templos de España*, apéndice de *Bécquer tradicionalista*, cit., págs. 340-341.)

Colección Letras Hispánicas

DE PRÓXIMA APARICIÓN

Esta obra se terminó de imprimir en julio de 1988
en los talleres de Jiménez Editores e
Impresores, S.A. de C.V.
Callejón de la Luz No. 32-20 Col. Anáhuac
C.P. 11320 México, D.F.

La edición consta de 2,000 ejemplares más
sobrantes para reposición